Brigitte Burmeister

Unter dem Namen Norma

Roman

Klett-Cotta

AM 17. JUNI

Es ist ein großes Haus, hundert Jahre alt. Der Stadt-teil, in dem das Haus steht, hieß weiter Mitte, als er längst Rand war, dahinter Niemandsland, von der Schußwaffe wurde Gebrauch gemacht. Mitten in der Stadt Leere, ein Tummelplatz für die Kaninchen, die seit dem Wiederauftauchen der Menschen von dort ver-schwunden sind, zurück in den nahen Tiergarten. Von der Ecke, an der das Haus steht, gelangt man jetzt in wenigen Minuten unter hohe Bäume. Sie waren vor dem Krieg schon da oder sind nachgewachsen in fast fünfzig Jahren, jünger damit als das Viertel, das wieder Mitte ist, auch wenn die meisten seiner Straßen so vergessen aussehen wie all die Zeit zuvor. Zufällig stehengebliebene, da und dort frisch verputzte Häuser mit dem vor hundert Jahren festgebauten Gefälle der Annehmlichkeiten vom Vorderhaus über das Querge-bäude in die Hinterhöfe, einer übersichtlichen Verknap-pung von Raum, Licht, Wasser, an der später ein wenig herumgebessert wurde, in besonders krassen Fällen. Zu denen zählte das Haus an der Ecke nicht, durchschnitt-lich dürftig, wie es war und blieb, so daß jetzt, in neuem Licht, seine Häßlichkeit kolossal erscheint und man beim Anblick des Hauses über die Einwohner Bescheid weiß: eine graue, grämliche Masse, in vier Schichten auf das Vorderhaus und die hinteren Eingänge A bis E verteilt. Wenn man jedoch eine Weile stehen bleibt, treten aus den Türen Einzelne, die lächeln oder zufällig bunt sind und das Gesamtbild verwischen, so daß sich wenig Allgemeines mehr sagen läßt, außer daß all diese Personen, falls sie nicht bloß zu Besuch sind, in der entsprechenden Spalte ihrer Ausweise denselben Ein-trag haben, vielmehr nun dieselbe Korrektur, weil die

Straße, an deren Ecke das Haus sich befindet, zurückge-
tauft wurde auf den Namen, der bis zur vorherigen
Korrektur in den blauen Personalausweisen der lang-
jährigen Hausbewohner gestanden hatte.

– Suchen Sie jemand?

fragte ein junger Mann mit Pferdeschwanz, den ich
noch nie gesehen hatte, auch nicht genauer ansah, denn
wie bei Verbotenem ertappt, rutschte mein Blick an der
hohen Wand des Quergebäudes ab, wies geradeaus auf
eine Tür,

– nein, niemand, ich wohne hier, sagte ich und ging,
als müßte meine Gangart die Antwort unterstreichen,
stracks zur Tür, hinein in das Treppenhaus, in dem
es dämmerig und still war, ja so, nicht finster und
öde, wie im letzten der Briefe steht, die mich pünktlich
erreichen und mahnen, meine Ausdrucksweise zu ver-
schärfen.

Du mit deiner verdammten Freundlichkeit, nur nicht
anecken, nicht wahr? Du mußt Rücksichtslosigkeit lernen, steht da, und ich weiß, daß es richtig ist, dennoch:
dämmerig und still, dabei bleibe ich, schließlich steige
ich jeden Tag durch dieses Treppenhaus, das der Brief-
schreiber verlassen hat, definitiv, verstehst du?, Schluß-
strich, anders kann ich ein neues Leben nicht beginnen,
außerdem verbindet mich nichts mit dem alten Jammer-
tal, schreibt er wörtlich, nichts, dich ausgenommen,
und schildert dann den Blick auf ferne Berge, über
Weinhänge und die Rheinebene hinweg, die heitere
Ruhe des Gärtchens und die vollkommen schöne Wohnung.

Scheißidylle, dachte ich, aber deshalb ist das hier längst nicht, werde ich schreiben, der Limbus, ha, und hoffentlich muß er nachschlagen, was das heißt. Von wegen finster und öde! Die Stadt schwimmt in Licht, der Himmel ist vergißmeinnichtblau, werde ich schreiben ... Heute morgen, auf meinem Einkaufsweg durch das Viertel, sahen die Leute aus, als hätten sie der Zeitung geglaubt: Soviel Anfang war noch nie. Sogar in unserem Hof. Ein wildfremder junger Mann sprach mich an, fragte nach meinen Wünschen, mit solchem Wohllaut in der Stimme, daß ich ihn gern in ein Gespräch verwickelt hätte, was mir die Zeit indes verbot, auch die Geschäftigkeit um uns herum, das Hin und Her der Möbelträger, tänzelnd unter hochgestemmten Sesseln, trunken vor Sonne und in der Euphorie einer anhaltenden Umzugswelle, das muß ich dir nicht erklären.

Im Treppenhaus hörte ich, daß im zweiten Stock Frau Schwarz dabei war, ihre Wohnung zu öffnen. Ich kannte die Geräusche, das Aushaken der Türkette, deren schweres Ende gegen den Pfosten schlug, wo bestimmt eine abgeschabte, eingekerbte Stelle ist, das Rasseln der Schlüssel am Bund, das Knacken und Klicken der Schlösser, wenn der Sicherheitsschlüssel zweimal, dann der Drücker gedreht, dabei an der Tür gerüttelt wurde, als müßte sie bereits vor dem Öffnen aufgehen. Da hatte Frau Schwarz die Tür aufbekommen und entließ einen Schwall Wohnungsgeruch in das Treppenhaus.

Ich wußte, daß sie jetzt witternd auf der Schwelle stand, sah ein paar Stufen weiter schon ihre Hausschuhe, die dicken braunen Strümpfe, dann die ganze Gestalt, heute in einem weinroten Jackenkleid und ohne

9

Schürze, als wäre Sonntag. Mit Frau Schwarz, der die Umwelt immer unverständlicher wurde, gab es regelmäßig Gelegenheit zum Erklären und Beschreiben, nur mußte man dabei voll Ausdauer schreien. Doch wenn ich mich dazu entschloß, war es der reine Gewinn, ein Sprechen ohne Hintersinn und Nebenton, weder den von früher, noch den neuen. Was auf dem Hof los sei, wollte Frau Schwarz wissen. Nichts Besonderes, sagte ich, setzte die Einkaufstasche ab und schrie eine genaue Beschreibung der Möbelstücke, der Möbelträger in das rechte Ohr von Frau Schwarz, einen detailgetreuen Bericht ohne die alten Töne der Kritik, die neuen der Rechtfertigung. Ich strengte mich sehr an, auch Frau Schwarz schien bald erschöpft vom Zuhören. Sie bedankte sich für meine Mühe und vergaß zu fragen, wer denn ausgezogen sei. So kam ich davon. Vielleicht fand sich jemand, der an meiner Stelle den Namen nennen und erklären würde, daß es sich nicht um einen Umzug handelte, die traurige Wahrheit, und so würde Frau Schwarz die Geschichte erfahren, heute noch, oder eines Tages von mir selbst, das würde sich schon finden.

Weil du immer früh aus dem Haus mußtest, den ganzen Tag weg warst, weil wir an schönen Wochenenden aus der Stadt gefahren sind, hast du nicht bemerkt, wie hell am Vormittag unsere Wohnung ist, diese jedenfalls. Von der vorherigen konnte man es beim besten Willen nicht behaupten, schon gar nicht seit der Aufstockung in der Marienstraße, die dich kaum gestört hat, für mich aber eine Katastrophe war, daran erinnerst du dich gewiß, wie dir meine Verzweiflung beim Anblick des schwin-

10

denden Himmels übertrieben vorkam, unangemessen das Weinen über so ein Stückchen Mauer, wo doch die andere nahebei mich nichts anzugehen schien. Rechnen wir mal um, hast du gesagt, deine Tränen der letzten Woche wegen schätzungsweise vierzig Quadratmetern Stein, also wie lang ist die Berliner Mauer, weißt du das überhaupt? Keine Ahnung, schrie ich, ist mir auch sowas von egal, und deine schwachsinnige Statistik dazu, als würde man nach Metern heulen oder über das allgemeine Elend dieser Welt, wer denn?, niemand, wette ich, da verhält sich die gesamte Menschheit unangemessen, kannst du sie glatt vergessen, wie du offenbar auch vergißt, daß ich es bin, die Tag für Tag in diesem Loch zubringt, weil nämlich mein Arbeitsplatz sich hier befindet, neben einem sogenannten Fenster, aus dem man den Kopf jetzt sehr weit rausstrecken muß, um zu sehen, ob der Himmel grau ist oder blau, falls dir das was sagt.

Auch von diesem Streit blieb etwas nach, ein Schnitt irgendwo, nicht weiter beachtet. Wir zogen ja bald in den obersten Stock, wo man über Dächer und Höfe hinweg sogar Bäume sieht, eine Gruppe Pappeln, die du, der Wirklichkeit ungeachtet, die Drei Gleichen getauft hast, weil dich der Name an etwas erinnerte, Felsen oder Schloßtürme hoch überm Fluß. Der Ausblick gefiel dir, die hellere Wohnung auch, obwohl du in der anderen weiter hättest leben können, sogar in einer viel schlimmeren, und jetzt auf einmal diese Begeisterung für schönes Wohnen, die Hymnen auf Horizont und Licht. Als schicktest du deine Briefe in eine Höhle. Du weißt eben nicht, wie hell es hier am Vormittag ist.

<del>kurz nach der Wende</del>

11

Die Sonne scheint auf meinen Arbeitstisch, aber ich ziehe die Vorhänge nicht zu, und das Fenster lasse ich offen. Tagsüber stört mich Stille. Natürlich sind mir nicht alle Geräusche gleich willkommen. Stimmen, Schritte, den geringen Lärm des Schildermalers und der Klempner ziehe ich laufenden Motoren vor, erst recht der Kreissäge, die unser Kohlehändler gelegentlich in Gang setzt. Im zweiten Hof hört sich das alles, vermischt mit fernem Rollen und Rauschen, anders an als im vorderen Schacht, der Schall schluckt und Echos wirft und eng genug ist, daß die Bewohner, ohne den Fuß vor die Tür zu setzen, Unterredungen führen könnten in jeder Richtung, was aber nicht geschieht.

Die Geräusche steigen an mir vorbei, dahin ins Blaue. Sie stören mich nicht. Im Gegenteil. Was mich stört, tagsüber, ist die Stille. Sie ist hier immer falsch und eine Ablenkung, weil man versucht herauszuhören, was sie verdeckt, oder den Augenblick vorauszuahnen, in dem sie plötzlich zerreißt. Das kalte Halbjahr liebe ich auch deshalb nicht, weil in ihm der Hauslärm herrscht. Trotz seiner Lautstärke ist er der Stille, wie ich sie hier kenne, näher als den Geräuschen aus dem Freien. Allein von den Schritten auf dem Dachboden, selten und zu ganz unregelmäßigen Zeiten, lasse ich mich gern ablenken. Sie sind rätselhaft, denn es gibt da oben nichts außer Schutt und Staub, und ich höre sie auch nur im Winter. Jetzt ist Juni.

Das Licht war so grell, daß ich die Helligkeit des Bildschirms verändern mußte. Die Schrift erschien nun wieder kräftig. Ich verscheuchte schemenhafte Gesichter, Gestalten im Getümmel, Stiefel für die Rheinarmee aus irgendeiner Schulgeschichte, von der ich das übrige vergessen hatte, und verglich, was da stand, Wort für Wort mit den Sätzen des Originals, las es mir zur Kontrolle vor. »Selten hat bei einem Staatsmann«, las ich laut, »die äußere Erscheinung solche Bedeutung besessen. Die Geschichtsschreibung bemächtigt sich des Bildes vom Erzengel, und seither formt jederlei Vorstellungskraft an dieser hermaphroditischen Schönheit, je nach Phantasie oder Interesse.«

Unerfindlich, weshalb an dieser Stelle der Lehrer Meinert auftauchte, der mit Schönheit nichts zu tun hatte, dem es auch nicht eingefallen wäre, uns einen Geschichtshelden auszumalen. Geschichten gehörten in ein anderes Fach. Dort mochte es von leuchtenden Geschöpfen wimmeln, aber die Geschichte im Singular sei eine große Maschine, deren Antriebe, Bewegungen und Pannen nicht länger rätselhaft oder Gegenstand phantastischer Deutungen bleiben müßten, vielmehr wissenschaftlich untersucht und in ihrer Gesetzmäßigkeit erkannt worden seien, so daß wir, denen die Erkenntnisse vorlägen, sie uns nur noch anzueignen hätten, wobei das »nur« in dicken Anführungszeichen stehe, denn die Materie zu durchdringen, erfordere mehr Fleiß und Beharrlichkeit, als wir an den Tag legten, das müsse er wieder einmal in aller Deutlichkeit feststellen, leider, sagte im Frieden einer dösenden Klasse unser Lehrer Meinert, der vor der alten Wandtafel stand, ihr halb zugekehrt, den Zeigestock in der Linken, so wie vor dreiunddreißig Jahren, mit seiner dicken Hornbrille, der beginnenden Stirnglatze, nur daß er mir jetzt jung erschien, ein weiches, rosiges

Gesicht, lächelnd aus Verlegenheit, die uns damals, je nachdem, verächtlich oder milde stimmte, ihn jedenfalls aus der Schußlinie rückte, in das Niemandsland der Langeweile. Der Zeigestock tippte auf der Tafel Zeile für Zeile an: Ursachen, Anlaß, Verlauf, Gründe des Scheiterns, Lehren. Ein im Schlaf gegenwärtiges Schema, dem auf der Antwortseite, für die gescheiterten Erhebungen seit der Französischen Revolution jedenfalls, die mangelnde Organisation und Bewaffnung der progressiven, die schwankende Haltung der kleinbürgerlichen Kräfte und der Verrat durch die rechten Führungen entsprach, was wir wußten, ohne es wirklich zu wissen, ohne es zu glauben oder zu bezweifeln, weil es uns nichts anging, dieses Räderwerk, das sich dank der ineinandergreifenden Zähne widersprüchlicher Interessen bewegte und geschmiert wurde von Schweiß, Tränen und Blut in unvorstellbaren Mengen. Da es Meinerts Verdienst gewesen war, uns jegliche Lust an Geschichte, wie er sie lehrte, auszutreiben, hatte er sich vielleicht eingestellt, um mich neugierig zu machen auf etwas, das nicht so fade war wie der lebenslange Nachgeschmack seiner Stunden, ein Helfer, den ich loswerden mußte, bevor die Klasse erwachte und wir uns im Kreise drehten in den alten Geschichten, dem unwiderstehlichen Schulmief, der uns alle konserviert hatte mitsamt der pubertären Verlorenheit, an die nicht zu rühren war, ohne daß sie sich weiter zurückzog ins Innere einer Erinnerung, von der kein Wort in unseren Lebensläufen stand, weder in den selbstverfaßten, noch in denen, die später das Sicherheitsministerium zusammentrug, weitab von der Frage, die wirkliche Biographen antreibt: Was kann man heute von einem Menschen wissen?

Von diesem Toten zum Beispiel, heutzutage herauf-beschworen durch Bilder, die »bis auf wenige Ausnahmen, Karikaturen einer Karikatur sind. Selbst wenn sie aus der Feder berühmter Autoren stammen, präsentieren sie einen übertrieben verweiblichten Saint-Just mit gepuderten Locken, Ohrring, zarter Stimme und bewundernd auf Robespierre gerichtetem Blick«, las ich mir vor.

Das Licht von draußen war nicht mehr grell. Die Sonne stand nun über unserem Quergebäude. Sie beschien den größeren Teil des zweiten Seitenflügels. Die Verkleidung aus Zinkblech an den Mansarden leuchtete. Die Fenster waren geschlossen. Der Nachmittag hatte gerade erst begonnen. Die Farben des Himmels, der Dachziegel und der Hauswand würden intensiver werden, wie ich sie am meisten mochte. Nach und nach kämen die Leute nach Hause, Schritte über das Kopfsteinpflaster des zweiten Hofes. In drei Stunden gingen die Fenster auf, die Fernseher an. Ich säße dann immer noch an meinem Tisch bei der Arbeit, mit der ich später anfing als die anderen und an diesem Abend nicht eher aufhören würde, bis ich das Kapitel übersetzt hätte, das »Die Schönheit der Jugend« heißt, das erste in dem Buch, dessen Ende ich in einem halben Jahr erreicht haben kann, an irgendeinem trüben Tag, an dem ich vielleicht das Gehen auf dem Dachboden wieder hören werde.

Ganz normale Schritte, sonderbar nur, weil es dort oben nichts zu suchen gibt und niemand hingeht. Schritte, die ich nicht erkenne, was aber nichts zu sagen hat, weil auf den Höfen so viele herumlaufen, daß es unmöglich ist, die Gangart eines einzelnen zu behalten, wenn sie nicht besonders auffällig ist. Anders natürlich die wiederkehrenden Schritte auf der Treppe. Sie weiß ich noch, auch wenn ich sie nicht mehr höre. Johannes, die Schwestern König, Herrn Samuel, den seine Frau zum Rauchen immer auf die Straße geschickt hat, Margarete Bauer, alle verzogen oder gestorben, und Frau Schwarz vor Jahren, als sie ihre Wohnung noch verließ, habe ich frischer im Ohr als die Jetzigen, unter denen allein Norma, vom ersten Besuch an, sich mir eingeprägt hat, daß ich schon aufspringe und die Tür aufmache, während Norma noch unterwegs ist, irgendwo zwischen der ersten Treppe und mir.

Unten auf dem Hof klingen sie alle ähnlich, höre ich einzelne nur heraus, wenn ihr Gang sehr laut oder von besonderen Geräuschen begleitet ist. Auf hohen Absätzen und immer in Eile, geht da eine Frau, die ich nicht kenne, die ich nur als ein Hämmern kenne, als Bild von harten Waden und strammen Hinterbacken, das sich mittlerweile ohne Blick aus dem Fenster einstellt, sobald das entschlossene Gedröhn vorbeizieht. Aber ich sehe hinunter, wenn jenes Fegen, Schleifen, Klirren und Scheppern losgeht, das zu unhörbaren Schritten gehört und mir im März zum ersten Mal auffiel, sich seitdem jeden dritten oder vierten Tag aus dem hinteren Hof nach vorne arbeitet, auch von anderen bemerkt.

– Ein fleißiger Mann, sagte der Klempner Behr.

– Was der wohl früher war. Möchte ich echt mal wissen, aber das erfahren wir sowieso nie, wir doch nicht, wir gucken immer in den Mond, und die Bande hält zusammen wie Pech und Schwefel, haben schon wieder alles unter sich verteilt, die ganzen Grundstücke und die Posten, von denen muß keiner raus aus der Wohnung zum Kacken, ne Treppe tiefer, und mein Mannn hat neulich, sagte Frau Müller.

– Aber sauber ist es jetzt, sagte Herr Behr, das muß man ihm lassen.

– Ja, sagte ich. Seit Kühne amtiert, sind wir ein *Bereich vorbildlicher Ordnung und Sauberkeit.*

– Bloß, ne Prämie gibts dafür nicht mehr, sagte Frau Müller.

– Nicht mal einen Orden, sagte Herr Behr.

Wir standen noch eine Weile zusammen, während es vom weißgrauen Himmel tröpfelte, und sprachen über die Abfälle der neuen Zeit. Bis vor kurzem hatte der Hof ausgesehen, schlimmer denn je, das stellten alle fest, die vorbeigingen oder irgendetwas neben den überquellenden Tonnen und Containern abzuladen hatten, wohin denn sonst, schließlich konnte man das Zeug nicht schlucken, und wenn die so flott die Mieten hochdrückten, dann sollten sie sich gefälligst was einfallen lassen, da waren wir ganz einer Meinung und blieben dabei. Bis das Haus einen Hausmeister bekam und dieser die Herausforderung der neuen Zeit annahm.

Kühne fegte erbarmungslos gründlich, besonders in den Ritzen. Daß er mit seinem Besen das Pflaster kitzelt, bis es lacht, dachte ich nicht mehr. Ich sah ihm mittlerweile ohne Vergnügen bei der Arbeit zu, unschlüssig, ob ich damit aufhören oder weiter hinsehen sollte. Um den Augenblick nicht zu verpassen, in dem die behäbige Gestalt im blauen Kittel etwas tat, das mir Klarheit verschaffte.

17

– Wenn ich das so höre, hatte Norma gesagt, Klarheit, Wahrheit, der entscheidende Augenblick. Und ausgerechnet von dir!

– Aber ich sehe doch immer dieses Bild. Einen endlosen Korridor und auf Knien den jungen Mann, der mit der Zahnbürste Zentimeter für Zentimeter, und dicht vor seinen Händen die Stiefel, manchmal sehe ich sie auch am Ende des Korridors, wo der Junge mit seiner armseligen Bürste hinkommen muß, auch wenn er die halbe Nacht schrubbt, und sehe über den Stiefeln ganz genau Kühne, nicht im Kittel, in Uniform, und höre dieses Gebrüll, das man aus Erzählungen oder Filmen kennt, und kann ja sein, daß Kühne selbst so geschliffen wurde, aber daß er dann brüllt, es hätte noch keinem geschadet, und den Jungen zwingt, die Dielen blank zu putzen, besonders die Ritzen, das ist das Schlimme, finde ich, und kann doch nicht einfach vergessen werden, Hauptsache, der Mann macht sich jetzt nützlich. Will ich gar nicht bestreiten.

– Was willst du dann?

– Die Wahrheit erfahren. Wissen, ob er bereut, ob er überhaupt einen Funken von Schuldgefühl hat, falls das Bild aus seiner Vergangenheit stimmt, das ich vor mir sehe, wenn ich ihn beim Fegen beobachte.

– Geh runter und frag ihn, hatte Norma gesagt.

Kühne arbeitete auch mit Plastiksäcken. Er sortierte die Abfälle, die er zusammengetragen und zusammengekehrt hatte und tat sie, wenn die Behälter schon voll waren, in die Säcke, die er fortschleifte. Wohin, konnte ich nicht sehen. Von denen, die ich danach fragte, hatte sich niemand für das Problem interessiert. Wir rätselten ein bißchen herum. Daß der Hausmeister ein Sammler

18

für alles und im Besitz heimlicher Depots war, erschien uns unwahrscheinlich, eher glaubten wir, daß er weiträumig verteilte, die Aufgeräumtheit bei uns mit dem katastrophalen Anblick benachbarter Höfe durchaus zusammenhing. Wer sich so etwas gefallen läßt, meinte Frau Müller, ist selber schuld.

Vielleicht würde ich, wenn ich in den Beobachtungen nicht nachließ, Kühne an irgendeinem Punkt überführen und von dort die Vergangenheit aufrollen können.

Einfach zu ihm zu gehen und ihn zu befragen, ist ein absurder Gedanke. So naiv kann nur Norma sein. Außerdem habe ich anderes zu tun und bin dankbar für die ungestörten Tage, an denen mich kein Fegen und Schleifen zum Hinuntersehen mahnt. Die übrigen Geräusche von draußen stören mich nicht. Sie ziehen an mir vorbei, dahin ins Blaue. Schritte auf dem Kopfsteinpflaster des zweiten Hofes, Stimmen und Gelächter, das Dudeln aus den Apparaten, wenn Feierabend ist und die Fenster aufgehen. Und das Anstoßen mit den Bierflaschen, neuerdings, seit es die Gartenecke gibt.

So nennen wir eine Bank, einen Tisch und ein paar Klappstühle hinter dem Zaun, der die Werkstatt des Schildermalers vom übrigen Hof trennt. Die Möbel stehen auf einem grünen Teppich, am Zaun sind drei Blumenkästen voller Hängegeranien angebracht. Anfangs erwartete ich, daß ein Wagen mit der Aufschrift *Imbiß* hinzukommen würde, und als das nicht geschah, dennoch an den ersten warmen Abenden Männer in der Ecke Platz nahmen und ihr mitgebrachtes Bier tranken, hat es mich schon gewundert. In der Epoche der Wettbewerbe und Brigadefeiern hätte ich an eine Initiative der Gewerkschaft geglaubt, mich allerdings auch gewundert: über den Teppich, die hier unübliche Blumenenart und überhaupt. Es war so wenig wahrscheinlich, daß der Geist kollektiver Maßnahmen in die Winkel unseres Hofes vordrang, zu den kleinen Handwerkern, die zusammmen in die Kneipe gingen, wie unter Kollegen Brauch, aber dafür keinen Grund von oben brauchten, kein Ziel, das es zu erreichen galt, wie in den Betrieben die Auszeichnung mit dem Titel *Kollektiv der sozialistischen Arbeit*. Daß sie nun manchmal in der Gartenecke zusammensitzen, einfach so, vielleicht dank einer neuen Aufgeschlossenheit des Malermeisters für Methoden moderner Unternehmensführung, war zunächst überraschend, doch bald vertraut, auch als Quelle von Geräuschen. Es sitzen nicht nur die Handwerker dort, aber immer nur Männer.

Gemeinsame Feste auf dem Hof oder der Straße hatte es nie gegeben. Vor langer Zeit die Familie Schäfer im rechten Seitenflügel, Parterre, die zweimal im Jahr die Fenster aufstieß und die Musik hochdrehte, damit alle etwas davon hatten, eine Einladung zum Mitmachen. Wir hätten in unseren Wohnungen tanzen können oder unten auf dem Hof oder bei den Schäfers, warum nicht, doch niemand tat es, mitten in der Nacht, aus dem Schlaf gerissen, nicht aus den Gewohnheiten, der ständigen Bereitschaft, die Nähe der anderen, ihren Lärm, ihre Ausbrüche als Zumutung zu empfinden. Gleich gibts eine Anzeige, schrie der fürchterliche Neumann der Musik entgegen, sofort Schluß mit dem Remmidemmi, und sicher gab es die Anzeige, aber dann wieder ein Fest bei Schäfers, so lange, bis sie eines Tages die Zweizimmerwohnung aufgaben, die ihnen immer genügt und gefallen hatte, mir unbegreiflich, noch finsterer als unsere erste, und mit ihren drei Kindern in das neueste Neubaugebiet wechselten, in einen Zwölfgeschosser, sagte Frau Schäfer. Das klang nach dem, was es war: eine Kriegserklärung an die Menschen, auch wenn sie es nicht so auffaßten, weil sie an den *Vollkomfort* dachten und weil das alte Haus zwar nicht mitten unter den Totschlägern, ihnen jedoch nahe genug stand, um an sie zu erinnern, an die trübe Geschichte eines vor keinem Gericht je verhandelten, immerhin durch Augenzeugen wie diesen stadtbekannten Maler mit dem Beinamen Vater seinerzeit angeprangerten Verbrechens, das in seiner ursprünglichen Form nicht mehr wiederholt wurde, weswegen von Fortschritt die Rede sein konnte. Bad, Balkon, Fernheizung und vier Zimmer, wenn das kein Fortschritt ist, sagten Herr und Frau Schäfer, denen der Abschied schwer wurde, wie plötzlich auch mir, als ich begriff, daß es nun keine Aufforderung zum Tanz mehr gäbe mitten in der Nacht, zu anderen Zeiten ebensowenig, denn gemeinsame Feste lagen uns fern.

Das ist so geblieben, und fern liegt schon das große Fest, das niemand organisiert, die ganze Stadt gefeiert hatte, Unzählige, die im Taumel ohnegleichen, freudetrunken, herzzerreißend erleichtert nach Worten rangen und Luft holten und beim Durchatmen Reif um Reif sprengten und da erst spürten, wie viele es waren.

Daß wir damals anders ausgesehen, uns anders angesehen haben als je zuvor und danach, ist eine nicht mehr erreichbare Gewißheit. Unvergeßlich, versichern wir einander von Zeit zu Zeit im Alltag, und versuchen vielleicht, die nicht vergessene Freude wiederzuerleben, etwas aus ihr zu gewinnen für jetzt, und wissen dabei, daß man Erinnerungen nur aufheben kann, weiter nichts, die alten Bilder ansehen an Jahrestagen oder wann immmer, die Sätze nachsprechen, die damals gesagt und Zeichen wurden für unser Dabeigewesensein.

Das gibts nur einmal! Dabei blieben sie, auch wenn Norma erklärte, um eine Wiederholung könne es gar nicht gehen, wohl aber um den Versuch, hier etwas auf die Beine zu stellen, damit die Leute nicht ständig aneinander vorbeiliefen, nur schnell nach Hause und die Tür zu.

– Ja, ein Straßenfest für alle, sagte Norma, wie in dem Kietz, aus dem ich komme, da gab es das schon vor der Wende, und nicht durch irgendwelche Funktionäre im Wohngebiet organisiert.

– Die haben sich hierher sowieso nie verirrt, hätte gerade noch gefehlt, aber wenn ihr feiern wollt, nichts dagegen, nur laßt uns aus dem Spiel, schließlich hat der Mensch auch ein Recht auf Ruhe, nicht wahr?

So oder so ähnlich, bis Norma das Herumfragen aufgab. Ich sagte nicht: Hätte ich dir gleich sagen können.

Mir tat Norma leid und das Grüppchen Frauen und ich selber auch, als wir nach einigen Kindergeburtstagsspielen die Kerzen in den Lampions anzündeten, obwohl es gerade erst dämmerte, und mit den Kindern durch das Viertel zogen, denn ein Laternenfest sollte es unbedingt sein, dazu singen wollten sie auch. Es klang kläglich, fand ich. Unverzagt, sagte Norma, und die Mütter bedankten sich zum Schluß bei ihr. Ich dachte an die Novembernacht, an all die Menschen auf der Straße, an den Mann, der auf der Mauer gestanden, mit einem Glas Sekt in der Hand, und gesungen hatte, laut und rein: Freude, schöner Götterfunken. Ich dachte daran, wie uns die Rufe auf dem Hof geweckt hatten, wie wir zum Säulentor liefen, Johannes und ich, und plötzlich eine Frau mit uns, die uns beide umarmte, wie wir einander nicht aus den Augen verloren, gemeinsam zurückkehrten gegen Morgen und feststellten, daß wir Haus an Haus wohnten.

Der Anfang sei gemacht, sagte ich zu Norma, als die letzten Kinder gegangen waren. Das sollten wir feiern und essen gehen. Nach drüben.

– Immer noch, sagte Norma und war einverstanden.

– Dort bin ich früher nie angekommen, das heißt, nicht zu denen gekommen, die ich besuchen wollte im Traum. Es war eigentlich immer derselbe, aber eines Nachts träumte ich, diesmal sei alles wirklich, ich würde an mein Ziel gelangen, von dem mich sonst Hindernisse immer gründlicher entfernt hatten, weswegen es schließlich nicht mehr darum ging, die gesuchten Häuser in Steglitz und Kreuzberg zu erreichen, sondern nur noch zurückzufinden, bevor die Frist verstrichen war, denn mit den Adressen, den fortwährend verpaßten Anschlüssen und falschen Richtungen gehörte zu jeder Fahrt nach drüben die zugeteilte Zeit, die zu überschreiten mir nicht im Traum einfiel, und die einen Druck erzeugte, keine deutliche Angst, ein Gefühl wie auf dem Weg zur Schule, zur Arbeit dann, du darfst nicht zu spät kommen. Das fehlte in dem Traum, der mich davon überzeugte, daß ich nicht träumte, was ja erstaunlich war, weil gerade das Ausbleiben des Zeitdruckes mir hätte zeigen müssen, daß mit jener Wirklichkeit etwas nicht stimmte, und mir dann, bei Licht besehen, zeigte, was an meiner wachen Wirklichkeit faul war, mit ihren eingeteilten Zeiten und abgegrenzten Räumen, die erst recht normal erschienen angesichts der Absurdität einer Mauer mitten durch die Stadt und der Willkür, mit der bestimmt wurde, wann und für wie lange jemand diese Mauer passieren durfte. Aber diese Zumutungen spürte ich nicht ständig, vielleicht weil ich längst an andere, allgemein übliche Beschränkungen gewöhnt war, wie die tägliche Hinderung der meisten, über Zeitpunkt und Richtung ihrer Schritte frei zu bestimmen, auszuschlafen zum Beispiel, statt bevor es hell wird loszustürzen, hinein in volle Busse und Bahnen, mitten zwischen stumpfe Morgengesichter, in diesen Dunst von Schicksalsergebenheit, der sich auch an den Grenzübergängen staute und noch in meine Träume reichte, wenn ich durch fremde Straßen irrte, nicht mehr auf der Suche nach meinem Ziel, sondern dem Rückweg dorthin, woher ich gekommen war mit einer ganz und gar überraschenden Erlaubnis, gültig für dieses eine Mal.

Wahrscheinlich hatte Norma nicht zugehört. Sie sagte: Die Kaninchen kommen wieder.

Der Himmel war schon dunkel. Wir gingen in südlicher Richtung, an einer leeren Fläche entlang, über die hier und dort Flecken huschten.

– Vielleicht haben sie im vergangenen Zeitalter, durch wer weiß wie viele Generationen, eine Art Heimatgefühl erworben, so daß sie an die alten Plätze zurückkehren, wenn es dort still geworden ist, sagte Norma.

Es waren kaum noch Menschen auf der Straße und wenige Autos um diese Zeit. Die Bäume des Tiergartens bildeten eine schwarze Wand mit Spitzen und Bögen obenauf. Dicht darüber, etwas verschwommen im Dunst, der zunehmende Mond. Ein schwacher Wind von Westen wehte Waldgeruch heran. Den hatte ich, als die Mauer stand, nie wahrgenommen. Vielleicht täuschte ich mich, weil wir uns für Augenblicke auf einem Spaziergang über freies Feld am Waldesrand, bei Mondschein und Stille, befanden, mitten im Zentrum einer europäischen Hauptstadt.

– Riechst du das? fragte ich und zeigte mit dem Kopf zur schwarzen Wand.

Norma antwortete nicht. Sie sog die Luft ein, blähte die Nasenflügel und verdrehte die Augen, daß ich das Weiße glänzen sah. Dann blieb sie stehen und rief: Es brennt!

Ich hatte keine Lust mitzuspielen. Weder meinen Traum noch die Geruchsfrage hatte sie beachtet. Ich ging weiter.

– Viel zu einfach, sagte ich. Außerdem kann das Prachtstück meinethalben verkohlen, es wäre ja nicht zum ersten Mal.

– Aber die Folgen! rief Norma, nun wirklich aufgeregt. Denk doch an die Folgen!

– Die Geschichte wiederholt sich nicht.

– Genau, sagte Norma schnell. Und deshalb brennt auch nicht das, was du denkst, sondern, einige Nummern kleiner . . .

Sie hatte im Handumdrehen den Reichstag ausgewechselt, da war ich sicher, inzwischen auch neugierig. Aber ich tat, als interessierte mich die Sache nicht, sagte: Feuerwehrruf Eins-eins-zwo und spürte, daß jetzt Norma gekränkt war. So gingen wir schweigend weiter bis zu der Kreuzung, an der wir nach links mußten, wenn wir zu unserem Café wollten.

An dieser Ecke kehrten sie um, weil sie dort immer umgekehrt waren. Wie sollte der Tod irgend etwas daran ändern. Sie zogen ihre Bahn, in den schleppenden Mänteln und ausgebeulten Schuhen, die neu gewesen vor dem Krieg und deshalb Friedensware hießen, wie nach dem Krieg nichts mehr, obwohl seitdem hier länger Frieden war als je zuvor und endgültig herrschen würde für die beiden alten Frauen, hätte ich sie nicht mitgezogen auf den Weg, den wir bis zur Kreuzung zusammen gingen, ohne daß Norma es wußte, ohne daß ich die ganze Zeit daran dachte. Sie sprachen nicht und blieben streckenweise zurück, dann sah ich sie plötzlich dicht vor uns, mit ihren Leidensmienen, beständig wie die Gewohnheit, abends an die frische Luft zu gehen, immer dieselbe Strecke. Sie sahen aus, als wäre ihnen soeben ein Unglück widerfahren, eine Strafe über sie verhängt worden. Die Augenbrauen ersetzt durch pechschwarze Striche, um die herum alles, die Augen, die Lippen, Haut und Haar, verblichen war. Die Gesichter hätten sich, ohne ihre rußigen Bindestriche, aufgelöst im hellen Grau all der vergangenen Abende, im Grau einer mit stumpfer Gründlichkeit enttäuschenden und vernichtenden Zeit, die müdes Fleisch, schmerzende Knochen übriggelassen hatte und, als letzte Linie des Widerstands, die vor dem Ausgehen geschwärzten Brauen. In beiden Gesichtern derselbe unglückliche Schwung, sicher ein- und derselben Hand entsprungen.

– Ich denke, daß immer Minna die Brauen nachgezogen hat, bei sich und ihrer Schwester, sagte ich, als wir hinter der Kreuzung abgebogen waren.

– Von wem redest du?

– Von Ella und Minna König, die in unserem Haus gewohnt haben.

– Und jetzt?

– Ich weiß nicht, wo der Friedhof liegt. Ich habe mich nicht darum bemüht, hinzufahren und die Gräber aufzusuchen. Falls die beiden dort angekommen sind. Die Gemeinde im Osten, der Friedhof im Westen. Einmal sagten sie: Wir kommen zu Mutter und Erna, der Pfarrer hat es uns versprochen. Also nehme ich an, daß ihre Asche ausreisen durfte und an den Bestimmungsort gelangt ist. Ob es tatsächlich so war, weiß ich nicht, ich denke auch nicht daran nachzuforschen. Als diese Grabstelle jenseits der Mauer lag, hat sie mich beschäftigt, ein unerreichbarer Ort. Nun nicht mehr.

– Aber wer die Striche über den Augen gemalt hat, das beschäftigt dich immer noch?

– Die letzte Linie des Widerstands, verstehst du, sagte ich.

Wie denn sollte Norma verstehen, die nichts von den alten Frauen wußte, wahrscheinlich eine Geschichte erwartete oder eine Personenbeschreibung oder wenigstens eine Erklärung, wogegen zweimal zwei Striche Widerstand leisteten, meiner Meinung nach. Sie waren jetzt allein da, wie Zeichen auf einem Papier, ohne Sinn und Zusammenhang, auch ohne Kraft, die Gesichter aus der Erinnerung hervorzuziehen und einigermaßen zusammenzuhalten, so daß ich hätte sagen können, ich sehe sie zum Greifen deutlich, obwohl ich bei dieser Redensart genau genommen nichts sah, nur nachgebliebene verschwommene Muster vor dem inneren Auge, Minnas und Ellas Phantomgesichter, jetzt geradezu versperrt von den Strichen, abstrakten Linien, die nicht stillhielten, so sehr ich sie fixieren wollte, damit endlich Ruhe wäre und ich nachdenken könnte, warum diese Nichtigkeit sich dermaßen in den Vordergrund schob.

– Wessen Widerstand? fragte Norma, als müßte sie mich wecken.

– Der Farbe oder des Gedächtnisses, antwortete ich aufs Geratewohl, oder der Weiblichkeit. Irgend etwas hat sich gegen den Verfall gewehrt, vielleicht eine Gewohnheit aus der Zeit zwischen dem ersten und dem zweiten Krieg, als sie jung waren und die Mäntel neu und sie sich vor dem Ausgehen ein bißchen angemalt, die Augenbrauen nachgezogen haben. So immer weiter, von Verführung konnte längst keine Rede mehr sein, trotzdem ...

Urnen, irgendwo im Boden dieser Stadt vergraben. Ein aufgelöster Haushalt. Dinge in meinem Besitz und keine Spuren mehr außer den wenigen in meinem Gedächtnis. Von jungen Nachmietern übertüncht die Wasserflecke an der Decke ihres Wohnzimmers, auf die sie wie auf ein Mahnmal gezeigt hatten. Bombenterror hieß das Wort, das den Hinweis begleitete: Einschläge durch mehrere Bücher hindurch, in den Spiegelrahmen, die Tischplatte des Damensekretärs dicht am Fenster. Alles so gelassen, nichts ausgebessert.

– Ihre Wohnung war ein Museum für Kriegsnarben. Mit Wärterinnen, die da- und dorthin zeigten, wenig sprachen. Einzelne Sätze, ja, aber ringsum nichts, keine Geschichten. Da schwammen die schönen Äpfel in der

Spree, sagte Ella König. Das ist alles, was ich weiß von dem amtlich beglaubigten »Totalschaden durch Feindeinwirkung«, im November 1943. Ihre Gastätte am Schiffbauerdamm Schutt und Asche. Wie unser Nebenhaus, an der Ecke, wo jetzt die Büsche stehen. Das Feuer sprang über, es brannte der Dachstuhl, und von den Löscharbeiten damals zeugten Wasserflecke, die ich noch gesehen habe im Berliner Zimmer der Schwestern König. Sagst du mir nun, wo es brennt?

Aber Norma hatte das Spiel vergessen oder keine Lust mehr dazu.

– Es ist verflucht dunkel hier, sagte sie. Eine Gegend zum Fürchten. Kannst du nicht aufhören mit diesen Kriegsgeschichten?

Wenn ich mich durch nichts ablenken lasse und mit der Arbeit gut vorankomme, wenn Norma heute Abend Zeit hat, könnten wir denselben Weg gehen bei Helligkeit. Wir würden auf den Unterschied achten. Nicht die alten Nachbarinnen und der Krieg, »Die Schönheit der Jugend« würde uns beschäftigen, wenn ich Norma von dem Buch erzählte. Ich könnte sie daran erinnern, wie wir im Herbst Kaninchen gesehen hatten, als wir nach vollbrachtem Kinderfest essen gingen, nach drüben. Es wäre noch immer so.

In welch kurzer Zeit sich das ändern, unsere Stadthälfte neu aussehen, Leben hier wie dort dasselbe sein und man die alten Zugehörigkeiten nicht mehr spüren, sie nur im Rückblick gelegentlich zitieren würde, zählte zu den Vorstellungen, die so weit entrückt waren, daß es mir nicht gelang, diesen Abstand mit dem Zeitmaß nach Monaten, kaum erst Jahren zusammenzubringen, indes die wirkliche Zeit unübersehbar ihre eigenen Wege ging, maßlos und verwirrend. Dafür liebte ich sie in gefestigten Augenblicken.

Wir würden also nach drüben gehen, ein Wort, das sein langjähriges Gewicht, nicht seine Brauchbarkeit verloren hat, würden uns am Rande halten, wie das letzte Mal, und gleich hinter dem ehemaligen Grenzübergang einkehren, in unserem Café. So hieß es seit dem Abend dort, an dem wir einander ständig in die Sätze fielen, ich auch! sagten oder: mir ging es genauso, dieses Haus war ein Grenzposten der anderen Welt, sichtbar, aber nicht zu erreichen, im Traum viel einsamer und höher als in Wirklichkeit, ja, so habe ich es auch gesehen, mit einem kleinen Balkon ganz oben, eigentlich nur ein Gitter vor einer schmalen Tür, und der Himmel über dem Haus war ohne Wolken, doch auch ohne Farbe, jedenfalls sehe ich sie nicht mehr, ich auch nicht. Wir mußten lachen und waren erleichtert, als sich unsere Ansichten wieder teilten, Norma den kaffeebraunen Wandanstrich wohltuend warm, ich ihn abstoßend düster fand und wir uns nicht einigen konnten, ob der junge Häuptling einer Diskussionsrunde im Nebenraum einem Bankhaus oder einer alternativen Zeitung zuzuordnen sei, ob er die anderen am langen Tisch animierte oder kommandierte. Daß aber frischer Salat und Blattspinat in Blätterteig und trockener Wein zum Guten von drüben gehörten, stand für uns fest und ließ sich leicht ergänzen durch eine Reihe anderer Dinge, auf die wir die Gläser hoben mit wachsendem Wohlgefallen an Trinksprüchen zum Preis der neuen Zeit. Beschwingt kehrten wir in großem Bogen heim, durchwanderten den Park oder kleinen Wald, der in Zukunft aus dem noch metertief vergifteten Boden wachsen würde, eine grüne Naht der Stadt an der Linie ihrer früheren Zertrennung, und achteten nicht darauf, wo wir waren, stolperten nicht in Erdlöcher oder über Betonreste, sahen weder Todesstreifen noch Bauerwartungsland, übersahen die Dunkelheit und fanden uns plötzlich in unserer Straße wieder, ohne Erinnerung, an welcher Stelle wir über den Fluß gekommen waren.

Das liegt weit zurück, obwohl mich nach dem Kalender keine zweieinhalb Jahre von jenem Abend trennen. Johannes war kurz vor mir nach Hause zurückgekehrt, nicht von drüben und nicht aus dem Grünstreifen der Zukunft, von einer Versammlung, alles andere als beschwingt. Sie hatten vier Stunden über ihr Programm zu den Wahlen diskutiert, über eine einzige Formulierung, genauer gesagt. War Max dabei? fragte ich, und worum es denn gegangen sei. Vergiß es, sagte Johannes, bevor er anfing zu erzählen. Wir saßen in der Küche und redeten bis spät in die Nacht, eines von tausend ähnlichen Gesprächen damals, ich habe den Programmpunkt, um den es ging, wirklich vergessen, nicht, weil du mich dazu aufgefordert hattest, sondern weil mein Gedächtnis solche Dinge nicht aufbewahrt, daran kann ich nichts ändern, und es tut mir nicht einmal leid, daß nun sämtliche Sätze verloren sind, der Wortlaut unserer Einsichten, möglicherweise, und unserer Illusionen, auf alle Fälle, du weißt es genauer als ich und willst nichts mehr davon wissen.

Aber ich habe behalten, daß ich gegen Morgen, wir konnten noch nicht lange geschlafen haben, aufgeschreckt bin, vielleicht, um mich aus einem bedrückenden Traum zu retten, oder weil ihre Stimme mich geweckt hat, daß ich wach lag neben dir und hörte, sie war wieder da, die Amsel in unserem Hof und sang, als hätte sich nichts verändert in der Zeit, als sie nicht mehr zu hören war, irgendwo still über den Winter gekommen und nun, da es auf den Frühling zuging, zurückgekehrt mit ihrer Melodie, derselben von Generation zu Generation, für mich jedenfalls ohne Unterschied unsere Amsel, laut in der Morgenstille zwischen den hohen Mauern, wo sie, dachte ich, im nächsten, im übernächsten Jahr undsofort flöten würde, unter welcher neuen Ordnung auch immer. Während ich die Töne von draußen genoß und Morgenluft witterte, spürte ich die Stadt, die den kleinen Vogel umschloß, als etwas Leichtes, seit langem da und mit guten Aussichten, uns zu überdauern. Ich werde in den Vogelschutzbund eintreten, sagte ich vor mich hin, als hättest du es im Schlaf hören können.

Lieber Johannes, natürlich ist die Stimme der Amsel jetzt nicht dabei, schreibe ich im nächsten Brief und erzähle von den Geräuschen auf dem Hof, vielleicht schon heute Abend, falls ich nicht mit Norma ins Café gehe. Dir hatte es nicht gefallen. Wir waren nur einmal dort, im Winter. Am Grenzübergang mußte man noch den Ausweis zeigen. Es herrschte großer Andrang. Touristen von überall her und, hast du verächtlich gesagt, diese Händler und Wechsler. Man konnte Stükke der Mauer kaufen, an ihrer bunten Seite herausgeschlagen, auch alle möglichen Andenken. Orden und Abzeichen, die ich nie aus der Nähe gesehen hatte, solange sie unverkäuflich waren, jedenfalls Ehrenzeichen sein sollten, und deren einstiger Rang am jetzigen Preis abzulesen war. Mich beeindruckte, wie schnell, in welch großer Menge das feilgeboten wurde, lange bevor der Ausverkauf in aller Munde war. Wir befanden uns nicht in einem Tempel, aus dem man sie hätte verjagen müssen, sondern auf einem Markt, den wache kleine Leute mit geschichtlichem Plunder belieferten, Vorspiel ganz anderer Veräußerungen, bei denen sie ohnehin würden zusehen müssen, in den Mond gukken, wie Frau Müller das nennt, also standen sie in Stiefeln und Anoraks an zugigen Ecken und sahen natürlich nicht schön aus mit ihren verfrorenen Gesichtern. Ich weiß nicht mehr, ob wir ausdrücklich stritten oder mit erbittertem Schweigen.

Auf dem Rückweg habe ich dich an Minna und Ella König erinnert, an ihren Abendspaziergang. Eine ödere Strecke ließ sich kaum denken, fandest auch du. Wir rechneten nach. Sie wären jetzt neunzig und zweiundneunzig. Wahrscheinlich hätte der Fall der Mauer nichts vermocht gegen ihre Leidensmienen, die Aussicht auf baldiges Wiederzusammenwachsen der Stadt sie nicht aufhellen können, weil davon kein Toter lebendig und nichts Vergangenes zurückgebracht wurde, weil ihnen der Tiergarten zu Fuß unerreichbar geworden und nicht einmal der alte Spazierweg noch zu bewältigen war. Das Überraschende, selbst wenn es zwanzig Jahre eher geschehen, wäre für sie zu spät gekommen. Zu ihren Lebzeiten, sagte ich, habe ich mich manchmal gefragt, ab wann für sie das Leben, die Zeit gleichgültig wurden, eine leere Bewegung sozusagen, und habe keinen Punkt dafür angeben können, aber gespürt, daß es schon

33

lange her sein mußte und sie seitdem durch Scheinbares gingen, verstehst du, zwar im Stadtbezirk Mitte polizeilich gemeldet, aber beim Überqueren einer bestimmten Straße, vielleicht ebendieser hier, wußten sie, daß sie nun in Wirklichkeit aus der Friedrichstadt in ihre Friedrich-Wilhelm-Stadt heimkehrten. Du hast zugestimmt, obwohl dir das Beispiel etwas weit hergeholt erschien, denn sicher lagen nicht mehr die alten Städte unter dieser sogenannten Mitte, sagtest du, sondern das Viertel, das sie vor dem Krieg kannten und das in absehbarer Zeit wieder Zentrum sein wird, oder?

Am Rand des Niemandslandes, vorbei an Scharen von Stadtwanderern, gingen wir auf die Ecke zu, an der unser Haus steht.

Die Türglocke. Ein schwaches Geräusch. Nicht Normas Art zu läuten. Ich bin nicht zu sprechen. Würde ich nicht zu Hause arbeiten, könnte man mich auch nicht tagsüber besuchen. Eine Unsitte, den Leuten einfach nicht abzugewöhnen. Warum blieb ich nicht sitzen. Wer wirklich etwas wollte, käme schon wieder. Ich öffnete. Frau Schwarz stand vor der Tür. Ich hätte ihr von dem Umzug erzählt, aber nicht gesagt, wer denn und wohin, sagte sie, als wäre keine Zeit vergangen zwischen heute Morgen und jetzt. Hätte ich mich doch nicht vom Fleck gerührt. Nun war es zu spät. Ich bat Frau Schwarz herein. Wir setzten uns nebeneinander auf das kleine Sofa aus dem Nachlaß der Schwestern König, und ich sagte, so laut ich konnte:

– Kein Umzug, eine Haushaltsauflösung.

Frau Schwarz dachte nach. Dann fragte sie:

– Ist jemand gestorben?

– Ja.

– Und wer?

– Frau Bauer.   death of DDR ?

Frau Schwarz sah mich mit so leerem Blick an, daß ich wiederholte:

– Margarete Bauer. Die früher in unserem Aufgang gewohnt hat.

Als wüßte Frau Schwarz nicht, wer Margarete Bauer war.

– Aber, sagte sie nach langer Pause, wieso denn? Sie hat mich doch neulich besucht. Das war an dem Tag, als der junge Mann von der Wohlfahrt mit dem Essen zu spät gekommen ist. Es gab Bohneneintopf mit Hammel. Manch einer ißt das ja. Ich habe zu dem jungen Mann, er konnte nichts dafür, trotzdem habe ich zu ihm gesagt, einen schönen Gruß an die Küche und den Pudding würde ich behalten, aber das hier können sie zurück haben, wie es ist, und brauchen es beim nächsten Mal erst gar nicht zu schicken, wenn wieder Hammel drin ist. Als mein Mann noch lebte, na der hätte vielleicht ein Spektakel gemacht, beim Essen verstand er keinen Spaß. Und am Nachmittag ist dann Gretel zum Tee gekommen, mit Apfelkuchen von Dörner, die Stücke sind jetzt doppelt so groß wie früher, aber auch dreimal so teuer, hat sie gesagt, und alles andere erst, ich könne froh sein, daß ich schon lange in Rente sei und das meiste nicht mehr so richtig mitkriege. Sie hat von Norbert erzählt. Der war ja immer schwierig, und was hat sie nicht alles für den Jungen ...

Ich versuchte, mich an Norbert zu erinnern, ein Gekreisch im Treppenhaus, etwas Schmächtiges, rotblond, an der Seite von Margarete Bauer. Später ein immer längerer Schatten, der mit weggedrehtem Kopf neben der Mutter stand, wenn ich ihr auf dem Hof begegnete und sie von den Unverträglichkeiten zwischen dem herrschenden Schulsystem und ihrem Jungen zu sprechen anfing.

Ich hörte in gewohnter Weise zu, mit aufmerksamer Miene, die Gedanken schnell woanders, und habe nicht viel mehr behalten als den Grundbescheid, daß die Männer, in ihrer Entwicklung stehengeblieben, nicht dazu taugten, mit Frauen von heute zusammenzuleben, das Los einer alleinerziehenden Mutter indessen zu hart war, um als Meilenstein auf dem Weg sozialer Evolution zu gelten, und keine Alternative weit und breit, denn unsere Gesellschaft, statt vielfältige Formen von Gemeinschaft zu erproben, zeigte sich hier so verstockt und unfähig wie überall, wo es um den neuen Menschen ging, Norberts Mathematiklehrer zum Beispiel, der einzige Mann an der Schule, vom Hausmeister abgesehen, und in seinem Fach zweifellos Spitze, unterrichtete bloß für die Besten, das hatte sie auf Elternabenden wiederholt zur Sprache gebracht und viel üblere Dinge auch, worüber die Mehrheit freilich schwieg oder sich auf dem Heimweg ereiferte. Unvorstellbar diese Ängstlichkeit, nur sie selbst und ein Vater, äußerlich eine halbe Portion, auf den ersten Blick habe sie ihn für einen Schüler gehalten, nur wir zwei Nasen also haben uns beschwert, unsere Meinung gesagt und Vorschläge gemacht, alles umsonst, wir hätten den Steinen predigen können, sagte irgendwo in meinem Gedächtnis Margarete Bauer.

Ihre kräftige Stimme füllte den Hof, als wäre jene andere wiedergekehrt, die am offenen Fenster gestanden und gepredigt hatte, den Wänden des Vorderhofes, so schien es, aber in Wirklichkeit hörten viele zu, in den Treppenfluren oder hinter gleichfalls offenen Fenstern, angezogen von dieser das Jüngste Gericht verkündenden Stimme. Einzelne Worte konnte man gut verstehen und den Sinn des Ganzen, der schon im Tonfall als ewige Verdammnis über uns kam, gerechte Strafe für alle Laster und Lästerungen, namentlich die roten, wie klar zu vernehmen war. Johannes und ich mochten die stattliche alte Frau mit grauem Zopfkranz, von der wir sonst nichts, nicht einmal den Namen wußten, und die mich, rothaarige Genoveva aus dem Aufgang B, wie die Schwestern König verstanden haben wollten, zu den Anwärterinnen auf das Fegefeuer zählte, wo ich doch überzeugt gewesen war, daß sie niemanden ringsum wahrnahm und daß erst dieses Nichtvorhandensein der Umgebung ihr Kraft verlieh, die Wahrheit, die sie verkünden mußte, herauszubringen, auf den Hof zu stellen zum öffentlichen Gebrauch, weil es eine allgemeingültige Wahrheit war und ein Ruf zur Umkehr für jeden, der Ohren hatte zu hören. Aber, sagte eines Abends Johannes, als wir unter der Predigt vorübergingen, vor dem Jüngsten Gericht kommt Armageddon, die letzte Schlacht, falls die Völker die Signale nicht verschlafen, und solange müsen wir durchhalten, Schwester. Ich stieß ihn in die Seite, trotz meiner Überzeugung von der Unerreichbarkeit dieser Frau, die wir, um sie von der Schreierin aus dem zweiten Hof zu unterscheiden, die Ruferin nannten. Irgendwann bemerkte ich, daß ihr Fenster geschlossen blieb. Die hat der Tod gerufen, erklärte mit ingrimmiger Ruhe Ella König.

Seit dem Verstummen der Ruferin hatte niemand den Hof mit seiner Stimme so erfüllt wie Margarete Bauer, wenn sie sich in Schwung redete. Sie war einen Kopf größer und bestand aus viel mehr Fleisch als ich. Kompakt war sie, umspannt von straffer Haut, tiefbraun im Sommer. Mit ihren dunklen Augen, dem glatten schwarzen Haar wirkte sie südländisch. Ob neuerdings auch Zigeuner hier einquartiert würden, fragte kurz nach Margaretes Einzug Neumann.

Wenn sie dastand und sprach, hatte ich den Eindruck, daß sie sich auflud, ihr Vorrat an Energie für die nächsten Stunden reichen und gleichmäßig verströmen würde, ohne Anzeichen der Ermüdung auf dem breiten, lebhaften Gesicht oder in der Körperhaltung, hoch aufgerichtet, als habe sie gelernt, Lasten auf dem Kopf zu tragen. Sie sprach in die Ferne, ein Gegenüber schien sie nicht zu brauchen, nicht einmal die Nähe des langen Schattens, um den sich letztlich all ihr Reden drehte.

Doch anders als Frau Müller, die mit jedem schwatzte, der ihr über den Weg lief, hatte Margarete Bauer feste Partnerinnen, eine Zeitlang mich. Sicher gab es Motive für die Wahl, aber sie wurden nie erwähnt und ließen sich nicht an den ausgesuchten Personen ablesen. Margaretes Verhalten hatte, bei aller Herzlichkeit, etwas vom erhabenen Gutdünken absoluter Herrscher. Als ich dahinterkam, war ich gekränkt, so vollkommen machtlos zu sein, Objekt einer souveränen Entscheidung. Dann gefiel mir gerade dies, weil es mich entlastete. Ich brauchte nichts zu tun, um Margaretes Wahl zu rechtfertigen, mußte weder werben noch kämpfen und mich nicht beunruhigen über eine einseitige Offenheit, für die es so wenig ersichtlichen Grund gab. Wir hatten zwar dasselbe Alter, liebten dieselben Romane, horteten, wenn möglich, Pflaumenmus und Erdbeermark, fürchteten Neumann, waren parteilos, hatten einst Gérard Philipe vergöttert und im Frühjahr heftig unter Fernweh gelitten. Gegen derlei Gemeinsamkeiten standen gewichtige Unterschiede in Lebensweise und Erfahrung. Margarete lebte mit Kind ohne Mann, ich mit Mann ohne Kind. Ich konnte arbeiten und schlafen, wann ich wollte. Sie mußte früh heraus, sich um den Jungen kümmern, auch sonnabends, weil der obersten Schulherrin, dieser grauenvollen Ziege, sagte sie, selbst durch ausnahmsweise energisches Elternbegehren eine Umstellung des eingefahrenen Zeitplans nicht abzuringen war. Um acht, nicht unbedingt auf die Minute, mußte sie in ihrem Verlag erscheinen, wohin sie es zum

Glück nicht weit hatte, verbrachte dort achtdreiviertel Stunden täglich, war in zehn Minuten daheim und begann gleich mit Arbeiten, die ich, statt auf Einzelheiten zu achten und mir einzuprägen, wie sie erzählt wurden, in der Rubrik Haushalt und Erziehung, unter der üblich gewordenen Umschreibung »zweite Schicht« verschwinden ließ. So ist nur Allgemeines geblieben, ein Gerüst aus Hauptwörtern wie Arbeitsteilung, Geschlechterverhältnis, Patriarchat und Emanzipation, als hätte Margarete Bauer stumm hinter Spruchtafeln gestanden.

– Sie sah doch aus wie das blühende Leben, von einer Krankheit hat sie nie etwas erzählt. Und nun auf einmal, sagte Frau Schwarz.

Um meinen Arbeitsplatz war es noch hell, aber die Ecke, in der wir saßen, weit vom Fenster, lag im ständigen Dämmerlicht der Berliner Zimmer mit ihren langen Wänden. Die Schrift auf dem Bildschirm konnte ich vom Sofa aus nicht entziffern, ich wußte auch nicht mehr, bei welchem Wort das Geräusch der Türglocke die Geschichte dieses Revolutionärs unterbrochen hatte, der schön gewesen sein soll in seiner Jugend, also fast bis zum Ende, denn er starb mit siebenundzwanzig, und daran gemessen hatte Margarete Bauer lange gelebt.

– In den besten Jahren, sagte kopfschüttelnd Frau Schwarz. Woran bloß? Etwa im Krankenhaus? Als mein Mann damals eingeliefert wurde zur Operation, lag in seinem Zimmer . . .

Was sollte ich sagen, sobald sie auf ihre Frage zurückkam? Es tut mir leid, ich weiß es nicht, ist es denn so wichtig, die Todesursache zu kennen? Plötzlicher

Herzstillstand. Das klang nach Vertuschung und war es auch. Sie ist vom Balkon gesprungen, in der Wohnung einer Freundin, zehnter Stock, sie war sofort tot. So soll es gewesen sein. Ich glaube, daß es so war. Daß sie gesprungen ist oder sich hat fallen lassen. Der harte Kern der Nachricht. Vielleicht stimmte das Stockwerk nicht, vielleicht auch nicht der Tod auf der Stelle. Aber wie konnte ich sagen, sie hat sich umgebracht und nichts weiter, keine Erklärung, Frau Schwarz verabschieden nach erfüllter Pflicht, ich hatte die Wahrheit gesagt, mochte sie sich den Kopf darüber zerbrechen, nicht mehr meine Sache. Was wußte ich schon. Wir hatten einander aus den Augen verloren, nachdem Margarete und Norbert in das Vorderhaus umgezogen waren, wir uns kaum noch begegneten, sie die Verbindung von einst souverän, wie sie sie hergestellt, wieder gelöst hatte und ich es hinnahm mit leisem Bedauern, in dem ein Rest Kränkung, doch kein Antrieb steckte, aus einer Rolle zu fallen, die mir in dem Maß, wie ich nichts an ihr änderte, gepaßt hatte und dann, als ich aus ihr entlassen war, fast spurlos in Vergessenheit geriet, so daß die Selbstverständlichkeit, mit der Margarete sich mir anvertraut, ich ihr willig und zerstreut zugehört hatte, überging in freundliches Winken und Grüßen, wenn sich unsere Wege zufällig kreuzten. Aus dem wenigen, das mir in Erinnerung geblieben, und den Gerüchten, die in der Nachbarschaft kursierten, müßte ich Frau Schwarz zuliebe eine Erklärung zusammenreimen.

Daß Margarete Bauer im vergangenen Jahr ihre Arbeit verloren hatte, seitdem Stellenangebote studierte, Bewerbungen schrieb, ungezählte Stunden auf den

Wartebänken von Ämtern zubrachte, nichts fand, das sich für sie oder wofür sie sich eignete, daß die Aussicht auf Erfolg immer schmäler, das tägliche Auskommen schwieriger wurde, auch weil Rechnen und Verzicht nicht zu ihren Stärken zählten, daß Norbert ausgezogen – der Mutter entflohen war, sagte das Gerücht – und Margaretes leidvolle, doch über Jahre hinweg haltbare Beziehung zu einem verheirateten Mann den allgemeinen Umbruch nicht überstand, das alles war schlimm, aber bestimmt nicht neu für Frau Schwarz, der sie gegenübergesessen und bei Tee und Apfelkuchen von ihrem Unglück erzählt hatte, davon war ich überzeugt.

– Hat sie Ihnen denn nichts von sich erzählt?

– Doch, natürlich, von diesen Schicksalsschlägen hintereinanderweg, aber kein Wort von einer Krankheit, sagte Frau Schwarz und fuhr fort mit der Geschichte aus dem Krankenhaus.

Der Sprung vom Balkon lag außerhalb ihrer Vorstellungen. Darin verstand ich Frau Schwarz. Für mich war er irgendwo im Leeren geschehen, war Margarete in einem unwirklichen Körper zu Tode gestürzt. Und im Gerede, hier, geisterte seitdem ein fremdes Wesen durch Treppenhäuser und Höfe. Meistens erschien es vollkommen durchsichtig, denn das mußte ja so kommen, was zuviel ist, ist zuviel, hieß es, ein weiteres Opfer unserer unblutigen Revolution, nein, so hatten wir uns die Erneuerung nicht vorgestellt, wieder auf Kosten der Schwachen, der Dünnhäutigen, und das sind ja nicht wenige, studieren Sie mal die Statistiken, steht alles da, schwarz auf weiß. Dann wieder hatte dieses Wesen den Kopf verloren, denn man bringt sich doch nicht um wegen solcher Geschichten, wo kämen wir hin, wenn jeder, dem was schief geht, den Strick nimmt, nein, da müssen wir jetzt durch, schließlich kann es nur besser werden, und wer die vierzig Jahre überstanden hat, was wollen die Leute eigentlich, immer den Segen von oben und diesmal den richtigen, bloß nicht sich durchbeißen, Verantwortung übernehmen, stellen Sie sich das vor, als Mutter, ich habe den Jungen gesehen, total verstört, wie konnte sie ihm das antun. Und im Nachbarhaus, wo Norma wohnt, hatte man das Wesen durchschaut, sein lange gehütetes Geheimnis aus zwei Buchstaben aufgedeckt, natürlich das, jetzt kam alles heraus, ans volle Licht der Wahrheit, und das vertrugen manche nicht, tragisch, aber irgendwo gerecht, Schuld und Sühne, nur so gerieten die Dinge wieder ins Lot, doch, das mußte sein, würden Sie denn ein Haus bauen auf sumpfigem Grund, na also, und die Akten lügen nicht, warum sollten sie.

– Sie sagen ja nichts, sagte Frau Schwarz.

Ich begriff, daß sie die Geschichte zuendeerzählt und ihre Frage wiederholt hatte. Ihr Gesicht sah aus, wie ich es mir vorstellte, wenn sie sich an ihrer Tür abmühte.

– Mir können Sie es doch sagen, ich meine, Gretel hätte nichts dagegen, sie hat mir immer . . .

– Sie war nicht im Krankenhaus, sagte ich schnell. Sie ist von einem Balkon gestürzt, aus dem zehnten Stock. Sie wollte nicht mehr leben. Sie war auf der Stelle tot.

Vom Hof hörte ich jetzt deutlich die Geräusche aus der Gartenecke, es war ja das richtige Wetter, um draußen zu sitzen. Ein Durcheinander von Männerstimmen, dann eine einzelne, darauf vereintes Lachen, das langsam auseinanderrann, Geklirr, sie tranken Bier aus Flaschen. Frau Schwarz sah auf den Fußboden, bewegte sich nicht und sagte nichts. Irgendwann versuchte sie aufzustehen. Ich half ihr. Wir gingen zur Tür. Ich fragte, ob ich sie begleiten solle. Sie schüttelte den Kopf. Sie stieg die Treppe hinunter, das Geländer ächzte und knarrte. Dann war es still. Endlich, als ich schon hinterhergehen wollte, rasselten die Schlüssel, knackte das Schloß, fiel die Tür zu und rastete die Kette ein. Dann hörte ich nichts mehr. Mich packte Wut. Wie die sich aus dem Staub machten. In die Rheinebene oder ins Jenseits, sollten die Zurückgebliebenen zusehen, nachfolgen, es stand ja jedem frei, Freiheit über alles, und ängstlich, schwach und blöde, wer da nicht mitkam, eine natürliche Auslese nach wie vor, schon die Wohnanschrift ein Psychogramm. Und in den frischen Gräbern hier die Opfer, Täter, Opfertäter, alle nicht mehr zu vernehmen, desto dichter die Mutmaßungen, bündiger die Urteile, endgültige Ratlosigkeit bei denen, die sich nichts erklären konnten. Sicher saß Frau Schwarz jetzt in ihrer trüben Küche und murmelte vor sich hin.

Hätte ich ihr sagen sollen: Die Geschichte geht doch auf. Margarete hat getan, was sie tun wollte, mit klarem Kopf, wie wir sie kennen, ihr Tod schließt unser Bild von ihr ab, ohne es zu entstellen, und statt ihr Vorwürfe zu machen, weil sie uns im Stich ließ, sollten wir dankbar sein, daß sie für sich diesen Ausweg gefunden hat, denn um nichts anderes handelt es sich, einen Weg ins Freie. Oder was mir sonst noch einfiele an Beschwichtigungen für mich selbst. Vielleicht war manch ehrender Nachruf, dachte ich, ein verdeckter Feldzug gegen Ohmacht und Wut, häuften die Grabredner Worte auf die Toten, damit sie friedlich entrückten und die Hinterbliebenen in Ruhe ließen.

Ich ging zurück in die Wohnung und sah hinunter auf den Hof. Der Schatten des Quergebäudes reichte noch nicht bis zur grünen Insel, wo fünf Männer saßen, Gesichter, Glatzen, Nacken, Arme im warmen Licht, und, den leeren Flaschen nach zu urteilen, erst bei der zweiten Runde Bier. Der Besuch von Frau Schwarz konnte nicht lange gedauert haben. Ich lehnte mich weit aus dem Fenster. Aus dieser Höhe zu springen, hätte zum Sterben wahrscheinlich nicht, aber für eine Krankengeschichte gereicht, trostlos wie die des jungen Mannes, der neben Herrn Schwarz gelegen hatte, daran sollte ich Frau Schwarz erinnern. Margarete war schnell gestorben.

Endversorgt. Das sei sie jetzt, habe ihr, ohne mit der Wimper zu zucken, das junge Ding vom Wohnungsamt erklärt, mehr als zweieinhalb Zimmer könne eine Alleinstehende mit Kind nun wirklich nicht erwarten, und alles in diesem Ton: Was glauben Sie denn, wer Sie sind. Sie ärgere sich schwarz, hatte Margarete ausgerufen, weil sie wieder einmal Einsicht gezeigt und eingewilligt habe, und jetzt sei sie von der Liste der Wohnungssuchenden gestrichen, endgültig. Wie sie auch die Jahre bis zur Rente an derselben Stelle festsitzen werde, vielleicht mal eine neue Schreibmaschine, ein neuer Kollege, ein neuer Wandanstrich, alles andere Wiederholung, daran dürfe sie gar nicht denken. Aber sie werde sich schon etwas einfallen lassen, sobald Norbert auf eigenen Füßen stünde, irgendwas ganz Verrücktes, denn das hier sei doch kein Leben. Was ich zum Beispiel von Jamaika hielte. Warum sollte man nicht dorthin können, es läge immerhin auf demselben Planeten wie unser kleinkariertes Dreibuchstabenland.

45

Ich traute ihr durchaus zu, dorthin zu kommen, und hatte mich, als uns plötzlich die Welt offen stand, gewundert, daß Margarete immer noch hier war, nicht in ein neues Leben enteilt auf Nimmerwiedersehen.

Nun hielt ihr Tod sie fest in wachsendem Abstand. Schon hatte ich Mühe, mir vorzustellen, wie sie über den Hof ging, den langen Norbert zur Seite, in Griebenows Gemüseladen verschwand, Frau Schwarz zu den Parkbänken schräg über die Straße führte oder bei Reggaebegleitung Fenster putzte und mir mit dem Wischtuch zuwinkte, das Gesicht ein dunkles Oval, in dem ich nach ihren Zügen suchte. Da war jetzt ein aufgerissener Mund, wie ein Krater. In kurzen Abständen kamen die Ausbrüche, haarsträubende Verwünschungen, Schreie, das blanke Entsetzen oder siedender Haß, genau unterscheiden konnten wir es nie, aber das Fürchten lernen vor dieser Raserei, die uns aus dem Schlaf riß, und wir hörten dann auch, wie das Wasser niederzischte, eimerweise, sie mußte in solchen Nächten bis zur Erschöpfung kochen, die Schreierin aus dem zweiten Hof, die für längere Zeit verschwand und still wiederkehrte, seitdem unauffällig wie ein erloschener Vulkan. Ich begriff nicht, wieso ich mir eher vorstellen konnte, daß Margarete, wäre sie nicht gesprungen, diesen fast vergessenen Wahnsinn neu entfesselt und sich mit der Kraft, die ich ihr zutraute, das Leben nach und nach aus dem Leib geschrien hätte, statt es tapfer weiterzuführen, vielleicht im kommenden Jahr schon mit etwas mehr Glück oder Umstellungsvermögen, undsofort bis ins hohe Alter, alles in allem ganz zufrieden. Der aufgerissene Mund in dem Gesicht ohne Züge hatte doch nichts mit dem zu tun, der früher zu mir

46

gesprochen hatte. Er stammte nicht aus der Erinnerung. Möglicherweise aus einem Wunsch. Ich wünschte mir, daß in den nächsten Tagen Frau Schwarz wiederkäme, um mir zu sagen, sie habe nachgedacht, und es sei bei allem, was noch hätte geschehen können, wohl am besten so, wie es gekommen ist, und daß ich dem aus vollem Herzen zustimmen würde.

Ich sah sie von hinten, aus unterschiedlicher Entfernung, vor wechselndem Hintergrund. Ihre Anzahl, ihre Stellung veränderten sich nicht. Eine stehende Gruppe. Drei Personen rechts, drei links von den Planken, auf denen man an den Rand der Grube treten konnte, ohne daß die Füße in frisch aufgeschütteter Erde versanken. Sechs schwarze Flächen, aus der Ferne, jede klar umrissen vom eintönigen, sehr hellen Himmel, als stünden sie auf freiem Feld. Als hätten die Entfernung, die Leere ihre Gestalten auf den Punkt gebracht, erkannte ich sie sofort und wußte, wo sie waren, noch ehe im Naherücken ein umwachsener Ort entstand, mit Kieswegen längs und quer zu den Steinen oder Kreuzen, eingefaßt von Beeten, auf denen Efeu wuchs und fette Henne, dazwischen leuchtend bunte Blumen.

Die Gruppe war dunkel gekleidet, ganz in Schwarz die älteste und die jüngste der vier Frauen und die beiden fast gleich großen Männer, links außen der dunkelhaarige, ältere, am rechten Rand der magere Junge, rotblond. Ob sie die einzigen Trauergäste waren, die ersten oder die letzten eines längeren Zuges, der außerhalb des Bildes wartete, war nicht zu entscheiden und für mich ohne Interesse. Ich wollte nur, daß die sechs nicht verschwammen, sich nicht von der Stelle rührten, damit ich sie weiter betrachten konnte. Ihre Zusammenstellung war merkwürdig, sogar unwahrscheinlich, dennoch erschien sie mir ganz natürlich, störte nichts den Eindruck von Zusammengehörigkeit, als verharrten am Rand der Grube, in die jedes von ihnen drei Handvoll Erde geworfen hatte, Mitglieder einer Familie. Auf dem rechten Flügel das Mädchen, die alte Frau, der Junge, dicht beieinander, untergehakt, und links von den Planken, jeder für sich, drei Erwachsene mittleren Alters: zwei Frauen und ein Mann. Auf beiden Seiten war die Person in der Mitte deutlich kleiner als die anderen, so daß der Blick von Kopf zu Kopf eine wellenförmige Bahn beschrieb, von den hellen Haarfarben rechts, über den schmalen Gang hinweg, zu Kastanienbraun, Hennarot und Schwarz am linken Rand des Bildes, das ich, weil es stehenblieb, in Ruhe ansehen konnte, wobei sich der Einschnitt inmitten der Gruppe abschwächte, bald eine bloße Lücke war, die den Blick auf ein Stück Buchsbaumhecke freigab.

Die alte Frau stand gebeugt, vielleicht drückte ihr Gewicht auf die Arme, die sie von beiden Seiten hielten, beiläufig, der Haltung nach zu urteilen, in der das hellblonde Mädchen und der lange Junge dastanden, gerade und locker, anders als die Älteren, die verkrampft wirkten, der Mann jedenfalls, in seinem knapp sitzenden schwarzen Anzug mit den zu kurzen Hosenbeinen, auch die größere der beiden Frauen, irgendwie dunkel vermummt, während die andere, zu meiner Erleichterung, eine leidliche Figur machte in einem Nadelstreifenkostüm, das ich noch nie an ihr gesehen hatte und in dem sie offensichtlich fror.

Das Grün der Birken, die Sträuße aus Sommerblumen, die am Rand der aufgeschütteten Erde lagen, paßten nicht zu dem dünn bewölkten Winterhimmel, den Mänteln und Jacken der rechten Gruppe, was mir beim Anblick der frierenden Frau auffiel und dem Bild nun einen zwiespältigen Zug verlieh, eine Spannung, die es verändern, zu der einen oder anderen Wetterseite hinziehen mußte, in den vollen Sommer, wünschte ich mir.

Dann wäre es ein anderer Friedhof, der erste, den ich kennenlernte, ein weites, freundliches Gelände mit hohem Gras an den Wegrändern und neu gepflanzten Birken, die noch keinen Schatten gaben, ein Feld bis vor kurzem, das an Felder grenzte und seine Grenzen weiter hinausschieben würde, weil sie im alten Teil dicht bei dicht lagen und so viele dazukamen, nicht einmal alle in Särgen, das begriff schon ein Kind, wenn es die Reihen weißer Holzkreuze sah, die einander fast berührten, daß darunter nicht diese engen Wohnungen sein konnten, in die man die Toten steckte, und folglich ein großes Durcheinander dort herrschte, auch eine große Unvollständigkeit, weil ein ganzer Mensch, selbst ein Toter, unmöglich so klein sein konnte wie das Fleckchen Erde, in dem ein Kreuz steckte, es sei denn, er war verbrannt, und der Name über der Erde gehörte zu einem Haufen Asche, eine Vorstellung, die mich ebenso erschreckte wie der Gedanke an einzelne Gliedmaßen oder beliebig zusammengehäufte Knochen unter den gleichförmigen Grabreihen. Ich mochte nicht, wenn wir dort entlanggingen. Hingegen lockte der älteste Teil des Friedhofs, verwunschen, ein schwarzgrünes Wunderknäuel, in dem man auf kleine weiße Statuen stieß und seltsame Namen in Goldschrift, auch steinerne Tiere, in Efeu versunkene Eisenkreuze, und sich zurechtfand anhand der tempelartigen Familiengrüfte, unter deren schweren Platten Schätze verborgen sein mußten. In diesem zugewucherten Mineralreich hatten die Toten sich längst verflüchtigt, selbst Kindergräber ihre magische Kraft verloren. In den neueren Teilen aber und vor allem am Rand des Feldes, wohin wir öfter gingen, waren sie es, die mich beschäftigten und allein ließen mit etwas

Dunklem, einem namenlosen oder falschen Tod, nicht mehr eins mit den Gesichtern der entschlafenen Großmütter und Großtanten, deren Ruhestätten wir besuchten und zu denen ich immer noch sprechen konnte, überzeugt von einer Verbindung zwischen den Holzkästen unter der Erde und ihrem neuen Aufenthaltsort, irgendwo im hellen Himmel über dem Friedhof, dessen Gartenfreundlichkeit an den Stellen der Kindergräber zerrissen war, weil Körper, nicht größer als meiner, in der Vorstellung von Ruhe und Aufstieg keinen Platz hatten.

Daß ungeachtet der naßkalten Totensonntage mit ihren rituellen Grabgängen, bei denen ich den Schlamm an den Schuhen zu Kreppsohlen verklärte, die im Westen modern und bei uns nicht zu haben waren, auch ungeachtet meiner fehlenden Erinnerung an das Wetter bei Beerdigungen, damals, dieser erste Friedhof sommerlich geblieben ist, hatte vielleicht mit meiner Liebe zu Tante Ruth zu tun, die mir an einem Friedhofsbrunnen zeigte, wie man sich unter laufendem Wasser den Puls kühlt, hatte gewiß mit später zu tun, als an hellen Abenden, kurz vor den Sommerferien, Ellen und ich dort spazierengingen, schwer von Weltschmerz und großen Gefühlen aus Büchern, deren Heldinnen und Helden wir um die Wette nacheiferten in der Bereitschaft zu hochherzigem Handeln, Ellen unbedingt, ich mit schlechtem Gewissen, weil ich, während wir über Ernstes und Edles sprachen, an den Jungen aus unserer Klasse dachte, in den ich verliebt war seit Monaten und für alle Ewigkeit, noch hatten wir uns nicht geküßt, und nichts quälte mich wie der Wunsch danach, über den ich nicht sprechen konnte, ohne ein heiliges Geheimnis preiszugeben, aber mein stärkstes Gefühl nicht zu bekennen, war wiederum falsch und feige, ein Zeichen von fehlendem Liebesmut, auch ein Verstoß gegen das Versprechen, die Freundin niemals zu belügen, ihr nichts zu verschweigen. Der Friedhof in der Abendsonne, der Heugeruch, der Gesang der Nachtigallen und Ellens Klarheit erschienen mir als abgetrennte Welt des Guten, in die ich nicht zurückfinden würde aus dem Dilemma, in das ich verstrickt war. Dann ging das neunte Schuljahr zuende ohne Kuß. In den langen Ferien kam die Liebe fast unbemerkt abhanden. Auch davon sagte ich nichts, als ich Ellen wiedersah und wir Erlebnisse austauschten, auf denselben Wegen wie vorher. Was geschehen war, verstand ich nicht, wie hätte ich es erzählen können. Ich war erleichtert und bedrückt zugleich und wich dem Jungen aus, so gut ich konnte, lange Zeit, bis auch er mir begegnete, als wäre nie etwas gewesen, sich wenig später in ein Mädchen aus der Nachbarklasse verliebte, während Ellen und ich weiterhin, Hand in Hand, spazierengingen, durch die alten Viertel am Fluß oder hinaus zum Friedhof, wo man die Stadt kaum mehr hörte, hin und wieder das Geräusch der Straßenbahn auf der Wendeschleife der Endstation, die den Namen *Frohe Zukunft* trug und noch immer so heißt.

Die Gruppe war indessen von der Bildfläche verschwunden, geblieben ein verschwommener Hintergrund, dunkle Hecke und heller Sand, eine Grabstelle irgendwo. Auf dem größten Friedhof der östlichen Stadthälfte, ich hatte es ja gelesen am Mitteilungsbrett. »An alle Mieter« stand groß, wahrscheinlich in Kühnes Schrift, über der Traueranzeige und unten, kleingedruckt, Ort und Zeit der Beisetzung. Ein später Termin. Die Speditionen arbeiteten jetzt schneller als das Krematorium. Margarete Bauer war noch nicht unter der Erde, ihre Wohnung schon ausgeräumt. Ich durfte nicht vergessen, Frau Schwarz Bescheid zu sagen, gleich morgen. Ich könnte sie begleiten. Sie würde sich auf meinen Arm stützen. Ein schwacher Halt und niemand zur anderen Seite. Norbert stünde in der Gruppe der Angehörigen und müßte als erster Händedruck und Beileidsworte entgegennehmen, vielleicht von vielen, vielleicht nur von Frau Schwarz und mir. Ich hatte keine Vorstellung, wie groß, wie klein der Trauerzug, aber wer nicht dabei sein würde, wußte ich. Und daß ich kein dunkles Kostüm besaß und meine schwarzen Sachen zu warm waren. Selbst wenn der Himmel nicht blau blieb bis Anfang nächster Woche, hätten wir sommerliche Temperaturen, ohne jeden Zweifel, würden sich das leuchtende Grün, die Frische des Juni gegen den Tod stellen, der unsichtbar, anderswo und über andere herrschte.

Hoffentlich eine kirchliche Beerdigung, keine Konzertmusik vom Band, kein Leichenredner, der von Natur und Schicksal sprach und Beweise für ein erfülltes, wenn auch tragisch früh zuendegegangenes Leben zusammenkratzte, mit der Gutwilligkeit eines dienstleistenden Angestellten, spezialisiert auf Reden zu feierlichen Anlässen, in der Vergangenheit vielleicht Kulturobmann eines großen Betriebes oder dergleichen, ein verfehlter Pfarrer und selbst dem unzulänglichsten von ihnen unterlegen, weil ohne Beistand durch eine in Jahrhunderten des Glaubens gefestigte Form und verlassen vom Geist, der sie trug. Den auch Ungläubige spürten und im armseligen Ersatz vermißten, der uns, so hoffte ich, erspart bliebe, wenn schon die Trauerzeremonie unumgänglich war, ihr vorstellbarer Ablauf mich innerlich frieren ließ. Aber ich hätte auf Frau Schwarz zu achten und darauf, daß wir nicht zu spät kämen, in den richtigen Warteraum und uns in allem so verhielten, wie es dem Brauch entsprach, der nichts zu tun hatte mit den Wünschen von Margarete Bauer, nichts mit ihrer Vorstellung von einem Strand, Musik und Tanz, einem bunten Fest, an dessen Ende ihre Asche in alle vier Winde verstreut werden sollte, so hatte sie einmal gesagt, noch mitten unter denen, die Wünsche äußerten, damit sie in Erfüllung gingen.

Ich könnte Johannes anrufen. In der neuen Telefonzelle, gleich an der Ecke, oder bei Norma, die den Anschluß der Vormieter übernommen hatte, Glück, denn hier würde sich so schnell nichts tun, und mein Antrag war bei weitem nicht der älteste, also ein bißchen Geduld, die Versäumnisse aus vierzig Jahren ließen sich nicht von einem Tag zum anderen beheben, das war ja wohl einzusehen. Das Telefonieren freilich ging leicht, ich genoß es, in der Erinnerung an früher, hatte mir eine Telefonkarte gekauft und würde sie in der neuen Zelle benutzen, am späten Abend dorthin gehen, die Ziffern wählen, die ich auswendig wußte, Johannes Stimme hören, ganz nah, ihn bitten zu kommen. Ich konnte mir das Gespräch vorstellen, als hätten wir es schon geführt.

Wie er das denn machen sollte, kurzerhand Urlaub nehmen ohne triftigen Grund. Das war einmal. Jetzt sei Arbeit wirklich Arbeit und nicht diese Ganztagsbeschäftigung, bei der man viel tun konnte oder wenig, immer da sein oder häufig fehlen, einerlei, es kam nicht darauf an und auch herzlich wenig dabei heraus, das hatte ihn schon immer angestunken, würde Johannes sagen, dazu der Verfall von Wertmaßstäben, die Prämien reihum, weil ja jeder ein Recht auf Anerkennung seiner Leistungen besaß, und wehe, man stellte die in Frage, es wurde als Affront aufgefaßt, nicht nur, weil es um Geld ging, nein, weil sich ein Werktätiger nicht kritisieren ließ, schließlich gab man sein Bestes oder konnte bei Bedarf die Phrasen vom Schöpfertum der Massen voll auf sich beziehen, wie schon den Schulkindern die Note »ungenügend« nicht zuzumuten war, überall sich dieses träge, nivellierende Selbstbewußtsein breitgemacht hatte und jetzt durch drastisch neue Verlockungen und Zwänge nicht einfach abzuschaffen war, im Gegenteil, viel länger Widerstand leisten würde als gedacht, auch deshalb habe er sich entschieden fortzugehen, einem Trauerspiel, an dem er eh nichts ändern könne, den Rücken zu kehren, doch das wüßte ich alles und wir müßten es nicht zum hundertsten Mal durchkauen, ja, würde ich sagen, aber komm trotzdem, mir zuliebe. Einen anderen Grund gab es nicht. Margarete Bauer hatte er kaum wahrgenommen, sie bestimmt längst vergessen. Wenn er kam, sich in den Hochzeitsanzug zwängte, mit mir und Frau Schwarz, die ihm auf die Nerven ging, zum Friedhof fuhr, obgleich er Beerdigungen verabscheute, dann einzig meinetwegen, für einen Tag voller Opfergeruch. Also würde ich nicht sagen: komm trotzdem, mir zuliebe, sondern mir die Schilderung der Umstände, die einen solchen Besuch ganz und gar ausschlossen, stumm anhören und darauf warten, daß sie plötzlich abbrach, Johannes erklärte:

gut, ich komme. Doch das geschähe diesmal nicht, ich konnte es mir genau vorstellen und meine neue Karte unbenutzt lassen, wenn ich keinen anderen Grund zum Anrufen hatte.

Ohnehin bliebe mein Wunsch unerfüllt, ging sein Bild an der Wirklichkeit vorbei.

Norma hatte Margarete Bauer nicht gekannt, warum sollte sie zu der Beerdigung kommen, warum die Tochter mitnehmen, als handelte es sich um einen Trauerfall in der Familie. Nichts verband die Gruppe, die ich zum Greifen deutlich gesehen hatte, niemand würde sie zusammenführen. Norma glaubte dem Gerücht, das in ihrem Haus kursierte. Keine noch so ergreifende Grabrede könnte sie davon abbringen. Wir hatten uns gestritten. Ich wünschte mir Versöhnung. Deshalb stand sie, dunkel vermummt, neben mir, Sandra zur Bekräftigung auf der anderen Seite, wir alle nirgendwo, nicht auf dem Erdboden jedenfalls, in dem man Anfang nächster Woche die zu Asche verbrannte Margarete Bauer vergraben würde.

Norma raufte sich die Haare. Sie wußte nicht, wie ich das mochte, eine Gebärde bestimmt noch aus ihrer Schulzeit, als sie in einer Laienspielgruppe mitwirkte, die sich Dramatischer Zirkel nannte, von einem echten Schauspieler geleitet, einem bewunderten, der am Stadttheater Hauptrollen, sogar den Faust, gespielt hatte und mit Normas Gruppe ein geschlagenes Jahr den »Sommernachtstraum« einstudierte, ohne daß sie ihn je aufgeführt hätten, weswegen ich mir das Haareraufen als Handlung am Rand des Stückes vorstellte, als selbständigen Beitrag von Norma in Verzweiflung über die hundertste Wiederholung einer für ihre Begriffe läppischen Szene, denn statt einen Handwerker zu spielen, der eine Wand darzustellen hat, wäre sie eine wundervolle Julia, Ophelia, Desdemona gewesen, was endlich, wenn er ihr einmal zusah, auch dem Schauspieler aufgehen mußte, dessen Namen ich mir nicht merken konnte, aber ich wagte nicht, danach zu fragen, als Norma den Kopf zurückwarf und sich mit beiden Händen in die Haare fuhr, diese knisternde, krause, kastanienbraune Mähne.

Beim ersten Mal hatte ich sie vorsichtig gestreichelt, wie ein Fell, ein Blatt, das man noch nie berührt hat. Ganz andere Haare als meine, als die von Johannes, von Max, von allen Kindern, die ich kannte. Ich befühlte sie zwischen den Fingern, drang tiefer, meine Hand ein Kamm, langsam auf und ab, immer noch ungläubig, daß es solchen Überfluß gab, ein Reich für sich, warm und wohnlich wie das weiße Dickicht auf dem Kopf von Jepkes Großvater, aber das Bilderbuch fiel mir erst später ein, nicht, während ich mit den Händen und plötzlich, als Norma mich an sich zog, mit meinem Gesicht in dem Gewirr steckte, seinen Geruch einsog, nichts sah, nur spürte, daß mir schwindelig war.

Ich sollte sie nicht anstarren, sondern endlich den Mund auftun, ihr erklären, wie ich das gemeint hätte, vorhin. Norma war aufgesprungen und stand, die Hände in den Hosentaschen, ziemlich dicht vor mir.

– Was denn erklären? Wenn du dich hinsetzen würdest, fiele es mir vielleicht wieder ein, sagte ich. Aber . . .

Ich wollte, daß wir aufhörten, einander in die Enge zu treiben, Norma immer schriller, ich immer bissiger, ein stundenlanger Kampf, bis Normas Haareraufen mich unversehens vom Schlachtfeld gelockt, wohin zurückzukehren ich keine Lust hatte, doch friedfertig oder besonnen war ich so schnell nicht, vielmehr aufs neue gereizt, weil sie drohend vor mir stand, nicht locker ließ.

–... aber vor allem interessiert mich, ob im Haargestrüpp von Jepkes Großvater auch ein Vogelnest steckte, ein kleines Ofenrohr ja, das weiß ich genau. Ich wollte mir neulich das Buch wieder ansehen. Es ist verschwunden.

Norma wurde blaß, dann drehte sie sich um, sagte vielleicht noch: Hau ab, oder ich begriff es auch so.

Das war vor drei Tagen. Ich würde nicht mehr auf Norma warten, sondern heute zu ihr gehen, damit wir uns aussöhnten, endlich.

Das Gerücht über Margarete Bauer. Norma hatte es mir erzählt wie eine wahre Geschichte, keine Spur von Zweifel oder Abstand. Das störte mich, ich sagte es ihr, sie blieb dabei, ich ich war gereizt, schließlich wütend. Daß sie so etwas mitmachte! Ein mieses Gesellschaftsspiel, jawohl, wobei Spiel wahrlich das falsche Wort sei, angesichts der verheerenden Folgen für die Betroffenen und letztlich für alle, in einem Klima öffentlicher Verdächtigungen und Denunziationen, und daß ausgerechnet sie... Nun war Norma empört. Wie ich dazu käme, die Enthüllung von Tatsachen, das Verbreiten der Wahrheit Denunziation zu nennen! Mies waren die Spitzel, verheerend die Machenschaften eines Überwachungsapparates ohnegleichen, und wer da die Fronten verwischte, stellte sich auf die falsche Seite, schützte die Täter und verfolgte die Opfer, das sollte mir eigentlich klar sein und mich davon abhalten, Alarm zu schlagen, weil das Kaninchen im Begriff sei, die Schlange zu fressen. O Gott, Norma, die Zeitung lese ich selbst, sagte ich oder sagte es noch verletzender, und wußte doch, daß ich damit angefangen hatte, mich aus dem Vorrat zusammengelesener Ausdrücke und Argumente zu bedienen, Norma dasselbe tat und wir anders gar nicht reden konnten, die eigene Meinung kein Originaleinfall in noch nie gehörten Sätzen, aber eigen der Impuls und die Gründe waren, sich einer bestimmten Meinung anzuschließen oder ihr zu widersprechen. Und dieses Eigene verstand sich keineswegs von selbst, fand ich jetzt.

Wir hatten nicht danach gefragt, wollten nichts wissen, wußten immer gleich Bescheid, verlangten Erklärungen nur, um sie zu entkräften, zu entlarven, stritten um das richtige Wort und unterstellten dem Gesagten, was nicht gesagt, aber zweifellos gemeint und deutlich herauszuhören war, wir kannten uns ja und konnten deshalb nicht fassen, was so alles zum Vorschein kam, zum Verrücktwerden, nie und nimmer hätten wir gedacht, daß uns jemand und ausgerechnet du, aber wieso denn ich, habe ich denn nicht klar und deutlich, dermaßen mißverstehen, das Wort im Munde verdrehen würde, unglaublich, unverzeihlich.

Ein stinknormaler Streit, hätte Johannes gesagt.

Ich erinnerte mich an Bruchstücke, nicht an Zusammenhang noch Reihenfolge. Ich konnte nicht einmal mehr sagen, worum es mir dabei ging. Margarete Bauer verteidigen. Aber weshalb? Weil sie es selbst nicht mehr konnte, weil ich von ihrer Unschuld überzeugt war oder mein Bild von ihr bewahren wollte und Verdächti-

gungen grundsätzlich abwehrte wegen der Spur, die
blieb, auch wenn sie eines Tages widerlegt und zurück-
genommen wurden, oder weil ich mich selbst bedroht
fühlte durch Normas Bereitwilligkeit, einem Gerücht zu
glauben, an dem irgendetwas dran sein mußte, von
nichts kommt nichts, sagte sie, und ob ich ihr einen
einzigen Fall nennen könnte, in dem der Verdacht völlig
unbegründet gewesen, der Verdächtigte nicht bestritten
und geleugnet hätte, bis man ihm das Belastungsmate-
rial unter die Nase hielt und selbst dann noch, aber das
ist genau der Punkt, hatte ich erwidert, dieses Material,
was soll es beweisen und was beweist es wirklich,
anders gefragt, wem würdest du im Zweifelsfall glauben, einer Aktennotiz oder dem Wort eines Menschen,
dem du vertraust, nehmen wir zum Beispiel, denn der
Verdacht kann jeden treffen, mich. Sie hatte einen
Moment gezögert. Die Hand ins Feuer legen würde sie
für niemand. Wahrscheinlich war dies der Einschnitt.
Ich hörte noch, daß sie sagte, was soll das, eine rein
theoretische Frage, aber es erreichte mich nicht mehr.
   Kälte, irgendwo ein stumpfer Schmerz und Norma
augenblicklich fremd. Eine Frau, der ich unterstellen
konnte, was immer mir einfiel, wenn es sie nur traf und
durcheinanderbrachte, so daß sie sich verrannte, auch
wirklich Unsinn redete und ich meine schäbige Überle-
genheit mit Bedacht ausbaute wie eine Festungsmauer,
aus Notwehr natürlich, was waren meine Pfeile gegen
die Verletzung, die sie mir zugefügt hatte, diese viel zu
laute Feindin auf tönernen Füßen, gut und böse, Wahrheit, Lüge, Mut und Feigheit, Täter, Opfer, Schuld und
Sühne, alles hohle Begriffe, wie sich leicht feststellen
ließ, Runde um Runde, durch Fragen oder Einwände,

walls as symbolic of those created as emotional
protection. Once taken down people exposed
= street, change, brkdown of self; behavior; forces
one to discuss, debate eventually

die ja nur die Moral ein bißchen abklopfen wollten, mit
der da aufgetrumpft wurde, fragen durfte man wohl
noch, aber nein, schrie es mir entgegen, ich verstünde
ganz genau, was gemeint sei und solle nicht ständig
vom Thema ablenken, endlich aufhören mit den Wort-
klaubereien, den dialektischen Spitzfindigkeiten, sagte
sie, die einen wahnsinnig machen konnten, und griff
sich an den Kopf, raufte die Haare, daß es nur so
knisterte, und war wieder Norma.

Norma würde ich um Verzeihung bitten. Ihr könnte
ich sagen, was mich verletzt hatte. Sie wehrte es bestimmt nicht ab: schon gut, ein ganz normaler Streit.
Sie war wie ich, von gestern. Sie hatte kein dickes Fell
und keine Ahnung von Streitkultur.

Johannes und Max gerieten in Laune, wenn sie sich
bekämpften. Sie teilten aus und steckten ein, wurden
laut, unfair, versuchten auf Teufel komm raus Recht zu
behalten, einander auszustechen, zählten die Punkte
und schüttelten sich am Schluß die Hände. Sie hatten
viel dazugelernt vor unseren ersten Wahlen, in den
Wochen der Endlosdiskussionen, die sie oft und oft
verfluchten, aber bis zur Erschöpfung mitmachten, geradezu entgeistert von meinem Defätismus: hört auf,
ihr habt doch längst verloren allesamt. Ganz falsch,
verloren hat nur, wer aufgibt, außerdem, was heißt
denn »ihr«, ob ich mich nicht dazurechne, schon wieder
abseits, für so unpolitisch habe er mich gar nicht
gehalten, sagte Max. Unwillig zu lernen, warf mir
Johannes vor, und derart gewöhnt an den alten Mief,
daß ich mich vor der frischen Luft fürchte, statt sie jetzt
in vollen Zügen einzuatmen. Früher hockten wir gemütlich zusammen, den gemeinsamen Feind in sicherer

Ferne, bestens im Bilde über seine Unfähigkeit und Dummheit, seine schrecklichen Fehler, seine Brutalität, weswegen wir es nicht wagten, uns offen mit ihm anzulegen, unser ganzer Mut darin bestand, ihn in kleinem Kreise auseinanderzunehmen, zu verspotten, und wer nicht unserer Meinung war, mit dem redeten wir erst gar nicht, denn wir brauchten Übereinstimmung, um uns stark zu fühlen, unsere Schwäche zu ertragen, wir Untertanen wider Willen, wir aufgeklärten Rädchen und Schräubchen, die wir wußten, daß es so nicht weitergehen konnte, daß etwas geschehen müsse, wenn sich bloß zeigen würde, was, wären wir sofort dabei, nicht aber bei diesen Amokläufen idealistischer Grüppchen oder geltungssüchtiger Einzelkämpfer, so ungefähr war es doch, hatte Johannes gesagt, er beziehe sich da voll mit ein und könne diese Haltung immer noch bis zu einem gewissen Grad nachvollziehen, wenn nicht entschuldigen. Unverzeihlich indessen das Verharren, jetzt, in altneuer Politikfeindschaft und Sprachlosigkeit, als sei uns nicht die einmalige Chance gegeben, aus unserer mitverschuldeten Unmündigkeit herauszutreten, endlich frei und erwachsen, sagte Johannes, sagte Max, ließ ich mir gesagt sein.

Norma würde ich von dem Zeitungsmann erzählen und seiner Provinzstadt, wo sie sich alle wieder gesammelt und gesetzt haben, in gewohnter Verteilung, wie ein Schwarm Vögel, der hochschwirrt, wenn man in die Hände schlägt, sagte der rundliche kraushaarige Mann und machte das Händeschlagen vor, blickte schräg nach oben, ein bißchen versonnen, abwartend, als beobachte er die aufgescheuchten Vögel, ihre Rückkehr auf die alten Plätze, und ich dachte, wenn es einen

Geschichtsgott gäbe, sähe er mit genau diesem Blick uns zu bei unseren Aufbrüchen, Umwälzungen und Katastrophen. Im Saal wurde herzlich gelacht, ja, die kleinen Orte, da zerbrach man sich nicht den Kopf über Aufklärung und Aufarbeitung, zwar gab es böse Überraschungen auch dort, der fromme Organist aus dem Nachbarort, ein Spitzel jahrelang, und zwei, drei andere noch, von denen es niemand erwartet hätte, schon erschütternd, aber kein Grund sich beirren zu lassen, denn jeder wußte, was von den anderen zu halten war, früher wie jetzt, die Verhältnisse hatten sich geändert, nicht die Menschen, und das Leben ging weiter.

Diesmal ein kräftiger Ton. Bestimmt nicht Frau Schwarz. Norma vielleicht, ja wer denn sonst, Norma, aus irgendeinem Grund heute Nachmittag frei und wie ich zur Versöhnung bereit, mein Wünschen ein Magnet, so hatte ich es mir seit je gedacht, einige Male auch erlebt, was zählten dagegen die vielen anderen, und an einem Tag wie heute, die Gesichter am Morgen, der junge Mann im Hof, der blaue Himmel, lauter gute Vorzeichen, natürlich Norma, gleich, ich komme, lasse die Arbeit Arbeit sein, wie soll ich jetzt in diese alte Geschichte zurückfinden, nein, kein Gedanke an Störung, nur schnell zur Tür, bin schon da.

Draußen stand Max. Nicht dicht vor der Tür, ein paar Schritte zurück, an der Krümmung des Geländers, wie unentschieden zwischen Kommen und Gehen, die Lederjacke über der linken Schulter, das weiße Hemd bis zu den Ellbogen hochgerollt, am Kragen aufgeknöpft, Zugeständnis an den Sommer auch die helleren Jeans und die historischen Sandalen, auf Vorrat gekauft, als sie noch häufig getragen wurden, Jesuslatschen, so ein

Wort von früher, etwas angestaubt, und paßte zu Max mit der immergleichen Kleidung, der beharrlichen Blässe und Magerkeit, dem durchdringenden Kinderblick. Sie müßten eigentlich die Namen tauschen, hatte Johannes gesagt, denn so wie Max aussehe, habe er sich im Religionsunterricht den Lieblingsjünger vorgestellt, und nannte ihn manchmal unseren Evangelisten.

– Ach Max, erwartet habe ich dich nicht. Ich bin mitten in der Arbeit, log ich, damit Max fragen konnte, was ich gerade übersetze und worum es da gehe.

Die Schönheit der Staatsmänner. Science-fiction? würde Max sagen oder etwas in der Art, und ich könnte ausholen, aber weit käme ich nicht, denn in spätestens einer Viertelstunde lägen wir beieinander, so war es immer. Neumann in der Wohnung darunter müßte unser Geschrei mitanhören, morgen fände ich im Briefkasten einen Beschwerdezettel, wenigstens mußte er jetzt Papier opfern, weil er nicht mehr auf den Rand der Farbdrucke schreiben konnte, gleich neben meiner Wohnungstür, die schönen Tapisserien von Cluny: die Dame mit dem Einhorn, und einige Zentimeter über ihrem Kopf stand dann in Neumanns Krakelschrift Puff, Bordell, aber die Wand war jetzt leer, schmutziggelb, mit winzigen Löchern ungefähr in Augenhöhe von Max, der nicht dorthin sah, sondern zu mir.

– Gut, daß du da bist, sagte ich. Nun komm schon herein.

Der Boden war warm. Dichtes Gras, dazwischen Blumen, deren Namen wir nicht kannten. Im letzten Jahr hatte es sie noch nicht gegeben. Neu auch die Nase am marmorweißen Dichterkopf, vor langer Zeit verstümmelt.

Nicht weit von uns krochen zwei Kinder auf allen Vieren über den Rasen und spielten Hund mit einer Dogge, die ein buntes Tuch um den Hals trug. Sie gehörte den jungen Männern, die am Rand der Jasminhecke lagerten, an der Grenze zwischen dem Park und der Straße. Jetzt setzte sich ein Mädchen zu ihnen, brachte die Haarfarbe Schwarz in ein grelles Spiel aus Rosa, Giftgrün, Schwefelgelb und Weißblond. Keiner aus der Gruppe hatte irgendein Kleidungsstück abgelegt, auch nicht die Schuhe. Wie Max und ich. Bedeckt unter Halbnackten.

Ich legte meinen Kopf in Max' Schoß, sah über mir Kastanienblätter und, wenn er sich vorbeugte, sein Gesicht, das nun wieder verschlossen war, nichtssagend der Gewalt von Lust und Ekstase entkommen, wie immer. Vielleicht sah Max mich genauso. Ein Ball hüpfte über unsere ausgestreckten Beine, ein Junge lief ihm hinterher, kurzer Blick zu uns, schon woanders. Ich machte die Augen zu, hörte auf die Geräusche ringsum. Von links, in höchsten Tönen, der frische Lärm aus dem Kinderbad, rechts das Rollen und Dröhnen auf der Straße, im Hintergrund Züge und S- Bahnen über die Brücke weg und dicht bei uns Stimmen, Gebell, Spatzengeschrill in der Kastanie, kein Laut von den Mauerseglern, kein Lufthauch, wenn sie vorbeizogen, aber sie waren da, ich brauchte nur die Augen zu öffnen, um sie wiederzusehen. Unten am Fluß jetzt leises Tuckern und

65

Rauschen, wahrscheinlich ein Ausflugsboot, bei so schönem Wetter, und gleichzeitig fast, von oben, Max' Stimme.

– Weißt du, was für ein Tag heute ist?

Unter meinen Handflächen spürte ich seine harten Knie, mit meinem Hinterkopf sein Geschlecht, weich, wenn ich still lag.

– Ich denke doch, sagte ich. Das siebente Mal.

Er meinte etwas anderes. Das Datum.

– Drüben mal Feiertag, sagte Max. Schon vergessen?

Ach das. Und ob ich mich erinnere. Siebzehnter Juni, sofort ein Gemisch aus Eindrücken, auch ein Geschmack ist dabei, es gibt nur wenige Tage . . .

– Keineswegs. Sehr warm, ähnlich wie heute, zum Mittag gab es überbackenen Blumenkohl, sagte ich.

– Ist das alles?

. . . von denen ich noch weiß, was ich da gegessen habe, wie das Wetter war, und ich habe es nur behalten wegen allem anderen – den Ereignissen, wie es später hieß, als nicht mehr gesagt wurde: konterrevolutionärer Putsch, aber um alles in der Welt nicht: Volksaufstand, doch paßt dieses Wort zu der Erinnerung, daß meine Mutter nicht mehr durchkam bis zu ihrer Schule, weil die Innenstadt voll von Demonstranten war, Volk, und nicht von irgendwem dorthin geschickt, zusammengeströmt aus Zorn und Haß und weil der Geduldsfaden gerissen war, hörte ich und konnte mir darunter etwas vorstellen, das ich gut und mutig fand, unbedingt gerecht, ein Befreiungsaufstand, was sich schon daran zeigte, daß sie das Gefängnis stürmten, Roter Ochse genannt, und das Parteihaus belagerten, wo die Unterdrücker saßen, Handlanger der Fremdherrschaft, des

Feindes immer noch, der seine Truppen losschickte, auch durch unsere Straße fuhren sie, Panzerspähwagen, sagte mein Bruder, und ich merkte mir das Wort, dann die Schüsse, abends, aus der Richtung des Marktplatzes, niemand von uns durfte hinaus.

– Erregung und Angst, sagte ich. Und meine Feigheit vor der Freundin.

Neben mir, am Bordstein der sonnigen Straße. Ein Sommerwesen, hell und lebhaft, mit wasserblauen Augen, die blitzen, leuchten konnten wie im Märchen.

– Jutta. Die spinnen wohl, sagte sie und meinte nicht die Panzer, denen wir hinterhersahen. Ich sagte nichts, kein Wort zur Verteidigung des Aufstands. Ich erinnere mich an den Druck von innen, als drängten sich nein und andere Wörter hier, sagte ich und strich über das Brustbein bis zur Kehle, damit ich sie herausließ, dasselbe Gefühl auch später, immer wieder, wenn ich wußte, jetzt mußt du etwas sagen, und schwieg. Sie war die Klügste aus der Klasse, respektlos, funkelnd vor Spott, ich habe sie bewundert und gefürchtet. Irgendwann auf dem Schulweg: Wir sind zwei schlaue Kinder, verkündete sie, aber ich bin noch etwas schlauer als du. Ich spürte, sie hatte Recht, aber daß sie es aussprach! Ich konkurrierte heimlich, wagte mich nur vor, wenn ich meiner Sache sicher war ...

– Du warst dir doch sicher, unbedingt dafür, hast du vorhin gesagt.

– Das schon, trotzdem hatte ich Angst.

– Versteh ich nicht, sagte Max.

– Unsere Freundschaft hielt, solange wir den Graben links liegen ließen, glaubte ich jedenfalls. Juttas Familie war aus dem Westen gekommen. Wirkliche Rote. Eine

Menge Bücher hatten sie. Bestimmt wußte Jutta über diesen Aufstand mehr als ich. Normerhöhungen, das sagte mir wenig, mit zehn. Nicht weil Arbeiter demonstrierten, war ich dafür, sondern weil es ein Schrei nach Freiheit war, hatte ich zu Hause gehört, eine Erhebung gegen die Kommunisten, also auch gegen euch, und ich bin auf der Seite eurer Gegner, hätte ich sagen müssen und brachte es nicht heraus.

– Angst, daß sie dich verpfiff?

– Unsinn. Angst vor dem Bruch. Ist das so schwer zu begreifen?

Ich richtete mich auf, saß mit dem Rücken zu Max, hatte keine Lust weiterzureden. Das Vögeln, dachte ich, ist eine Erfindung für Leute wie uns, die kein Verliebtsein dazu brauchen. Begehren ist alles, und es erschöpft sich vollständig in den Umarmungen, jedesmal wie noch nie gewesen und wie zum letzten Mal, vielleicht hatte ich sie deshalb gezählt, ungläubig, daß es mehrere, schon so viele waren, das Einmalige sich wiederholte, wir aus der Ferne ineinanderstürzten, niemals verabredet und sofort bereit, alles stehen- und liegenzulassen, wenn der andere auftauchte, wir jeden Wunsch, jedes Interesse aneinander verloren außer dem einen, dem nichts gleich kam. Jedesmal gab es den Augenblick, in dem wir uns an den Händen faßten wie Gerettete, die nach gemeinsam bestandenem Abenteuer voneinander Abschied nehmen. Danach getrennte Orte, Verständigung und Mißverständnisse, flache Zärtlichkeit, keine Rede von dem, was uns einzig und absolut verband.

– Komm, leg dich wieder hin, sagte Max. Ich kann nicht mit deinem Rücken reden.

Ich setzte mich neben ihn, wir lehnten uns aneinander. Aus dem Kinderbad kamen jetzt viele, wahrscheinlich schloß es bald. Der Park erschien mir geschrumpft, leicht zusammengedrückt von den seitlichen Steinmassen der Museen und Wohnhäuser. Der Himmel blaugrün, kein Abenddunst. Nordwetter, werde ich zu Johannes sagen, wenn ich heute noch anrufe und er wissen will, wie der Tag gewesen ist. In Klarheit erstarrt, du merkst kaum, daß Zeit vergeht. Kleine Veränderungen von einem Hinsehen zum nächsten, dazwischen unbestimmte Dauer.

Die Bunthaarigen saßen im Kreis und ließen eine große Flasche herumgehen. Der Hund war zu ihnen zurückgekehrt. Die beiden Kinder zerrten an der Decke, die sie ausschütteln sollten, während die Mutter sich anzog, verstreute Sachen aufhob, mit gedämpfter Stimme zum Aufbruch trieb. Lautlos glitten die Mauersegler vorbei. In der Kastanie war es still.

– Ich weiß nicht, sagte Max.

– Was nicht?

– Warum du sauer bist. Das hat es schließlich gegeben, und du kannst mir nicht erzählen, Kinder hätten damals nicht gewußt, daß es gefährlich war, bestimmte Meinungen zu äußern.

– Das habe ich dir auch nicht erzählt. Sondern eine andere Geschichte. Jutta hätte mich nicht verpfiffen, sie hätte mich ausgelacht, wäre ich mit dem Schrei nach Freiheit gekommen. Sie hätte mir die Freundschaft gekündigt, wenn ich sie zu meiner, mich zu ihrer Gegnerin erklärte – das stellte ich mir vor, nichts anderes, und davor hatte ich Angst. Deutlich verschieden von dem Gefühl wenig später, als der Aufstand niedergeschlagen war und in der Zeitung Verbrecherfotos erschienen, Geschichten von entfesseltem Mob und eingeschleusten Agenten, gnadenlose Lügen zur Rechtfertigung von Terrorurteilen. Ich habe es nicht vergessen, ein Gefühl von Schutzlosigkeit. Das Unheimliche dieses Zuschlagens, dieser unverhohlenen Drohung: So machen wir es mit jedem, der gegen uns auftritt, uns gehört die Macht, und was wahr ist, bestimmen wir.

– Damals war ich drei, sagte Max. Wenn ich die Zeit so erlebt hätte wie du, wäre ich bei der erstbesten Gelegenheit verschwunden.

– Und wärst dann an dem Feiertag, der keiner mehr ist, an einen See gefahren, hättest eine gute Zeitung gelesen und zwischendurch mit leisem Schauder daran gedacht, wie es wäre, wenn du weiterhin zu denen gehörtest, die in dem armseligen Gefängnis geblieben sind.

– Wäre ich, hätte ich . . . Wie kommst du darauf?

Sommer und Sonne, da lag der See nahe, war dunkelblau mit weißen Segeln unter weißgetupftem Himmel, ungemischte Farben aus dem Malkasten, rosa Flecken im Grün, gelbe und rote Sonnenschirme am Rand des Wassers irgendwo. Und aller Zauber außerhalb des Bildes, in seinem unsichtbaren Vorbild, erhaben über jede Note, zwei bis drei stand unter dem Gemälde, das den geheimen Titel »Ein See im Westen« trug. Sicher nicht mein einziges dieser Art, damals, als Johannes in seiner Mecklenburger Dorfschule das Zeichenblatt mit einem Längsstrich geteilt, etwas langweilig Helles, Schule, Girlanden aus Fähnchen, spielende Kinder in der rechten Hälfte untergebracht, dann mit Feuereifer die andere ausgemalt hatte, auf der es qualmte, blitzte, brannte, die Erde aufflog, der gute Soldat mit dem gelben Gesicht den bösen Weißen niederstreckte, der knapp gewordene Raum über zwei Panzern mit Flugzeugen und Bomben verschiedener Größe ausgefüllt war, grau, schwarz, dazwischen die weißen Striemen des Himmels. Alle Kraft auf der düsteren Linken des Doppelbildes, das an der Wandzeitung hängen durfte, Korea im Krieg, Korea im Frieden, für mich kein Land zum Ausmalen, keines, aus dem Carepakete über den Ozean oder dann Geschenksendungen über die Grenze kamen, auf dem Küchentisch ausgebreitete Dinge, die uninteressanten in Tüten und Büchsen, zur Freude der Erwachsenen, für uns der Glanz, das Süße, Bunte, Kostproben der besseren Welt von Anfang an, seit ich wußte, daß Frieden war und deshalb Schokolade einkehren mußte, auch Kakao, den das alberne Nesthäkchen aus der alten Friedenszeit nicht ausstehen konnte, Grund genug, nichts weiter über sie zu lesen in den reihum gereichten Bänden, in denen sie immer älter wurde, schließlich weiße Haare hatte, bestimmt nicht mehr spielte, keine neuen Puppen bekam, nichts, das so schön war wie das Geschöpf im grünen Seidenkleid, mit dunkelbraunen Locken, dichten Wimpern an den Lidern, auf und zu, wie bei einem echten Kind, an einem Heiligabend kurz nach dem Krieg zu uns gelangt und getauft auf den Namen Engel Amerika, der erste in einer langen Reihe von Kultgegenständen, guten Gaben aus dem Westen. In Gedanken versetzte ich sie dorthin zurück, wo sie nun nicht mehr war, ohne daß ihr Fehlen auffallen konnte in einer Hülle und Fülle, die von der Vorstellung nie, aber eines Tages in Wirklichkeit zu erreichen war, bis dahin ungekannte Heimat des Begehrenswerten, keine Landschaft, ein Gelände, übersät mit Geschäften, in denen es alles gab, alles. Dahinter tauchten nach und nach Stadt, Land, Fluß und Berge auf, der Zeigestock tippte auf die große Leinwand, die ausgerollt an einem Ständer hing, das Flachland grün, Gebirge braun sein ließ und in ihrer beschränkten Farbenpracht klarmachte, daß es im Fach Erdkunde einen natürlichen Kontrast zwischen Nord- und Süddeutschland gab, die Grenze zwischen Ost und West hingegen Willkür war, Gebirge teilte, einen Fluß, eine Stadt sogar, folglich einer Ordnung angehörte, die uns hier nicht zu beschäftigen brauchte, aber wissen sollten wir, wo die großen Flüsse entsprangen, damit wir ihrem Lauf, von der Quelle bis zur Mündung, sicher folgen konnten, über Strichlinien hinweg, und wo die Hand hinzuzeigen hatte, wenn eine Ortschaft genannt wurde, auf welchen der unzähligen Punkte in dem Muster, das sich über freischwebende Namen aus Liedern und Geschichten legte, so daß Stadtmusikanten, Heinzelmännchen, der Rattenfänger, Loreley und Schimmelreiter, Heidis blasse Freundin Klara an den unverrückbaren Orten ihrer Taten und Schicksale einen zweiten Wohnsitz fanden, auf Haacks Deutschlandkarte beglaubigt und so real, jetztzeitig, unsichtbar, fern wie Hannover- Wülfel, woher die Päckchen meiner Patentante, wie Bonn am Rhein, von wo die Stimmen kamen. Alte Männer in dunklen Anzügen, stellte ich mir vor, sie hielten Ansprachen, riefen dazwischen, wenn ihnen etwas nicht gefiel, sehr laut, manchmal solcher Tumult, daß jemand, der die Aufsicht führte, mit einer Glocke schellte, bis wieder Ruhe war, aber nicht lange, weil sie bei ihren Zusammenkünften, den endlosen Reden von denen, deren Namen ausgerufen wurden wie Bahnstationen, nicht andauernd still sein konnten, das verstand ich gut und war doch überrascht, daß Großväter zankten und lärmten wie eine ungezogene Klasse und sogar das im Radio übertragen wurde, also dazugehörte zu den Versammlungen, in denen es um die Geschicke des deutschen Volkes ging, Weichen für die Zukunft gestellt und Sternstunden der Politik erlebt wurden, so hörte ich und merkte mir Namen, erkannte Stimmen, unweigerlich diejenige, die auch ein Gesicht hatte, in der Zeitung abgebildet und gelb oder grünlich auf Papptafeln bei den Umzügen am ersten Mai, großer Häuptling, dem die Schmähungen seiner Feinde zum Ruhm gereichten, denn das war klar, niemand bewunderte Spitzbart, Bauch und Brille, gefürchtete Witzfiguren in einem Außenbezirk von Ostberlin, Pankoff, sagte die sofort erkennbare Stimme, jeder jedoch, wenigstens insgeheim, den alten Fuchs. Er war es, der in die Burg des Bären reiste, schlau ausgerüstet mit Leinöl, das gut sein sollte gegen den Wodka dort. Er erreichte, daß sie freigelassen wurden aus den Gefangenenlagern, tagelang Namen im Radio, aber mein Vater nicht dabei, und es war auch meine Schuld, weil ich aufgehört hatte, ein Klingeln, einen großen Schatten hinter dem geriffelten Glas der Wohnungstür mit aller Heftigkeit des Wünschens in ihn zu verwandeln, der flackernde Erinnerung war und wiederkommen mußte, ich durfte nur nicht vergessen, nicht nachlassen, ihn herbeizuwünschen, ich, immer vergeßlicher, je länger er wegblieb, wie verschluckt von dem Wort »vermißt«, das selbst dann nicht ersetzt wurde, als feststand, er war nicht unter denen, die man nach jener Reise im Herbst fünfundfünfzig als Spätheimkehrer empfing. Mit ihm zusammen wären wir fortgezogen, wie immer mehr es taten ringsum, wegen der Knüppel im Weg und um der Zukunft ihrer Kinder willen, wurde erklärt, wenn wir erzählten, wer aus der Klasse und wer von den Lehrern nach den großen Ferien fehlte, beste Freundinnen fort mit der ganzen Familie, doch allein und auf eigene Faust Jutta, Freundin nurmehr in der Erinnerung, seit wir auf verschiedene Schulen gingen, uns kaum noch sahen. Hinter der guten Zeitung, am Ufer eines Sees im Westen, alle möglichen Köpfe, nicht der von Max, das mußte ich zugeben.

– War daneben, vergiß es, sagte ich.

Und sah mich selbst, wie ich es nicht vor Max, nicht vor Johannes zugeben würde, weil sie immer mit ihrem Gesicht ausgekommen waren, keinen Sinn hatten für Posen vor dem Spiegel, die träumerische Maskierung mit fremden Zügen, den eigenen nicht ganz unähnlich, aber entrückt in Makellosigkeit, das störend Krumme, zu Große, zu Kleine berichtigt und, aus welchem Blickwinkel auch immer, unantastbar schön, Schutzschild, Waffe nach Modellen auf glänzendem Papier, zu Anfang der sechziger Jahre ein Pariser Mannequin, mein Wunschgesicht, von der herabsinkenden Zeitung enthüllt, schon nicht mehr an heimischen Gewässern, weiter fort, vor südlicher Kulisse, längst einer anderen als zu Zeiten der Spaziergänge auf dem Friedhof, der Planung unseres gemeinsamen Dienstes, Ellen als Ärztin, ich Missionarin in Indien, dort, wo es am elendesten ist, nun also im abgeschirmten Reichtum, den ich mir selten in Einzelheiten ausmalte, ein kühler Schimmer, Ausstrahlung des Wortes Luxus und Aura meiner mandeläugigen, grazilen, mit nichts als Schön-und-glücklich-sein beschäftigten Doppelgängerin, damals, als der Weg nach Westen soeben zugemauert war. Gedankenfluchten. Vorbei an Kontrolleuren, die keine Uniformen trugen, keine Notiz von mir nahmen, mich jedoch im Blick behielten, weil ich ihre Schriften studierte und mich gemustert fühlte von ihren Einsichten, Urteilen, Verhaltensansprüchen und Geschichtsverheißungen, wenn ich mitten im Satz verschwand, mit funkelnagelneuer Identität wiederkehrte, dann doppelt aufmerksam weiterlas, etwas beschämt über die Banalität meiner Eskapaden und unversehens rückfällig. Aufblitzende Möglichkeiten, was wäre wenn, nicht ernstlich erwogen, jetzt nicht, später einmal, denn all dieses Flanieren vor eleganten Geschäften, die Semester an berühmten Universitäten, die Filmkarrieren und Heiraten nach Frankreich oder Amerika konnten auf sich warten lassen, ich schwamm in Zeit, auf Leben zu, das sich lockend entzog, nichts festlegte und eben darin einer Wirklichkeit beistand, mit der ich verwuchs, indem ich sie fortwährend als vorläufig betrachtete.

– Ist mir schon klar, sagte Max, daß du nicht mich gemeint hast, wahrscheinlich dich selbst. Verpaßte Gelegenheiten. Ein Langweiler aus der Serie »Vierzig Jahre nicht gelebt«. Was ist, hast du Lust auf ein Bier?

Hatte ich.

– Dann gehen wir zu Ande, entschied Max. Dort steht noch mein Rad auf dem Hof.

Warum nicht zu Ande. Vermutlich ein bewährter Aussteiger, einer dieser Schriftsetzer, Krankenpfleger, Paketzusteller, Nachtpförtner, Beleuchtungsassistenten, Kleindarsteller, Küster, zwischendurch Bausoldat, nebenher autodidaktischer Feuerschlucker oder Trommler, ähnlich wie Max, nur daß der auch ein Abitur mit Berufsausbildung und ein abgebrochenes Studium der Landwirtschaft vorzuweisen hatte. Unter den Initiativen und Projekten, die Max seit zwei Jahren ins Leben rief oder vor dem Untergang rettete, befand sich bislang nichts aus der Gastronomie, aber das konnte sich nun ändern, ich war gespannt.

Wir standen auf. Ich sah zu dem dunkelroten Haus an der Schmalseite des Parks, auf die altmodische Fassade mit hohen Giebeln und Fenstern, an denen sich niemand zeigte, als hätte der Historismus seiner Formen dieses Bauwerk in eine Theaterkulisse verwandelt, täuschend echte Darstellung eines Wohnhauses von großer Behaglichkeit. Wir gingen ein Stück darauf zu, die Dogge der Bunten uns hinterher, dann nach rechts, wo der Park zuende war, der Hund umkehrte, ich Max an der Hand faßte. Die antwortete mit demselben kleinen Druck wie die Hand von Johannes, väterlich, übersetzte ich und hatte mir vielleicht deshalb eine Geste nicht abgewöhnt, noch aus der Zeit, in der ich lernte, Fahrdämme zu überqueren. Dieser erschien mir augenblicklich unpassierbar, Abendverkehr in dem Tempo, das sich mit der Befreiung von kränkenden Trabanten durchgesetzt hatte. Max ignorierte die gegnerischen Kolonnen. Hindurch, sollten wir auch unter Selbstaufopferung beweisen, wie gemeingefährlich, widernatürlich, absolut bescheuert diese Raserei war, sagte Max, der auf Radfahrerdemos dagegen antrat und nun mit unerbittlichem Gang. Schrille Schrecksekunden. Wir erreichten die andere Seite. Gerettet, sagte ich und ließ die Hand los.

Wir bogen ab in eine stille Nebenstraße. Über den geflickten Asphalt ruckten Tauben, der Bürgersteig ein Pfad voller Hundescheiße, zwischen frischfarbigem Blech und bröckelnden Mauern. Aus den offenen Fenstern über unseren Köpfen sang Tina Turner, tauschten Berliner Stimmen Nachrichten vom Tage, einem siebzehnten Juni ohne Geschichtsfracht. Auf einem Container voller Stühle und Matratzen balancierte ein kleines Mädchen, zwei Halbwüchsige durchsuchten den ringsum lagernden Sperrmüll, Überreste eines aufgelösten Haushalts oder ausrangiertes Mobiliar.

Die Welle der Neumöblierung schien etwas abgeflaut, seltener geworden auch der Anblick ausgesetzter Altautos in unterschiedlichen Stadien ihrer anorganischen Verwesung. Ich suchte nach Anzeichen von Veränderung, einem neuen Laden oder Lokal, einer frischverputzten Fassade, aber nichts, bis auf einige Schilder mit Firmennamen, war hinzugekommen in dieser Straße, armselig, baumlos, wie fast alle im Viertel, und anscheinend resistent gegen die anderswo sichtbaren Ausbrüche aus Leere, Stille, Verfall, aus dunklen Häusern und Hinterhäusern.

– Ich wette, sagte ich, diese Gegend schwingt allmählich zurück in das angestammte Milieu, Strich und Kneipen und großstädtische Unterwelt.

– Sozusagen nachgewachsen aus dem Patientenkreis des Doktor Döblin? Wie denn? Auch das Elend ist nicht mehr das, was es einmal war, sagte Max.

– Ja, aber Ende der sechziger Jahre, als ich hier in der Nähe gewohnt habe, grad erst nach Berlin gekommen, sind mir Leute begegnet wie aus dem Buch. Da konnte man noch etwas spüren von Lebenskampf, der nicht zu bestehen war ohne krumme Touren, Schlägereien, Hinterausgänge, ohne Zusammenhalt, Alkohol und großschnäuzigen Humor, das alles in immergleichen Wohnhöhlen, einem Schattenreich, auch durch den Krieg kaum gelichtet. Hätten ruhig ein paar Bomben reinfallen können, damit die Kinder nicht ewig aussehen wie die Kartoffelkeimlinge, war ein Ausspruch von Frau Zangulis aus dem Vorderhaus, die sich eine Sommerfrische eingerichtet hatte auf dem Teerdach eines Schuppens, goldener Luxus, von meiner finsteren Kochstube aus betrachtet, sagte ich, aber Beweis für das Fortbestehen einer Welt, die jetzt aus jahrzehntelangem Schlaf erwacht, sind meine Erinnerungen natürlich nicht. Die belebenden Elemente kommen von außen, und es sind nicht die Nachfahren der Ureinwohner, die den Ton angeben, vielleicht noch in Straßen wie dieser oder in Stammkneipen, deren Kundschaft unter sich geblieben ist, den historischen Proletariern immerhin näher als dem bunten neuen Volk, das hier in freien Räumen nistet. Bis irgendwann gründlich umgeräumt wird.

– Wir bleiben hier, sagte Max.

Max mit den vielen Wohnungen. In jeder irgend etwas zurückgelassen, als wollte er durch einen Teil seiner Habe dort weiterleben, von wo er fortzog, sein Zuhause auf mehrere Stadtteile ausdehnen, das Küchenbuffet in Köpenick, die alte Schlafcouch in Friedrichshain, eine Schrankwand in Treptow, das meiste im Prenzlauer Berg, bei Christiane und den Zwillingen, wußte ich von Johannes, der Max beim Umzug nach Mitte geholfen hatte, zwei Fuhren und die Sache war erledigt. Jemand, der sich an keinem Ort festsetzen kann, aber nirgends verschwinden möchte, meinte Johannes.

- Wer ist wir?

- Niemand Bestimmtes, eben die, denen ich mich zugehörig fühle, sagte Max. Weshalb die Frage?

- Weil mir nicht klar war, daß du vorhast hierzubleiben, sagte ich.

Das sei etwas ganz anderes und werde sich noch in diesem Monat entscheiden. Max raunte einen Ortsnamen, der mir nichts sagte. Eine Landkommune bei Meißen. Eines Tages werde jeder sie kennen, Keimzelle der Überwindung unserer jetzigen Gesellschaftsform, sagte Max.

Also nach Sachsen. Fort in die Provinz der starken Chöre. Keine drei Jahre war das her: Wir wollen raus! Wir bleiben hier! Und auch »hier« bedeutete: »fort«, Veränderung auf der Stelle. Entschlossenheit zu bleiben, damit endlich die verschwanden, die ihre Macht auf ewig eingerichtet hatten.

- So war es doch, sagte ich. Vor drei Jahren ist die Ewigkeit zusammengebrochen, die Zeit seitdem entfesselt, und wir geistern durch die alten Räume und versichern uns, hier zu sein, als wüßten wir noch, wo das ist.

- Da wären wir, erklärte Max.

Wir standen vor einer Toreinfahrt. Ihr rechter Pfosten war rosa von oben bis unten. Auf der linken Seite endete der Anstrich in Kniehöhe. Dem Maler war die Farbe ausgegangen oder die Lust weiterzupinseln und das vor geraumer Zeit, denn frisch sah sein Werk nicht aus. *Schöner unsere Städte und Gemeinden – mach mit!* Vielleicht hatte ein Sonderling eines Tages beschlossen, den Aufruf in die Tat umzusetzen, bis ihn beim Anblick der ausgedehnten Düsternis, aus der sein Streifen Rosa hervorleuchtete, der Elan wieder verließ oder ihm unversehens wichtigere Arbeit angetragen wurde von einem Mitmenschen, dessen Fahrzeug nicht ansprang, oder ein Normaler zeigte ihm den Vogel, so daß es ihn plötzlich beschämte, als Vollzugsorgan einer dieser verblasenen Initiativen dazustehen, mit tropfendem Pinsel, beizutragen zu Erfolgsmeldungen, die Verfall hinwegjubelten, den jeder jeden Tag sah und der nicht noch übertüncht werden durfte, also den Farbeimer zurück zwischen die eignen vier Wände, wo es immer irgend etwas anzustreichen gab, vielleicht auch ganz anders, dem verblaßten Fragment jedenfalls nicht anzusehen, während man bei noch frischer Farbe wissen würde, daß hier das Geld nicht gereicht hatte, was denn sonst, und in dieser Hinsicht waren die neuen Verhältnisse leichter durchschaubar als die alten, dachte ich.

Max kehrte aus dem Hof zurück, wo er nach seinem Rad gesehen hatte. Noch da, alles in Ordnung. Der Eingang zu Andes Kneipe war an der Ecke, zwei Stufen hinauf, die Tür offen, das Emailleschild daneben aus der Vorkriegszeit und das Bier, für das es warb, wieder überall zu haben, als wäre es nie anders gewesen.

Und bloß, weil kein Blut geflossen ist. Köpfe hätten rollen müssen. Hier auf dem Alex, wo die Brillenträger Revolution gespielt haben.

– Ist doch Unsinn. Guck dich mal um. Ich sage nur: Rumänien! Und wenn sie die gesamte Sippschaft an die Wand gestellt hätten, meinste, du würdest jetzt nicht stempeln gehen?

– Ich rede nicht von Arbeit. Von Gerechtigkeit.

– Die wirste auf der ganzen Welt nicht finden. Nun erst mal Prost, sagte der ältere der beiden Männer, ein Spirliger mit blecherner Stimme, und hob das Bierglas, nickte dem massigen Jungen zu, trank mit zurückgelegtem Kopf, die Augen halb geschlossen, ein paar kräftige Schlucke, bei denen ich den Adamsapfel im ausgemergelten Hals hoch- und runterrutschen sah, hieb ächzend das Glas auf den Tisch, ließ es nicht los, wischte sich mit der Linken über die Lippen und betrachtete den anderen, der mit hängendem Kopf dasaß, sein Glas in halber Höhe, auf die Schaumkrone starrte, als wartete er, daß ihm ein Rüssel wuchs, den er in das Bier tauchen konnte, ohne sich bewegen zu müssen, Gegenvorschlag zur drastischen Gestik seines Gegenüber.

Die beiden waren hier sicher schon eingekehrt, als die Kneipe noch nicht an die Fremden gefallen war, die den Tresen belagerten und allesamt Freunde des Wirtes zu sein schienen. Der würde sich mit solcher Freundschaft nicht lange halten, die redeten viel und tranken wenig, von den früheren Kunden ließ sich nur noch selten jemand blicken, war nicht mehr dasselbe Lokal, auch wenn sie den Raum überhaupt nicht verändert hatten, nicht einmal frisch tapeziert, die ganze Neuerung ein paar Tische und Stühle auf der Straße und daß

81

man jetzt Spaghetti bekam statt Bockwurst, dazu schräge Musik, nicht mehr der rechte Ort, aber für einen Schluck auf die Schnelle immer noch gut, gab ja nichts anderes in der Nähe, wenn der Imbiß an der U-Bahn zu hatte.

Der Ältere merkte, daß ich hinübersah, ihnen zuhörte. Er deutete eine Verbeugung an, strenger Scheitel im ausgedünnten, glänzenden Haar. Clärchens Ballhaus und stets galant zu den Damen. Der Jüngere drehte kurz den Kopf, darauf gefaßt, daß kein Anblick hier die Mühe des Kopfdrehens lohnte, nur Spinner und öde Weiber, jetzt sogar – ich sah am Mißtrauen in seinem weggleitenden Blick, er hatte das Paar erfaßt – welche von drüben. Was zum Teufel hatte die hierher verschlagen, die Schönheit der Gegend nicht gerade, also Eigentum, ein Stück Sandboden mitsamt der Bruchbude, die darauf stand, ja, so sahen die aus und brauchten sich gar nicht zu tarnen mit Fotoapparat und Stadtplan, durstige Touristen, ausgerechnet hier, in dieser Stampe, die zu den allerletzten gehörte, in die sich der Tamile mit dem Rosenstrauß vorwagen würde, aber die da schreckten vor nichts zurück, wenn sie Geld rochen, und hatten leichtes Spiel, mit dem Gesetz im Rücken und lauter Feiglingen vor sich, die ihr Leben lang gekuscht hatten und gemeckert hinter vorgehaltener Hand.

Der Ältere sagte etwas, das ich nicht verstand. Er sprach jetzt leise, zu dem anderen vorgebeugt. Der knurrte, machte eine scheuchende Bewegung mit Kopf und Oberkörper und starrte unverhohlen feindselig zu der Frau und dem Mann hinüber, sollten sie seinen Blick doch bemerken, dann würde man weitersehen.

Aber sie bemerkten nichts. Die Frau blätterte in einer Broschüre, der Mann studierte den Stadtplan, zwischendurch griffen sie nach den Gläsern mit Mineralwasser, wechselten ein paar Worte, lasen weiter, waren ganz unbefangen in einer Umgebung, die ihnen fremder sein mußte als ihr Hotel in Kenia oder auf den Malediven oder wo immer sie die Ferien verbracht hatten, geübte Reisende und als solche im Osten unterwegs, vielleicht absichtlich von der Touristenroute abgewichen auf der Suche nach Authentischem, dann erschöpft in das erstbeste Lokal eingekehrt, für einen Schluck Wasser und um den Rückweg zu planen, was sie in aller Unschuld taten, durch keinen Instinkt gewarnt vor dem Eingeborenen, der sie böse belauerte, weil er sie für Landnehmer halten mochte, sie jedenfalls als Eindringlinge aus dem Lager der Stärkeren, Anmaßenden und Hartherzigen betrachtete, die sich hier, wenn man sie nicht umgehend an die Luft setzte, über kurz oder lang als Herren aufführen würden, bedient von all den Kriechern am Tresen, die zwar mit dem Maul vorneweg waren, aber zu feige zur Tat und seit dem Verschwinden der alten Verbrecher keinen Funken Mumm dazubekommen, auch noch stolz darauf, daß kein Blut geflossen war.

Und dabei würde es an diesem Ort bleiben, solange der Athlet hinter der Theke das Geschehen im Blick behielt, dachte ich, nun ganz erleichtert. Das ist Ande, das ist Marianne, hatte Max gesagt. Ande hatte mir zugenickt und war schon wieder mit seinen Bieren beschäftigt, als ich zurücknickte, verblüfft und enttäuscht. Statt des erwarteten Aussteigers eine Art Rausschmeißer im Unterhemd, mit geschorenem Kopf,

Goldkettchen und kräftig behaarter Brust. Der war sicher in der Kneipe groß geworden.

– Keineswegs. Gelernter Fotograf, in jungen Jahren Diskuswerfer, Olympiakader, sagte Max. Dann Sportreporter bei einer Zeitung, die es nicht mehr gibt. Seit einem Jahr Inhaber hier, und du siehst ja, wie der Laden geht.

Ich hatte gesehen, daß die Tische draußen besetzt waren, drinnen nur einer frei, auf den ich sofort zusteuerte, obwohl ich wußte, daß Max lieber stehen würde, im Pulk an der Theke, wie auch die beiden Vertreter der früheren Kundschaft die Stehtische vorgezogen hätten, wären da nicht schon die anderen gewesen. Ob er wisse, wollte ich von Max wissen, wie der Wirt zu seinen Gästen gekommen sei, vom Vorgänger habe er sie wohl kaum übernommen.

– Ande ist einer von uns.

Max erzählte. Stasigebäude, Bürgerkomitees, Mahnwache, Hungerstreik. Diese hölzernen Heldengeschichten. Warum konnte er nicht still sein, mich allein lassen. Was interessierte mich auch, wer hier die Spaghetti kochte, den Grill auf der Straße bediente oder sonstwie aushalf für Stunden, und er werde das weiterhin tun, sagte Max. Aber wo denn? hatte ich gefragt, bei der Kommune in Sachsen? Ach gut, daß ich ihn daran erinnerte, er müsse mal eben mit jemand sprechen, ich hätte doch nichts dagegen? Max nahm sein Glas und stand auf.

Endlich.

Ich sah mich um. Außer den drei Tischen im vorderen, dem hellen Teil des Raumes gab es hinten einen sehr großen, runden. In seiner Mitte war vermutlich ein

Schild mit der Inschrift Stammtisch aufgepflanzt, nun verdeckt von zusammengerückten Rücken, aus deren Richtung Rauch und monotones, ununterbrochenes Sprechen kam, es klang, als würde dort vorgelesen.

Ich saß an der Wand, mit Blick zum Eingang, konnte, ohne mich umzudrehen, das touristische Paar und bei geringer Drehung dessen Gegner am Nebentisch beobachten, inzwischen einträchtig auf der Lauer, angeglichen die Trinkbewegungen, kein übermäßiger Schwung mehr und keine Apathie, ein ruhiges Schlukken, in den Pausen einvernehmliches Vergleichen und Summieren der geschichtlichen Erträge: Unterm Strich plusminus null für ihresgleichen, früher betrogen und heute wieder und jedesmal von den eigenen, erst den Klassenbrüdern, nun den Landsleuten, mit denen man unbedingt vereinigt sein wollte, war ja das einzig Richtige, aber wer konnte ahnen, wie die sich dann aufführen würden, vorbei die Mauerpartys, der ganze Jubel und die Geschenke, das Leben war wieder, was es immer gewesen, Anschiß, also mußte man gegenhalten, damit der sich in Grenzen hielt, und denen von drüben zeigen, daß sie es hier nicht mit Bimbos zu tun hatten, die sich alles bieten ließen, verstand ich, auch ohne genau zu hören, was die beiden sagten.

Die Musik war jetzt laut, laut das Palaver an der Theke, durchdringend das monotone Sprechen von hinten, der Straßenlärm von vorn. Die nahen Stimmen mischten sich ins Gemenge der Geräusche. Um noch Wörter zu erkennen, mußte ich sehen, woher sie kamen. Der Anblick der Sprecher half dem Verstehen auf die Sprünge, wenn Sätze im Krach verschwanden. Ich war mir sicher, ich würde, wenn ich weiter hinsah um mitzuhören, den Moment erfassen, in dem sie sich zum Angriff entschlossen, auf ihren Stühlen in Stellung gingen, der Junge mit breiter Brust dem Feinde zugekehrt, der Alte seitlich, parat zum Sekundieren, ein Augenblick des Luftholens, der Stille, bevor sie das Feuer eröffneten, mit kleiner Munition zunächst, um sich einem Gegner bemerkbar zu machen, der sie ahnungslos oder bewußt ignorierte, nicht wahrhaben wollte, daß von nun an geschossen wurde, also Verteidigung angezeigt war oder Flucht, statt der Beschäftigung mit Broschüren, Stadtplan, Wassergläsern und sich selbst, aufreizend unerreichbar.

Und dies weder auf dickfellige noch arrogante Art. Ganz natürlich, aus lebenslanger Gewöhnung an Raum, innen wie außen, der gesichert war, ihnen zukam, nach eigenem Ermessen geöffnet oder abgeschlossen, Grundstück, Refugium, Privatsphäre, Meinung, Ich. Keine Zelle, keine Nische, ein großzügig gestalteter, von Harmonie erfüllter Hausstand. Niemand in Andes Lokal besaß diese Ausstrahlung von Unantastbarkeit, diese sanfte Autarkie von Lebewesen, denen es an nichts fehlte, die Mangel nur als Anblick in der Fremde kannten. Die Straßen, die Häuser und Höfe des Viertels mußten sie erschreckt haben. Sie waren auf Schlimmes vorbereitet, aber es mit eigenen Augen zu sehen, machte doch einen Unterschied, und sich durch Trostlosigkeit zu bewegen, von der man eine Vorstellung aus den Medien hatte, war, sooft sie es auf Reisen erlebt haben mochten, immer wieder erschütternd, diesmal verbunden mit dem Eindruck des Irrealen, sobald sie sich vorsagten, daß sie in der Hauptstadt ihrer Republik umhergingen und die unglücklichen Höhlenbewohner hier Deutsche waren wie sie, ein Gedanke, zu dem sich kein Wirklichkeitsgefühl einstellen wollte, ja der ihnen den Abstand dieses bizarren Landstriches zu der vertrauten Räumlichkeit in Kenia oder auf den Malediven oder wo immer in der weiten Welt erst richtig bewußt machte.

Wie konnten sie sich getroffen fühlen durch rachedurstige Reden mit fremdartigem Akzent, von Leuten, denen sie nichts getan hatten oder tun würden, mit denen sie nie im Leben etwas zu tun hatten oder haben würden. Ehe sie begriffen, daß nicht Politik im allgemeinen, daß sie selber gemeint waren, sogar bedroht, hätte bereits der Wirt die Situation erfaßt und irgendwie entschärft, dachte ich mit Blick auf Andes Athletenschultern und sah ihn in meiner Vorstellung schon am Tisch der beiden Biertrinker stehen, um ein ernstes Wort mit denen zu reden, und dabei plötzlich zurückweichen, verschwimmen zur geräumigen Kontur, aus der eine alte Frau hervortrat in schmalem, knöchellangem Kleid, dunkelrot, und hellem Kopftuch, eine Turkmenin mit einem kleinen Jungen an der Hand, dem anzusehen war, wie komisch, auch unheimlich er die Fremden fand, die sie ihm vorstellte auf Russisch, damit wir es verstanden: Wot naschi gosti, sagte sie, auf Johannes und mich zeigend, Touristen beim ersten Spaziergang durch Aschchabad, an einem Sommerabend vor zwanzig Jahren, auf offener Straße willkommen geheißen: Das sind unsere Gäste. Doch bevor Ande, der soeben eine große Kaffeekanne an den Stammtisch trug, hätte eingreifen müssen zum Schutz der einen gegen die anderen Gäste, zählte das touristische Paar Münzen auf den Tisch, nahm seine Sachen und ging hinaus, auf der Straße einen Moment unschlüssig, in welche Richtung, dann ab nach rechts, den Weg zur U-Bahn.

Der Alte und der Junge guckten hinterher, verdutzt, weil ihnen unversehens der Feind abhanden gekommen, und unentschieden, ob sie dessen schnelles Verschwinden als Sieg oder Niederlage verbuchen sollten. Sie hüllten sich in Rauch, tranken und schwiegen.

Und du, würde Norma sagen, hast ihnen zugesehen, unentschieden zwischen Erleichterung, Schadenfreude, Enttäuschung und Anteilnahme.

Warum war sie nicht hier! Wir hätten dem entschwundenen Paar Lebensgeschichten zusammengestellt, mehrere, weil wir uns zwar auf Akademiker, Ende vierzig, verheiratet, zwei erwachsene Kinder, evangelisch, Wohnung in Hamburg, Landhaus in der Toscana, in der Freizeit Musizieren, Tennis, Gartenarbeit wahrscheinlich geeinigt hätten, aber kaum über dieses Annoncenmaterial hinaus, da, wo es erst spannend wurde, weil der einfache Soziologenblick, wie Norma mein Ratevermögen nannte, nicht mehr ausreichte, um Eigennamen zu ermitteln, Leibgerichte, Liebesverhältnisse, Angewohnheiten, Phobien, Haustiere, Ferienlektüre, Krankheiten und dergleichen, wir Varianten durchspielen, entscheiden, bei Unentscheidbarkeit nebeneinander stehenlassen mußten, wozu ich alleine nie und mit niemand sonst die nötige Fantasie und Ausdauer besaß, nur animiert durch Norma, wenn sie Lust zum Spielen hatte. Aber Norma war nicht hier. Falls sie jetzt herumzog, um mich zu finden, in dieses Lokal käme sie bestimmt nicht.

Wozu blieb ich, worauf wartete ich noch. Max sah ich

wie aus großer Ferne. Er stand im Pulk an der Theke und gestikulierte. Er redete auf einen blonden Jungen ein. Dabei drehte er sich hin und her, um nicht zu verpassen, worüber die anderen sprachen. Plötzlich fuchtelte er mit hochgerecktem Arm. Von draußen kamen zwei Mädchen und stellten sich dazu, so daß Max jetzt umringt war von schönen Menschen. Sie erschienen mir selbstgewiß und nachdenklich auf sorglose Art, als wäre mit dem Leben zurechtzukommen und das Richtige zu tun eine Aufgabe, deren glückliche Lösung zugesichert war, mochte es im einzelnen auch schiefgehen. Alle, wie sie da standen, konnte ich mir in der zukunftweisenden Landkommune besser vorstellen als Max, dem es an Beständigkeit, Gemeinschaftssinn und innerem Frieden mangelte. Darin war er mir ähnlich. Schon möglich, dachte ich, daß jemand, dem die alleinsitzende Frau und die Jacke auf dem Stuhl gegenüber aufgefallen wäre und der sich nach dem dazugehörigen Mann umgesehen, aus Max und mir ein Paar gebildet hätte, beide eigentümlich alterslos, wie flüchtig skizziert, in sozialen Kategorien schwer unterzubringen, geschmeidig und von geringem Gewicht, mit Gesichtern, die nur aus Augen und Nase zu bestehen schienen, in einem früheren Leben gewiß als Vögel auf der Welt. Und im jetzigen nur beim Vögeln für einander da, gib dir keine Mühe, Max, mit irgendwelchen Zeichen, ich weiß, daß dich nichts zurück an den Tisch zieht, und mir ist es recht so. Mit Johannes hätte ich streiten können, mit Norma ein Spiel beginnen, aber was denn mit dir.

Probleme? fragte Ande und stellte mir ein Weizenbier hin. Ich schüttelte den Kopf. Ande trat an den Nebentisch. Dort reichte er von seinem Tablett zwei Gläschen mit braunem Schnaps hinunter und Bier, das eine kräftigere Farbe hatte als meines, in dickwandigen Henkelgläsern, seit je vertraute Form, wie mir irgendwann auch diese eleganten Kelche gewöhnlich erscheinen und ich nicht mehr Bier bestellen würde, nur um einen von ihnen in der Hand zu halten.

Am Nebentisch stießen sie die Gläser aneinander, sagten laut: Auf die reine Luft!, dann nicht mehr viel. Sie wirkten irgendwie erschöpft. Sie taten mir leid. Wieder Pech gehabt und immer schon. Vergebliche Mühe, Mißerfolge von Anfang an. Ein paar kleine Aufschwünge vielleicht, war aber bald die Luft heraus oder man kriegte eins vor den Kopf, sich ducken, sehen, wie man durchkam einigermaßen, mehr war sowieso nicht drin. Den Jüngeren schätzte ich auf Ende zwanzig, den Älteren auf mindestens sechzig, beides vermutlich falsch, weil ich keine Übung hatte im Spurenlesen auf Gesichtern wie den ihren.

Mein Jahr in der Fabrik lag schon viel zu weit zurück, und damals erschienen mir die meisten ohnehin in einem Alter, das zu erreichen, ob in einem Jahrzehnt oder dreien, ich mir nicht vorstellen wollte, ein Jenseits, in dem sie alle etwas zerknittert, ausgeblichen oder grau aussahen, Arbeiter wie Angestellte, diese allerdings erkennbar an sauberen Kitteln oder Straßenkleidung und einer anderen Essenszeit, eine halbe Stunde vor dem Produktionsbereich, also uns, an denen es liegen sollte, ob der Plan erfüllt wurde, der rote Stern am Verwaltungsgebäude leuchten durfte, was er zweimal im Lauf des Jahres tat, das ich zwischen Schule und Studium dort zubrachte mit Hilfsarbeit, ohne zunächst zu wissen, für wie lange, aber gewiß, daß es nicht lebenslänglich sein würde wie bei den anderen, die nie eine Universität von innen sähen, auch kein Fernstudium absolvierten, um sich, wie unser Meister Blümel, aus dem Dreck herauszulernen, sondern bis zur Rente bleiben, dieselben Handgriffe tun würden, mein Kollege Eddi Diehl nur mit dem rechten Arm, denn über den anderen war, irgendwo in Rußland, schon Gras gewachsen und der Krieg nichts anderes gewesen als Kameradschaft, Freiheit, Abenteuer, die weiteste Reise, die Eddi je unternommen, oder durfte beim Erzählen das nur sein, eine Reihe gewitzter und gefährlicher Streiche, schockierend, fand ich und ahnte immerhin, daß auf diese Weise unerträgliche Erinnerung bekämpft und gegen Verluste anschwadroniert wurde, denn natürlich fehlte die Linke, war es zwar ein Kunststück, wie Eddi mit Streichhölzern, im Freien, bei Wind, seine Zigarette anzündete, aber ein unfreiwilliges, erzwungen wie der Wechsel in eine sogenannte neue Heimat und eine Fabrik, fort von der eigenen Scholle, so erbärmlich es dort auch gewesen sein mochte oder vom dicken Franz Bittek dargestellt wurde in anzüglichen Bemerkungen, die auf offene Ohren trafen, schon weil Franz, ehemals Landgendarm in Ostpreußen, eine Restautorität genoß und es den Elektrokarrenfahrern, die durch unsere Halle kamen, Spaß machte, Eddi Diehl zu ärgern, der den halben Tag schlechte Laune hatte, wenn morgens der Ruf erscholl »Zigeunerbaron«, an dem vermutlich nur ich nichts Kränkendes entdecken konnte und für den sich Eddi an Franz zu rächen versuchte mit »Franzek, nimm dein' blöden Schwanz weg« oder ähnlichem Selbstgereimten, völlig ungeeignet, Bittek eine Antwort zu entlocken, höchstens ein Knurren, bei dem der ewige Zigarrenstummel sich kaum verschob, aber herausgenommen und sorgfältig abgelegt wurde er, wenn der Meister Blümel in unser Kabuff trat, um irgendetwas mitzuteilen, abzufragen, anzuweisen, mir eines Tages auszurichten, der Produktionsleiter wünsche mich zu sprechen in seinem Büro, wo ich mit klopfendem Herzen, mir keiner Verfehlung bewußt, aber wissen konnte man nie, und auf Eddis Rat mit gewaschenen Händen hinging, nur, um mich als Hilfskraft zu dringenden Schreibarbeiten einteilen zu lassen, für zwei oder drei Wochen, in denen ich mit den Angestellten Mittag aß, dann an die Basis zurückkehrte, froh, wieder bei meinen Kollegen zu sein, und mich nützlich, tüchtig, denen überlegen fühlte, die den roten Stern anknipsen würden, wenn wir genug gearbeitet hatten.

Bald nicht mehr wir. Die in der Fabrik. Ich besuchte sie einige Male, mit einem Passierschein. Über Jahre hinweg dachte ich an sie. In meiner Erinnerung veränderte sich nichts. Was in Wirklichkeit anders geworden, sah ich nicht. Fabriken sind von Mauern umgeben. Wenn ich mit der Straßenbahn vorbei fuhr, hatte ich den gewohnten Anblick. Die Fabrik alterte langsam. Von außen fiel es nicht auf, weil sie schon seit langem alt aussah. Innen hätte ich es bemerkt, aber ich ging nicht mehr hinein. Zu wem auch. Franz war tot, Eddi in Rente, der Meister Blümel aufgestiegen, und die anderen waren Erinnerungsbilder, die nicht mehr dazu reizten, sie mit der Gegenwart zu vergleichen, Gesichter aus der Zeit meines Aufenthaltes unter Arbeitern.

Die beiden am Nebentisch verständigten sich über

noch eine Runde oder gehen. Nach Hause nicht. Irgendwohin, wo es nicht so ungemütlich wäre wie hier. Wo sie erzählen könnten, daß sie zwei Westler auf Beutezug in die Flucht geschlagen, wieder einmal die Kastanien aus dem Feuer geholt hatten für andere, die außer einem großen Maul nichts vorzuweisen hatten, windige Chaoten die, und der Wirt mal irgendwas bei der Stasi, war ja klar, daß so einer mit den Neuen mauschelte, auf ihre Art genauso mies wie die Alten, und wer ist der Dumme? immer der Arbeiter, der gilt heute gar nichts mehr, aber nicht mit uns, wir haben es denen gezeigt, würden sie sagen.

Dachte ich mir.

Was wußte ich von ihnen. Warum setzte ich mich nicht an ihren Tisch, fort von Max' Jacke, warum machte ich es nicht wie Norma? Wildfremde Menschen sprach sie an. Noch nie hatte ich erlebt, daß jemand sie abwies. Auf ihrer Kommode häuften sich mit Adressen bekritzelte Bierdeckel. Norma erstaunte es, daß ich ihren Umgang mit anderen ungewöhnlich fand. Sie hielt ihn für ganz normal, immer schon. Das wiederum erstaunte mich. Ich hätte es zum Beispiel nie fertiggebracht, diesen angetrunkenen Fliesenleger, der von seiner Magenoperation sprach, zu fragen: Glauben Sie an Gott? und nach dem erwartungsgemäßen Abwinken auf der Frage zu beharren, weil man dazu doch eine Meinung haben mußte. Aber Johannes, als ich ihm im letzten Januar, kurz vor seinem Umzug, zu erzählen anfing, wie Norma mit Fremden, auch mit Leuten umging, zu denen wir keinerlei sozialen Kontakt hatten, unterbrach mich bald, und wir gerieten in Streit wie fast jeden Abend damals, nur daß ich diesen genauer behalten habe als die anderen, als hätte ich schon gewußt, auf welchen Satz er zulief. Ob ich nicht aufhören könnte, von meiner Spezialistin für Menschengemeinschaft zu schwärmen, sagte Johannes. Aufwachen sollte ich und die unsichtbaren Mauern sehen. Wer von uns war denn mit Arbeitern befreundet? Ob ich ein einziges Beispiel nennen könne? Und komm jetzt nicht mit deinen Kollegen aus der Maschinenfabrik, anno dazumal, oder den Kneipenbekanntschaften deiner Freundin, sagte Johannes wütend. Und schon gar nicht mit dem Du zwischen Kumpel und Obrigkeit, den Betriebsvergnügen und kollektiven Dampferfahrten, der Brüderlichkeit im Suff. Diesem Qualm aus Wunschdenken, Verlogenheit und Anbiederei, hinter dem man sich wechselseitig verachtete, einander mißtraute und sich aus dem Weg ging, wo immer möglich. Das war das naturwüchsige Verhalten! Es ließ sich wunderbar ausbeuten bei Bedarf. So vernagelt die Führung auch war, sie verstand es allemal, das werktätige Volk aufzubringen gegen Intellektuelle, die sich nicht mehr an der Leine von Privilegien, Schuldgefühlen und Dienstwilligkeit gängeln ließen wie die übrigen, sieh doch nur dich und mich an, sagte Johannes.

Ich sah ihn an, die ganze Zeit. Ich wollte herausfinden, ob irgendetwas in seinem Gesicht schon andeutete, wie es sich am anderen Ort verändern, sozusagen westlich altern würde. Seit dem Entschluß, die neue Stelle, den neuen Wohnsitz anzunehmen, zog Johannes Trennungsstriche. In zeitgemäßem Tempo. Dabei schien es mir, als wiederhole er ein Verhalten, das die Antwort von anderen auf frühere Verhältnisse gewesen war.

Ich sagte ihm das. Bei Flüchtlingen, bei Opfern könne ich es mir erklären, die gesessen haben, abgeschoben, ausgebürgert, fortschikaniert worden sind, plötzlich in der Fremde, mit lästigem Heimweh und unerwarteter Mühe, sich einzuleben in der besseren Gesellschaft, in die die andere sie hineingezwungen hatte, diese dreimal verfluchte, an der es nichts, aber auch gar nichts zu vermissen gab, abstoßend in jeder Hinsicht. Doch wozu brauchst du dieses Haß- und Ekelbild von dem Land, in dem du, als es noch existierte, mit den unterschiedlichsten Empfindungen gelebt hast? Du machst den Fehler, sagte ich, eine vertrackte Mischung aufzulösen, damit etwas Eindeutiges herauskommt. Weißt du, woran mich das erinnert? An unsere Marxismusstunden: Notwendigkeit und Zufall, Allgemeines und Besonderes, Wesen und Erscheinung. Dialektik sollte das sein, und war doch nur eine Methode, Widersprüche aus der Welt zu schaffen durch Unterschlagung. Genauso bei dir: Weil die unsichtbaren Mauern das Wesentliche waren, braucht man über Erscheinungen wie Norma nicht zu reden. Die übrigens keine Intellektuelle ist und von der ich dir etwas erzählen wollte, das mir merkwürdig erscheint, sagte ich betont, mit Pause zwischen merk und würdig.

Ach, das sei der Punkt. Er bitte um Verzeihung. Er habe weder mich noch meine Freundin kränken wollen, um die es ihm in der Tat nicht gegangen sei, habe er doch geglaubt, wir sprächen über gesellschaftliche Verhältnisse, aber bitteschön, wenn ich ihm Geschichten erzählen wolle, nichts dagegen, sagte Johannes.

Irgendwann hörte ich mich schreien: Nun geh endlich in deinen Scheißwesten, und denk bloß nicht, ich komme hinterher.

95

Es sah komisch aus. Die beiden erhoben sich gleichzeitig, wie ein Mann, von ihren Stühlen, stießen sich sacht vom Tisch ab, nur der Junge schwankte dabei ein wenig, und blieben stehen, als überlegten sie, was sie jetzt tun sollten. Auf Wiedersehen, sagte ich. Der Alte verbeugte sich, die rechte Hand in Herzhöhe. Seine gelichteten, glänzend schwarzen Haare waren offensichtlich gefärbt. Ich stellte ihn mir als guten Tänzer vor, besonders bei Polka, und im Ballhaus beliebt, weil er keine Runde ausließ, immer galant zu den Damen. Der Junge drehte sich der Tür zu. Mit sicherem Schritt verließ er das Lokal. Auf der Straße hielt er an, um auf seinen Gefährten zu warten. Der verabschiedete sich im Gehen mit weiteren, nur noch knappen Verbeugungen beim Wirt und in einer plötzliche Kehrtwendung bei den Rücken am rauchverhangenen Stammtisch, dann nochmals bei mir.

Draußen verharrten sie ungefähr an derselben Stelle wie vordem der entwischte Feind, aber länger und anscheinend uneins, wohin. Sie drehten die Köpfe, wiesen nach links, nach rechts, gingen schließlich auf die andere Straßenseite, blieben wieder stehen und berieten weiter, in Abständen von vorbeifahrenden Autos verdeckt. Schließlich gingen sie los, in Richtung U-Bahn. Vielleicht hatte der Imbiß doch auf. Dort gab es immer jemanden, zu dem man sich dazustellen und reden konnte, auch Bier zum Mitnehmen, das sie in einem buntgemusterten Stoffbeutel verstauen würden, den bestimmt einer von ihnen, in altbewährter Umsicht, bei sich trug, wie es früher, vor der Verbreitung von Plastiktüten, viele taten, Hausfrauen, Familienväter und eben Männer – in unserem Haus Herr Samuel -, die häufig Flaschen zu transportieren hatten, deshalb diese leichten, ziemlich haltbaren und diskreten Beutel schätzten. Die gehörten in der Anfangszeit der befreiten Reiseströme westwärts zu den äußeren Kennzeichen der Landsleute aus dem Osten.

Ich beschloß zu gehen. Den beiden hinterher, um vielleicht doch ein paar Worte mit ihnen zu wechseln oder sie wenigstens noch einmal zu sehen. Ich hob den Arm zu einem Zeichen, aber nicht Ande kam, sondern Max, der zwei randvolle Sektgläser heranbalancierte, konzentriert, als ginge er über ein Seil. Sein Gesicht hatte dabei den Ausdruck wie am Beginn unserer Umarmungen, fand ich und wußte, daß ich im nächsten Augenblick statt Ärger oder Langeweile nur noch Freundliches empfinden würde, weil der hölzerne Szenetyp mit dem Fantasten gewechselt hatte, das sah ich schon an den wie elektrisiert aufgerichteten Haaren, dieser aschblonden Aureole um den Kopf des Evangelisten. Janus müßte er heißen. Aber vielleicht existierte nur für mich Max mit den zwei Gesichtern, dem unvermittelten Dreh.

Wir hoben vorsichtig die Gläser um anzustoßen, auch wenn es klingen würde, als wären sie aus Pappe, und lachten, als es dann so klang, dümmlich irgendwie, passend zu unseren feierlich verzogenen Mienen.

Max sagte, aus der Ferne habe er den Eindruck gewonnen, hier schwele der Klassenkampf – eine interne Veranstaltung, vom Gegner ignoriert wie eh und je. So ungefähr, sagte ich und erzählte, was ich von dem Gespräch mitbekommen hatte, falls es diesen Namen verdiente, denn eigentlich, das fiel mir jetzt auf, hatte der Jüngere nur noch geknurrt und gemault, nach seiner Einleitung über Revolutionstheater und das, worauf es ankäme: Gerechtigkeit.

– Da waren sie aber nahe dran, Max machte eine Kopfbewegung zum Stammtisch hin. Dort arbeitet man an einem Bündnis zum Zweck, daß Gerechtigkeit von unten wachse. Soll ich die beiden zurückholen?

Er blieb sitzen. Wir malten uns seine Rückkehr aus, mit fünf Mann vom Inbißwagen oder allein mit blauem Auge, und unseren Platzwechsel an den Stammtisch. Dann reiste Max, ein dreiviertel Jahr mindestens, durch tibetische Klöster. Zur Vorbereitung auf die Kommune in Sachsen, erklärte er.

– Wenn du einen vernünftigen Rucksack und Bergschuhe hast, könntest du doch mitkommen, und bei unserer Heimkehr herrscht hier schon Gerechtigkeit, sagte Max, als sollten wir ewig fortbleiben.

– Oder ich sehe dich irgendwann als Bettelmönch wieder.

Ich stellte mir Max vor, wie er eines Tages an meiner Tür stünde und ich Mühe hätte, ihn zu erkennen mit dem am anderen Ort veränderten Gesicht, östlich gealtert, sozusagen.

– Und Johannes, fragte Max, wo wäre Johannes?

– Nicht hier, soviel steht fest. In einem hübschen Haus, mit einer neuen Frau und einem kleinen Kind vielleicht. Im Wohlstand, woanders, sehr weit fort. Ich könnte das jetzt abmalen von den bunten Vorlagen, alles, bis zum Frühstückstisch im Garten. Es berührt mich nicht. Kein Zeitgefühl und kein Schmerz. Früher hätte ich schon beim Gedanken an Trennung losgeheult. Jetzt bin ich wie abgestorben vor lauter Zukunftsoffenheit.

98

Das glaubte Max mir ganz und gar nicht.

– Starr vor Angst, sagte er, sobald du an morgen denkst. Aber warum? Was hast du zu verlieren?

– Alles.

– Außer deinen Ketten, sagte Max.

Ich mußte lachen und wollte es noch einmal mit dem dumpfen Anstoßen probieren.

– Meine Runde jetzt, sagte ich. Was haben wir da eigentlich getrunken? Rotkäppchen trocken, oder?

– Immerhin ist dein Geschmackssinn nicht mitabgestorben, befand Max.

– Mein schlichtes Ratevermögen, erwiderte ich, schon unterwegs zur Theke.

Auf der Straße standen wir eine Weile zusammen, lobten die lange Helligkeit, das Abendrot, den Himmel in türkis und veilchenblau. Wir redeten irgendwas, nur um weiter dazustehen, nahe beieinander. Max' Rad lehnte am rosa gestrichenen Torpfosten. Wir erzählten uns, was wir diesen Abend noch tun wollten. Christiane und die Kinder besuchen, sagte Max. Vielleicht arbeiten, vielleicht zu Norma gehen, sagte ich, und zum ersten Mal in der neuen Zelle, gleich neben unserem Haus, mit Johannes telefonieren. Den Zwillingen würde er, wenn sie im Bett Tagesschau spielten, aus seinem Land heute nur Gutes berichten, sagte Max. Johannes würde ich das Beste wohl veschweigen, sagte ich. Max trug mir Grüße auf. Wir umarmten uns. Bis bald, sagten wir. Ich sah Max nach, wie er davonfuhr und mir, ohne sich umzudrehen, zuwinkte, winkend um die Ecke verschwand.

Wenn sie Kindheitssommer auf Rügen beschreiben wollte, sagte Tante Ruth: Unbeschreiblich schön, und sie hatte leuchtende Augen wie nach einer guten Predigt. Ich glaubte ihr aufs Wort. Daß es schon einige Wörter mehr hätten sein können um auszumalen, was ich nicht sah, dachte ich später, als ich ihr bis zum Kinn reichte, mit dem Größenunterschied auch meine Bewunderung geschrumpft und durch Gespräche nicht wiederzubeleben war. Sie ahnte sicher nichts von der Belauerung, der Werbung in meiner Fragerei und selbst wenn – das unbeschreiblich Schöne blieb verkapselt in Allerweltsauskünften über Himmel, Sand und Wasser, Tante Ruths Sommerparadies eine lichte Leere um Körbe voller Himbeeren und eine tote Möwe. Und füllte sich auch nicht, als ich von meinen ersten Ferien an der Ostsee, in einem Kinderlager auf Rügen erzählte, drei endlosen Wochen mit Morgenappell, Gruppenleitern, Wettspielen, Eifersucht, Heimweh von Anfang an und schmerzendem Neid auf die Kinder, die zusammen mit ihren Eltern in den Strandburgen saßen und wahrhaft glücklich waren, nicht, wie ich, nur wußten, daß es Glück bedeutete, im Sommer die Stadt zu verlassen, sogar ans Meer zu fahren, statt in den nahen Fläming oder den Harz. Tante Ruth erzählte ich von dem Schlimmen nichts, trotzdem bedauerte sie mich, weil ich in einem Lager gewesen war, unter dem Kommando von Fremden, statt mit Mutter und Geschwistern zusammen die Ferien zu verbringen, so erst imstande, unvergeßlich Schönes zu erleben, wie sie selbst als Kind, doch Genaueres erfuhr ich nicht. Ich mußte mich zufrieden geben mit den Ausrufen: Dieses Licht über der Küste! Dieser herrliche Sand!, mit dem Lob der

Waldesluft, deren Geruch Tante Ruth über alles ging, mir unbegreiflich, wo sie doch in Westberlin wohnte und, wann immer sie Lust hatte, Geschäfte aufsuchen konnte, in denen es nach Apfelsinen und Schokolade, nach Lederschuhen duftete, dem ganz und gar Besonderen, während Baumharz, allerlei Kräuter, feuchtes Laub und Pilze überall zu finden waren, nichts als Natur, selbstverständlich.

Davon hatte sie gesprochen wie von einem Wunder, das sich ohnehin nicht beschreiben ließ oder dessen Beschreibung Tante Ruth für unnötig hielt, weil jeder Mensch es kannte, oder sie hatte es mir beschrieben und ich behielt es nicht, weil mich das alles langweilte. Ich wollte richtige Geschichten hören, nicht das, was ich zu hören bekam, wenn Tante Ruth von Rügen sprach.

Dort ist es wunderschön, das wußte ich und sagte es zu Hause, als das Ferienlager vorbei war. Rügen: Erinnerung an eine verlorene und wiedergefundene Trainingsjacke, ein verlorenes und nicht wiedergefundenes Fünfzigpfennigstück, einen Rasenplatz mit einer Fahnenstange in der Mitte, an meine Gruppenleiterin Oda, für die ich schwärmte und abends betete, damit ihr vergeben wurde, daß sie gottlos war und über Pfarrer lästerte, weil sie aus einer Familie von Freidenkern kam, und an die Neuheit dieses Wortes erinnerte ich mich später noch, an Tränen, wenn kein Brief von zu Hause, Tränen, wenn einer gekommen war und ich ihn in meinem Versteck hinter einem Hagebuttenstrauch las, bis ich ihn auswendig wußte. Keine Erinnerungen mehr an Wetter und Essen, Spiele, die Freundinnen von damals, ein vages Bild nur von einer Bucht, einem Leuchtturm und feinem, weichem Sand, hellgelb, hellgrau, fast weiß.

Zum Meer! Jahr um Jahr, später, mit dem Zelt, und Monate vorher den Zeltschein beantragt, Tage vor der Abreise das Gepäck mit dem Handwagen zur Bahn gebracht und aufgegeben, mindestens eine Viertelstunde vor Abfahrt des Zuges auf dem Bahnsteig und aufgeregt wie in den Sommern gleich nach dem Krieg, als wir durchs Fenster in die Abteile gereicht und drinnen auf freundlichen fremden Schößen oder wenigstens zum Stehen Platz fanden und wehe, es mußte jemand aufs Klo. Natürlich mußte ich, kaum, daß der Zug losfuhr, die Aufregung abflaute, Witzbolde zu Wort kamen und Fortbewegung durch die Körpermauern irgendwie gelang, obwohl nun endgültig nichts mehr ging, worin sich alle einig waren bis zum nächsten Bahnhof, zum nächsten Tumult. Und wieder der Refrain: Schlimmer als auf der Flucht, wieder der Krampf in meinem Magen, der Druck der Blase, verläßliche Zeugen einer Katastrophe, die in meinem Gedächtnis nur wenige Bilder von Dunkelheit und einer Eisenbahnbrücke, einem aufgeplatzten Koffer mitten im Weg, einer unablässig Peter! schreienden Frau in einem überfüllten Bahnhof, vielleicht auch den Pfiff einer Lokomotive hinterlassen hatte, den mein Magen wiedererkannte, sich zusammenkrampfend, wenn wir auf Reisen gingen, der ziehende Schmerz dann Reisefieber hieß, etwas ganz Normales war, verständlich wie die Aufregung vor dem Eintreffen, beim Erstürmen eines vollgepferchten Zuges und auch dann nicht vergangen, als niemand mehr durch die Fenster einstieg, das Bahnfahren aber immer noch ein Abenteuer, eine Strapaze war. Wie nach fünfundvierzig, sagte man, wenn die Züge länger standen als fuhren und ein Sitzplatz Glückssache war, besonders in den Ferien, auf den Hauptstrecken zum Meer.

Ankommen, das Zelt aufbauen und an den Strand. Der Augenblick, bevor im Einschnitt der Düne, gleich, jetzt gleich, das Wasser sichtbar wird, das man schon riecht, schon hört. Da ist es. Dieser Augenblick von Ergriffenheit. Stehen wie angewurzelt, dann in wilder Freude, fast fallend vor Schnelligkeit, die Düne hinab, durch den tiefen Sand mit aller Kraft, leichter über den flachen, in Sprüngen das letzte Stück, auf dem festen Rand des Strandes, der jetzt feucht wird, unter Wasser geht, Meeresboden ist, noch Halt unter den Füßen, immer noch, langsam wird es tiefer, tief genug, um ein Stück zu schwimmen. Sich auf dem Rücken ausstrekken, fühlen, wie kalt, wie warm das Wasser ist, in den Himmel sehen, mit den Wellen schaukeln, angekommen sein.

– Von da an nichts als Glück, sagte ich.

Das bestritt Johannes. Seine Stimme klang ganz nah. Er saß mit dem Rücken zum Arbeitstisch und sah hinaus, hatte er mir beschrieben. Die Tür zum Garten sei geöffnet, die Luft noch mild und der Himmel erstaunlich hell.

– Vollmond?

– Beinah, sagte Johannes.

– Hier steht er hinter dem Haus von Griebenow, sagte ich, über dem Dach ist ein heller Schein, außerdem brennen die Laternen, und die Schaufenster sind erleuchtet.

– Der Aufschwung hat begonnen, sagte Johannes und hatte es schon gesagt, als ich ihm von der neuen Telefonzelle erzählte, und wollte wissen, wo denn, damit er sich den Ort vorstellen konnte, an dem ich zu ihm sprach. Die Nächte sind jetzt wunderschön, ich weiß nicht, wie ich sie dir beschreiben soll, sagte Johannes. Irgendwie erinnerten sie ihn an den vergangenen Sommer in Ligurien. Dort sollten wir wieder hinfahren, sobald er Urlaub machen könne, im Oktober spätestens.

– Ich möchte nicht so lange warten, sagte ich, und in die Berge auch nicht unbedingt, endlich wieder einmal an die Ostsee, warum nicht nach Rügen, dort war ich noch nie mit dir, oder nach Markgrafenheide, nach Graal-Müritz, wie in alten Zeiten.

– Mit dem Zelt etwa? Auf einen dieser düsteren Campinglätze, oder zurück in die Papphäuschen, die sich Bungalows nannten, oder in ein aufgemöbeltes Zimmer bei plötzlich gastfreundlichen Einheimischen? Das ist doch nicht dein Ernst, sagte Johannes.

– An die Ostsee, wiederholte ich. Wo wir uns kennengelernt haben, falls du dich erinnerst, und hintereinanderweg vier Sommer verbrachten, nicht genug kriegen konnten, die herrlichsten Ferien überhaupt und seit dem ersten Augenblick am Strand, im Wasser, nur noch Glück, sagte ich.

– Weil du dich an anderes nicht erinnern willst. Weil sie zur Abwehr von Ichweißnichtwas in der Gegenwart herhalten sollen, deine alten Zeiten. Das ständige Glück ist mir zumindest entgangen, sagte Johannes, und du hast es erfolgreich für dich behalten, vielleicht, damit ich auch in den Ferien nicht aus der Übung kam in meiner Rolle als Verursacher und als Tröster deines Unglücks. Und schließlich warst du es, falls du dich erinnerst, die darauf gedrängt hat, woandershin zu fahren, weil es dir zu eng wurde und mit der Zeit auch langweilig an immer denselben Stränden, das Meer eine Kloake, die Versorgung eine unabänderliche Katastrophe, die Leute auf dem Zeltplatz nur von ferne zu ertragen mit ihren Kittelschürzen und Trainingshosen und den geharkten Wegen um die betriebseigenen Wohnwagen. Dank deinem Überdruß an diesen herrlichsten Ferien haben wir ein schönes Stück der uns erlaubten Welt gesehen.

Darüber sei er ehrlich froh, denn ein zweites Mal würden wir dort nicht hinkommen, sagte Johannes und fing an, Namen aufzuzählen. Ich hatte lange nicht mehr an sie gedacht, einige von ihnen vergessen, aber dem Klang nach erriet ich, wohin sie gehörten, und nachfragen wollte ich nicht, damit die Litanei nicht abriß, die da in der hellen Nacht in einem Dorf zwischen Mannheim und Heidelberg entstand und sich auf verblaßten Routen vorarbeitete, von den masurischen Seen bis ins kirgisische Alataugebirge, kreuz und quer und immer wieder über den Balkan, Namen in sorgfältiger Aussprache, langsam verklingende Appelle, doch zu rasch einander ablösend, als daß mein Gedächtnis, Ort für Ort, mit deutlichen Vorstellungen hätte folgen und ein Mosaik aus Reisebildern zusammensetzen können. Gleißendes, flackerndes Chaos, Widerschein von Worten, die im Augenblick des Auftauchens schon zergingen, ihre Farben, ihre Temperatur hinterließen und mir suggerierten, im Staub der Bildreste einem Supermuster, einem fraktalen Eurasien auf der Spur zu sein, um so wahrscheinlicher, je länger Johannes Namen aufzählte, mit dieser nahen Stimme.

Itkol, hörte ich, und stand plötzlich in einer klaren, erstarrten Landschaft, durch die er auf mich zukam.

Unterwegs zum grünen Biwak. Es war die längste Tour, nicht die schwierigste, denn sie führte durch ein Tal, meist auf bequemem Schotterweg. Noch viel Grün zu beiden Seiten, dunkel und kräftig im unteren Teil der Hänge, von deren Kämmen sich Gelb und Rot und Rostbraun herabzogen bis zu einer kompakten Grenze, die rasch abwärts wandern würde. Es war Anfang Oktober, jener Tag vielleicht besonders licht, der Elbrus unverhüllt, zwei weiße Gipfel vor leuchtendem Blau, für uns schon ein gewohnter Anblick, dabei so selten, daß wir unserem Herrgott danken konnten für dieses Wetter, sagte jeden Morgen Wilhelm, der Alpinist, mit achtundsiebzig der Älteste der Gruppe und vorbereitet auf den Kaukasus durch tägliches Training in den Berliner Müggelbergen, Wilhelm, von ansteckender Begeisterung beim Identifizieren berühmter Gipfel oder Felswände. Johannes verstaute den Feldstecher wieder im Rucksack, den Anorak dazu, denn es wurde warm. Er blieb etwas zurück. Ich drehte mich um nach einer Weile und sah ihn herankommen. Die Landschaft wurde in diesem Augenblick flach, ein Panoramabild, sehr hell und klar gegliedert, grün, grau, weiß und blau, der Vordergrund echte Gräser, echte Steine, ein Weg in voller Sonne und im Licht Johannes, wie ich ihn noch nie gesehen hatte, der vollkommen Andere, so schön in diesem Augenblick, daß es mir einen Stich gab wie bei einem verletzenden Satz, bei einem Abschied, aber der Schmerz war betäubt von etwas Feierlichem ohne Rührung, leicht und wach und im Bewußtsein eines unaufhebbaren Abstands, zum ersten Mal ohne Schrecken, ohne Trauer enteignet von diesem anderen Ich, das nie meines gewesen und lebendig war ohne mich, schön in

106

seiner Freude, auf der Welt zu sein, unterwegs zum grünen Biwak an einem Tag, für den wir unserem Herrgott danken konnten, und mir entgegen in einer erstarrten Landschaft, als hätte mein Gedächtnis, durchdrungen vom Bedeutsamen des Augenblicks, ihn sofort herausgehoben und versiegelt, daß er unverändert erhalten blieb, ein Sinnbild trennender Liebe, dachte ich, mein liebstes Bild von Johannes, den ich dort mit allen Sinnen wahrgenommen hatte und so wie damals jetzt, als seine Stimme Itkol sagte. Die nächsten Namen waren mir entgangen, und die, auf die ich wieder achtete, klangen ganz anders, sie konnten nicht aus Kabardino-Balkarien, überhaupt nicht aus dem Kaukasus, dem Osten, den Ländern unserer früheren Reisen sein. Baiardo, Badalucco, Molini di Triora, Monte Ceppo. Ich begriff, daß Johannes schon dort war, wohin er mit mir ein zweites Mal fahren wollte, im Oktober spätestens. An die Ostsee auf keinen Fall.

– Laß uns ein anderes Mal darüber sprechen. Mein Guthaben beträgt noch sechzig Pfennige, sagte ich.

Es war die reine Wahrheit. Sie kam mir gelegen wie eine passende Ausrede und hörte sich ganz so an. Johannes empfahl, die Angebote der Post zu nutzen, das nächste Mal eine teurere Karte.

Ich stellte mir sein Gesicht vor, den zusammengepreßten Mund, das etwas vorgeschobene Kinn, bei Trotz und Ärger derselbe Ausdruck, wieder freigelegt, seit er sich, kurz vor dem Umzug, den Bart abrasiert hatte, zum Zeichen des Neubeginns und weil er so jünger aussah. Vor zwanzig Jahren mußte sie unter Haaren verschwinden, die hartnäckig jugendliche Zone in seinem Gesicht, jetzt jedoch willkommen in Anbe-

tracht der existentiellen Wichtigkeit von Erscheinungs-
bildern und der Befriedigung allemal, wenn einem die
Ungnade der frühen Geburt nicht so genau anzusehen
war. Ein Funken Schadenfreude, weil es auch die Männer traf, aber wie schon, natürlich nie so hart wie die
Frauen, die, wären sie unter sich, diesen Terror einfach
fallenließen, stellte ich mir vor, und zum Beispiel erhei-
tert hinnähmen, wenn in einer Dienstbesprechung, einer Arbeitssitzung eine von ihnen plötzlich mit zahnlo-
sem Unterkiefer da säße, weil die fabelhafte neue Pro-
these drückte, ein intensiver Erfahrungsaustausch würde sich entfalten, bevor sie zur Tagesordnung übergin-
gen, und in solch einer Gruppe zu arbeiten, könnte ich
mir vorstellen, doch nicht dort, wo Johannes, sorgfältig
rasiert, den Aktenkoffer neben sich, jeden Morgen
hinfuhr.

An das bartlose Gesicht hatte ich mich noch nicht
gewöhnt., dabei war es die härtere Fasssung des ursprünglichen Anblicks. An einem Juliabend, über den
halben Strand hinweg, ein schmales, dunkles Gesicht,
umrahmt von meinem ersten, Johannes betreffenden
und in einen vollständigen Satz gefaßten Gedanken:
Der sieht aber gut aus. Und warum konnten wir nicht,
wenn ich es mir wünschte, an jene Stelle zurückkehren,
falls ich sie wiedererkannte, oder zu anderen Anhalts-
punkten, die bewiesen, daß die Erinnerungen keine
Erfindungen waren, zumindest etwas zu tun hatten mit
diesen wirklichen Orten, an denen wir gewesen waren,
in der zweiten Hälfte unserer zwanziger Jahre, auf
warmem Sand, im Wasser, unter der Sonne, nackt,
braun, unbändig ineinander verliebt, Liebe im Zelt und
am Strand und sooft es nur ging, eines Nachmittags

gestört von Platzwächtern, die uns beim ordnungswidrigen Zelten erwischt hatten, in dem Abschnitt, der uns am besten gefiel, jedoch ausländischen Touristen vorbehalten war, wobei keine Rolle spielte, wieviele von ihnen schon da waren, »reserviert für«, das war doch eindeutig und nicht zu übersehen, also hätten wir unverzüglich den Platz zu räumen, andernfalls, jaja, sagten wir und krochen zurück ins Zelt, die konnten uns mal, aber sie kamen wieder, und wir zogen um, vom Rand der Lichtung in den dämmerigen Buchenwald, zweifellos ein Unglückstag, und vermutlich mußtest du mich trösten oder haben wir es gegenseitig versucht, fest entschlossen, uns von denen da nicht das Leben verderben zu lassen, ihre Existenz schlicht zu ignorieren, nicht mehr der Lichtung nachzutrauern, schließlich hatte der neue Platz auch seine Vorzüge und war all das am Strand ohnehin vergessen, vielleicht dachten wir so, dachte ich so, wie soll ich mich genau erinnern, wenn in meinem Gedächtnis nur Anhaltspunkte aufbewahrt, alle Verbindungsstücke verloren sind, auch der Aufenthalt an Ort und Stelle sie nicht wiederbringen, nichts uns zurückführen würde zu unserer damaligen Wirklichkeit, so daß wir mit ihr konfrontiert wären, wortwörtlich, sie vor uns erschiene, wir uns selbst in lückenlosen Ansichten wiederbegegneten, diese vergleichen könnten mit den Zusammenfassungen, den spärlichen Ausschnitten, die wir behalten haben und von denen keiner ganz übereinstimmen würde mit dem, was wir da sähen, doch wären sie aufschlußreich in ihren Abweichungen, wie schon durch die Auswahl selbst, falls denn von Wahl die Rede sein kann bei einem unbewußten Aussieben und Verschwindenlassen, inszeniert vielleicht, was mich betrifft, von Verletztsein, einer untergründigen Anklage gegen mein Dasein und dem Wunsch zugleich nach Aussöhnung, nach Einverständnis, vermute ich und wüßte es wirklich erst dank einer Wiederbegegnung, die nie stattfinden wird, bei keiner noch so gemeinsamen Rückkehr an alte Plätze.

– Übrigens, sagte ich . . .

– Gottseidank. Ich dachte schon, du willst für sechzig Pfennige schweigen.

– . . . hast du natürlich Recht. Mit dem reinen Glück, meine ich. Mir sind da eben die Zeltplatzkontrolleure eingefallen, und sicher fände sich einiges mehr, beim Nachdenken. Ich weiß nicht, ob es irgendetwas ändern würde am Glanz dieser Sommer in meiner Erinnerung. Aber für die Gesamteinschätzung unseres verflossenen Lebens können wir uns sicher dahingehend einigen, daß das meiste nicht gut war, aber auch nicht alles schlecht, nicht wahr?, sagte ich, und es tat mir augenblicklich leid. Genau der Ton, die Art, die Johannes nicht ausstehen konnte.

– Es tut mir leid, sagte ich schnell. Bist du morgen Abend zu Hause? Ich melde mich wieder. Jetzt ist gleich Schluß. Hörst du mich noch? Gute Nacht. Vergiß mich nicht. Ich liebe dich, hörst du? rief ich, als wären die schrillen Signale aus der Hörmuschel eine Vogelstimme, gegen die ich mit Schreien ankommen konnte.

Auf der Straße war es still. Ich ging die paar Schritte bis zur Ecke. Von dort sah ich den Mond. In seinem Licht hatte das Denkmal auf dem kleinen Platz, schräg gegenüber, einen silbrigen Schimmer, wie dünner Schnee über dem Helden und dem Ungeheuer. An ihrem verewigten Kampf vorbei führte die Straße unter der S-Bahn- Brücke hindurch in früher unerreichbares Gelände. Ein fortdauernd unheimlicher Ort, abweisend. Von dort war die Taube gekommen, über die Sperranlagen hinweg wie nichts, im Bogen hinein in die abgeriegelte Straße, hinunter auf die leere Fahrbahn, Getrippel hin und her, dann wieder fort, während ich hier stand, mir nicht einmal ein Bild machen konnte von dem, was sie schon sah, solange ich ihr, und es ging weiß Gott nicht lange, mit den Blicken folgte.

An einer Einfahrt auf der anderen Straßenseite, fiel mir ein, war ein Schild gewesen mit der Aufschrift: Leiternverkauf hier. Eines Tages war es verschwunden. Ob es dort trotzdem weiter Leitern gab, ob seitdem oder schon längst davor keine mehr, hatte ich nicht erkundet. Die Leiter blieb für mich ohnehin eine bloße Vorstellung, ein bißchen komisch sogar, wenn ich daran dachte, wie sie, während ich, halbtot vor Angst, kletterte, über mich hinflogen, die gewöhnlichen Stadtvögel.

Jetzt konnte ich ihnen ohne Neid und Unterlegenheitsgefühl nachblicken. Ich wußte, wie es jenseits der S-Bahn-Brücke aussah. Ich konnte die Straße zuendegehen, nicht mehr auf eine eiserne Wand zu. Erleichterung spürte ich immer noch, inzwischen ohne ein Gefühl des Unwirklichen. Das hatte sich verlagert, es durchzog die Vergangenheit. Kaum noch vorzustellen, die Mauern, Türme, Drähte, Verhaue, Gräben, Wachposten, Hunde, die Grenze im Fluß, die Blenden am Brückengeländer, so daß man nicht ins Wasser sehen konnte, ein Bahnhof voller Soldaten, sogar auf einem

Laufsteg an der Stirnseite des Daches patrouillierten sie, hätten in die Menge zielen, den Feind an der Bahnsteigkante abschießen können, wo die weiße Sperrlinie war, die die Reisenden erst nach Erlaubniskommando übertreten durften, wirklich, kaum vorzustellen, aber noch da, verblassendes Erinnerungszeichen an einen Zustand permanenter Abwehr, Kriegsersatz. Vielleicht hatte ich ihn schon irrealisiert, als er real existierte, ihn soweit wie möglich ausgesperrt, damit ich unter seinen Bedingungen leben konnte. Wie wären die auf Dauer bei vollem Bewußtsein ertragbar gewesen. Eine Stadt der Weltmeister im Verdrängen, zu beiden Seiten der Mauer, die eher zusammenbrach als unser Verstand, unsere Gesundheit, unsere Fähigkeit zu überleben, dachte ich.

Gegen das Schneelicht auf den steinernen Gestalten wirkte alle andere Beleuchtung schwach, zugleich warm und tröstlich, wie die Fenster des Hexenhäuschens in meinem ersten Märchenbuch. Honigfarben der Eingang zum Künstlerklub. Ein Taxi fuhr vor. Eine Frau und zwei Männer traten auf die Straße. Sie standen im gelben Schimmer, drehten sich um, riefen und winkten einer Frau zu, die ich als Schattenriß hinter der Glastür des Eingangs sah. Und denk an das Seil, rief der Mann, der als letzter einstieg. Der Satz blieb an der leeren Stelle, vor der wieder geschlossenen Tür zurück. Ich wußte nicht, was ich mit ihm anfangen sollte. Norma hätte aus ihm Geschichten entwickelt, für den Rest des Abends. Dazu hatte ich jetzt keine Lust, nicht einmal den Wunsch nachzusehen, ob sie noch wach war und bereit zur Versöhnung.

Seltsame Stille. Nicht neu oder ungewohnt, doch

ganz anders, als ich es mir vorgestellt hatte, nachdem plötzlich nichts mehr versperrt war. Die Geschäftigkeit der anderen Stadthälfte würde die hiesige im Handumdrehen ergreifen, dieses Viertel beleben bis spät in die Nacht, die Straßenkorridore mit fremden Stimmen und Gerüchen füllen, mit der gutgelaunten, leicht nervösen Vitalität einer zweiten Gründerzeit. Neue Geschäfte, neue Verkehrsampeln, überall Baugerüste, und wenn die Verschalungen fielen – wie aus dem Ei gepellte Häuser, auch unseres, und nicht nur an der Straßenfront, denn es wäre die Ära der Höfe nun endlich angebrochen. Daß man die stille Gegend nicht wiedererkenne, sich mühsam erinnere, wie es noch vor zwei Jahren hier aussah, würde, im Ton des Vorwurfs ausgesprochen, zur stehenden Lobrede der Alteingesessenen, und sie fänden häufig Anlaß, über Veränderungen herzuziehen, die ihnen imponierten, sogar gefielen, zumal Gewohntes, neu hergerichtet, weiterbestünde an der Seite von gänzlich Neuem, an das man sich gewöhnen könnte. Hatte ich mir vorgestellt und gesagt: Mit der richtigen Unterstützung machen wir das schon, und mich über Johannes geärgert, der das *wir* auseinandernahm, mitsamt den Trugbildern von kollektivem Elan und einer Situation wie neunzehnhundertfünfundvierzig oder bei einem Supersubbotnik, sagte er, alle machen mit, wir renovieren unser heruntergekommenes Ländchen mithilfe von Ersparnissen und Spenden und unserer Hände Arbeit, so einfach, nur daß derweilen die tüchtigsten Arbeitshände längst woanders zupacken, für richtige Löhne. Er sagte auch noch etwas von Trümmerfrauenmentalität, von den Guten und den Frommen, die hier übrigbleiben würden, von Mehr-

113

heitsverhältnissen, die niemand außer ihm zu sehen bereit sei an diesem Tisch, und kam nicht an gegen Norma, Max und mich, die Hoffnungen verteidigten, jeder eine andere und alle einig gegen Johannes, dem Norma fortan aus dem Weg ging. Wie konnte ich mit so einem zusammenleben? Sie an meiner Stelle hielte das nicht einen Monat aus, sagte Norma und später, als Johannes' Umzug bevorstand, na also, er gehörte doch längst nach drüben, zu den Erfolgsmenschen, die uns jetzt Manieren und das Arbeiten beibringen wollen.

Mit Norma konnte ich über Johannes nicht reden. Mit wem überhaupt. Und wozu?

Das Denkmal wirkte wie ein Versehen in dieser Sommernacht, zu der ein Straßenfest gepaßt hätte. Aber es war mitten in der Woche, der Tag kein gesetzlicher Feiertag mehr und ohne Festlichkeit verstrichen. Man ging beizeiten zu Bett. Ich stand jetzt vor unserer Toreinfahrt, wie früher Herr Samuel, wenn er zum Rauchen die Wohnung verlassen mußte, und betrachtete die leere Straße, dann meine nackten Füße in Sandalen aus Italien, die den Jesuslatschen von Max ähnelten. Die Luft war noch mild, selbst über der Stadt so klar, daß es heute den großen Sternhimmel gab. Bestimmt stand Johannes auf der Terrasse, sah hinauf, hörte den Geräuschen der Nacht zu und stellte sich vielleicht vor, daß ich eben das Licht ausgemacht, mich zur Wand gedreht hatte und ihm vor dem Einschlafen einen Berührungsgedanken schickte wie früher, wenn wir voneinander getrennt waren.

Ich bin noch draußen, merkst du es nicht? Unterwegs zum Fluß, auf derselben Straßenseite wie Minna und Ella König beim Abendspaziergang, erinnerst du dich?

Wir sprachen über sie auf dem Rückweg vom Café, das dir nicht gefiel, an der ersten Ecke hinter der Grenze, die seit kurzem offen war, noch mußte man den Ausweis zeigen an den Übergängen, umlagert von Andenkenhändlern, über die wir uns stritten, genau weiß ich es nicht mehr, aber daß uns die Nachbarinnen in den Sinn kamen, wie sie vor mehr als einem Jahrzehnt da entlanggingen in ihren schleppenden Mänteln, immer dieselbe Strecke, eine ödere ließ sich kaum denken, fandest du auch, und wir gedachten der Toten. Heute Morgen fiel es mir ein, als ich mir vornahm, dir von den Geräuschen auf dem Hof zu erzählen, in einem Brief, wie bisher, solange es die Telefonzelle hier nicht gab, die eine neue Phase unserer Beziehung einleitet, die fernmündliche, das wollte ich dir vorhin noch sagen, ein ereignisreicher Tag und ein denkwürdiges Datum, hast du es denn beachtet? In einer Viertelstunde vorbei. Schon herrscht Stille. Nicht zum Fürchten, überhaupt nicht. Lichter in der Nähe und von ferne, darüber der funkelnde Himmel. In den Häusern schlafen sie, und wer unterwegs ist, ist auf dem Weg nach Hause. Wenige Autos, noch weniger Fußgänger, kein einziger Soldat. Aus der schmalen Straße könnte ich hinaus auf freies Gelände, aber es ist mir unheimlich geblieben. Ich halte mich in der Nähe der alten Mauern mit ihrem alten Geruch, hier in meinem Dorf, wo es keine Gärten gibt, keinen Brunnen, keinen Weinberg, keine Kirche, du weißt es ja, aber die Friedlichkeit eines beschränkten, bescheidenen, bewachten Daseins, noch da wie der eigensinnige Schatten eines schon entrückten Körpers, wie das Murmeln eines Geistesabwesenden, wie in meinem Kopf die Schwestern König auf ihrem immergleichen Gang entlang der Mauer. Also nicht mehr da, und Grund genug zum Fürchten, das weiß ich, nur ist das Wissen noch unterwegs, auf ziemlich langer Leitung, zu Herz, Haut und Haaren, die sich mir vielleicht bald schon beim Gedanken sträuben, hier nachts allein herumzuwandern.

Bis zur nahen Brücke, von der man wieder in den Fluß hinuntersehen kann. Nach diesem schmutzigen Fluß, der grauen Uferstraße, dem monumentalen Grenzbahnhof, nach den Zügen über Straßenverkehr und Wasser hinweg, der Weidendammbrücke mit ihrem gußeisernen Zierat, nach den Lastkähnen, den Möwen, dem farblosen Winterhimmel und dem Geruch verheizter Braunkohle, nach diesem Bruchstück Stadt würde ich im Exil Heimweh haben, dachte ich früher einmal und war erstaunt, wie vorstellbar mir ein solches Gefühl und die Situation erschienen, in der es mich heimsuchen würde.

Jetzt war es gut, ins dunkle Wasser zu sehen, allein zu sein, ungestört, ohne Ziel und Eile, einfach dazustehen, mitten in der verschwundenen Stadt, an nichts und niemand zu denken, wer weiß wie lange.

Die Stimme ließ mich zusammenzucken. Ich erkannte sie sofort. Ein hohes Krächzen. Kein Mensch klang so piepsig und heiser wie Emilia. Dieser schöne Name – und dann solch eine Stimme! Sie sprach eben zu selten. Auch das war meine Schuld. Immer kam sie, dem ersten Satz hinterher, aus dem Nichts und war schlagartig da, nicht weit von mir, doch selten in Reichweite. Wie gefalle ich dir? hörte ich, darauf sah ich sie knapp über dem Fluß, dem sie, seit jeher wasserscheu, nicht entstiegen war, keinen Tropfen auf der hellen, im Mondlicht silbrigweißen Haut, schimmernd, zart, kein Vergleich mit dem Denkmal auf dem kleinen Platz, natürlich nicht, sie war ja weder Heldin noch Ungeheuer, sondern meine Tochter und gefiel mir, das mußte ich zugeben, über die Maßen. Nicht schlecht, sagte ich, aber warum läufst du nackt herum? Wandelnder Vorwurf gegen die Rabenmutter? Mein wunder Punkt.

Sie hatte eine ganz vage, mitunter abenteuerliche Vorstellung von Müttern und hielt das Wort Rabenmutter, weil ich es beständig auf mich anwandte, für meinen Spitznamen, so wie sie Kopfgeburt als den ihren ansah. Eine Zeitlang interessierte sie sich heftig für den Inhalt ihres Unterleibs, wollte alles wissen über Eier, Stöcke, Leiter und die zum Gebären bestimmte Mutter in ihr. Sie behielt offenbar nichts, denn sie fragte immer wieder dasselbe. Bis ich die Jubiläumsausgabe von F.E. Bilz' »Lehr- und Nachschlagebuch der naturgemäßen Heilweise und Gesundheitspflege« von 1898 hervorholte, einen leicht ramponierten, mir kostbaren Wälzer aus dem Nachlaß von Tante Ruth. Unter Emilias neugierigem Fernblick klappte ich die Papierfrau auf, einen blondgelockten, mit weißem Lendentuch drapierten Torso, dessen dritte Schicht Venen, Arterien und innere Organe, von vorn gesehen, zeigte, so daß ich den Vorteil des Anschauungsunterrichts nutzen, unverständliche Beschreibungen ersetzen konnte durch Fingerzeig auf die graubraunen, sandfarbenen, rotgeäderten Teile, die zu den jeweiligen Bezeichnungen gehörten und Emilia bald schon langweilten, ich merkte es an ihrem ergebenen Gesicht. Die Innenansicht des Kopfes nahm sie kichernd zur Kenntnis. Es sei ganz schön komisch, wie die Leute sich diese Gegend vorstellten, halt ein älteres Buch, krächzte sie, und weshalb ich sie noch nie zu Tante Ruth mitgenommen hätte. Ich versuchte, es ihr zu erklären. Dabei sah ich schon voraus, daß sie wieder fragen würde und nahm mir vor, Anschauungsmaterial zum Thema Tod zu suchen. Das Thema Geburt schien nach den Bilzschen Bildern der Fortpflanzungsorgane für Emilia erledigt zu sein, jedenfalls kam sie nicht mehr darauf zu sprechen, zu meiner großen Erleichterung.

Für das Versäumnis, sie auf normale Weise in die Welt gesetzt zu haben, konnte ich mich bei ihr entschuldigen. Für ihre tatsächliche Entstehung blieb ich eine Erklärung schuldig. Noch genügte es ihr zu wissen, daß ich sie mir gewünscht hatte. Mehr aber wußte ich nicht zu sagen. Auch war die Geburtsgeschichte dürftig, weil alles ganz leicht und schnell und sozusagen hinter meinem Rücken geschehen war, ohne die Anzeichen des Bedeutsamen, so daß ich nicht einmal das Datum angeben konnte. Es mußte vor dem Augenblick liegen, da sie zwischen meinen Kollegen Simon und Köhler saß, auf einem Platz, den es zuvor nicht gegeben hatte, und mir über den Tisch hinweg zuzwinkerte, indem sie langsam, fast feierlich das rechte Lid senkte und wieder hochzog, Erstausführung dieser Bewegung, das sah ich gleich und dann, daß sie ungewöhnlich lange Wimpern hatte, große dunkle Augen, blank, fast etwas glasig, eine kurze, flache Nase, volle Lippen und strubbeliges braunes Haar, das zum Hineingreifen lockte, aber sie saß zu weit weg, meine halbwüchsige Tochter, schimmernd vor Neuheit, in einem dunkelgrünen Seidenkleid, ich konnte mich nicht sattsehen an ihr. Auf dem Papier für das Versammlungsprotokoll fing ich an, Namen zu notieren, die naheliegenden, Marie, Anna und Johanna, einige gewähltere auch, die auf -ine oder -ia endeten, und entschied mich, sowie Emilia dastand, für diesen Namen. Ich vollzog die Taufe, indem ich das Augenzwinkern meiner Tochter nachdrücklich erwiderte.

Die Kollegen Simon und Köhler drehten die Köpfe, um zu sehen, wem ich Zeichen schickte. An Geistesabwesenheit in Versammlungen waren wir gewöhnt. Diesmal fragten sie mich aber, auf dem Weg zur Kantine, wer mir gegen Ende des Rechenschaftsberichtes erschienen sei. Ein neuer Mensch, antwortete ich, und die Kollegen lachten wie über einen guten Witz. Emilia sagte ich davon nichts. Der neue Mensch hätte sie durch seine nebulöse Allgemeinheit gekränkt oder mit Idealität unter Druck gesetzt, jedenfalls ihr Leben, das durch meine Schuld unsicher genug war, zusätzlich belastet. Ich blieb bei der Erklärung: Dich habe ich mir gewünscht, setzte hinzu: So wie du bist, und genoß ihren Anblick. Sie hob ab zu einem *grand jeté*, aus dem Stand weit auf die linke Seite, hielt am Scheitelpunkt des Sprunges an, mit ausgestreckten Armen, den Kopf mir zugewandt, die Augen nach oben, so daß ich das Weiße leuchten sah, Emilia, fliegend auf der Stelle und von dort im Schwebefall herab, Schritt, Schritt und Knicks, dann staksig oder tänzelnd an den Ausgangspunkt zurück, eine beachtliche Strecke, mit jedem Mal ein Stückchen länger, schien mir. Wahrscheinlich übte sie, an einem Ort, wo ich nie hinkam.

Sie erzählte wenig, daher wußte ich kaum, was sie

zwischen unseren Begegnungen tat. Es war, als existierte diese Zwischenzeit nicht, als sei Emilia nur die Summe ihrer Anwesenheiten, vergessen, wenn sie fort war, und da, sobald ich an sie dachte, wobei sie niemals kam wie gerufen, sondern auf sich warten ließ oder erschien, noch bevor ich begriff, daß ich an sie gedacht hatte. Warum jetzt und warum nackt? Ich fragte nicht. Ich wußte, daß sie sagen würde: Warum nicht? oder: Das weißt du doch, weshalb fragst du also?

Sie stützte die Hände in die Hüften, schob das Becken leicht nach rechts, spreizte das linke Bein, auf den Ballen gestützt, langsam zur Seite, blieb so stehen und sah zu mir wie in einen Spiegel, mit sachlichem Ausdruck, dem nicht abzulesen war, was sie von ihrem Anblick hielt. Ihre Hüftknochen kamen mir spitzer vor, der Bauch ein wenig eingefallen, aber ich war mir nicht sicher. Die letzten Male hatte sie das grüne Kleid oder immerhin Jeans angehabt. Seit ihrem Erscheinungstag waren neun Jahre und drei Monate vergangen. Sie hatte sich in dieser Zeit entwickelt, sprunghaft, wie es ihre Art war, statt des spärlichen Flaumes, der flachen Hügel auf einmal ein schmales, dicht bewachsenes Schamdreieck und Brüste, die so voll, fest und seidig waren, daß ich sie beim bloßen Hinsehen in meinen Händen fühlte. Als letztes veränderte sich Emilias Gesicht, langezeit kindlich weich und etwas flach, seit zwei Jahren ihrem Alter ungefähr entsprechend, im Idealzustand der Balance von Frische, Glätte und starker Ausdrucksfähigkeit. Als sie den prüfenden Blick abwärts wandern ließ, zu den langen Oberschenkeln, den knochigen Knien, bemerkte ich einen härteren Zug um ihren Mund und Schatten unter den Augen, wie eine Andeutung von Tränensäkken, aber das lag gewiß an der späten Stunde und wäre beim nächsten Mal hoffentlich verschwunden. Trotzdem, es besorgte mich.

– Fehlt dir etwas? fragte ich.

– Alle naselang, sagte sie, das ist ja nichts Neues, irgendwie komme ich damit schon zurecht, weil, andrerseits findet sich auch immer wieder etwas, Ausgleich sozusagen. Was mir total fehlt, zum Beispiel, ist die Übersicht, was hier so läuft, und wozu dieses dauernde Gerede von früher, war es denn soviel besser, soviel schlechter? Ich habe ja nicht alles mitgekriegt, irgendwie ruhiger und leerer kann es gewesen sein, oft trübe, ja, ohne großartige Aussichten, gedämpft, gedrückt, gesichert, gewohnt, gemütlich. Solche Wörter fallen mir dazu ein, die auf Jetzt nicht mehr passen, das merkt doch jeder, auch ohne diese Erzählungen über die Vergangenheit, nicht mal richtige Erzählungen, würde ich sagen, mehr so versteckte Erklärungen, Angriffe oder Entschuldigungen, jedenfalls soll immer irgendwas dabei rauskommen, eine Lehre, ein Urteil, ein Vermächtnis, schon eigenartig, als säßen die im Gericht oder lägen auf dem Sterbebett, und du ganz genauso. Deine Geschichten hören auf, kaum daß sie angefangen haben, und deshalb fehlt mir, um auf deine Frage zu antworten, auch das Interesse an dieser Vergangenheit, solange nicht jemand loslegt, wie sich das gehört: Es war einmal – oder wie sie es in alten Zeiten gemacht haben: En un lugar de la Mancha, de cuyo nombre no quiero acordarme, no ha mucho tiempo que vivía un hidalgo, oder sonstwie, du weißt schon, was ich meine, sagte Emilia. Aber, was mir fehlt, kann ich sagen, und es stimmt so, wie ich es sage. Bei dir weiß ich nie. Fehle ich dir wirklich? Oder fällt dir plötzlich der Satz ein: Du fehlst mir, und der taucht wie eine Robinsoninsel aus den Fluten auf, ich sofort hin, auf dieses Stückchen festen Boden, der mir gefällt und, wenn ich ihn berühre, sich ausdehnt bis zum Horizont, jedenfalls vergesse ich, wo ich wirklich bin, oder merke es zu spät. Deine Wirklichkeit ist wie Wasser. Doch keine Angst, ich geh nicht unter. Und falls du das erwartest, tut mir leid, bis auf den Grund tauchen werde ich auch nicht.

– Wie du redest, sagte ich. Als hätte ich dich je zum Schwimmunterricht geschickt oder an die Ostsee mitgenommen! Erzähl mir lieber, was du heute so getrieben hast.

Statt zu antworten, beugte sie sich nach vorn, stand da mit gegrätschten Beinen, die Hände auf den Knien.

– Achtung, jetzt kommt meine Robinsonade!

Sie hechtete auf mich zu, wie ein Torwart, der den Ball vorm Gegner abfangen will, und verschwand unter der Brücke. Ich lief ans andere Geländer, lehnte mich weit vor, aber ich konnte sie nicht entdecken.

– Wo bist du? rief ich. Bleib doch noch, bitte. Und wenn du nichts erzählen willst, soll ich dir sagen, wie mein Tag heute war?

Radschlagend kam sie unter der Brücke hervor. Unwillkürlich sah ich um mich. Es war niemand da, vor dessen Blicken ich sie hätte schützen müssen. Ihre Nacktheit erschien mir jetzt so verletzlich vor den Steinmassen des Gebäudes, das Norma nicht einmal im Spiel gewagt hatte anzuzünden, ihre Stimme noch piepsiger, als sie, wieder knapp überm Wasser und in meiner Nähe, stillstand und sagte:

– Meinetwegen.

Es klang wie: Wenn du unbedingt willst, aber mir sagst du damit nichts Neues.

- Oder, schlug sie vor, erzähl mir von morgen. Was ist dein Projekt?

- Projekt? Wie kommst du auf sowas? Ich tu meine Arbeit, ansonsten laß ich mich überraschen. Oder meinst du Absichten? Zu Norma gehen, Frau Schwarz Bescheid sagen, wann die Beerdigung von Margarete Bauer ist, mit Johannes telefonieren . . .

Nein, das meine sie nicht. Ein richtiges Vorhaben.

- Etwas, das du dir aussuchst, das Zeit und Mühe kostet und sich lohnt. Warum gründest du keine Selbsthilfegruppe für Kopfgeburten?

Sie lachte und war enttäuscht, daß ich ihren Einfall nicht besonders komisch fand.

- Du könntest auch eine Hauschronik schreiben oder eine Stelle zur Koordinierung von Nostalgikern und Vergangenheitslosen, ein Fundbüro für Erinnerungen einrichten, eine Müllverwertungsbastelwerkstatt, ein Trainingslager für arbeitslose Aufarbeiter, ein Beratungszentrum *Wohin aus Deutschland und wie weiter?*, egal was, es gibt eine Menge zu tun, also tu etwas, rate ich dir. Bewegung ist alles, heutzutage.

Ich lachte. Ich nickte. Ich wollte sie nicht wieder enttäuschen.

- Ich überlege es mir, versprach ich.

Emilia hüpfte auf der Stelle, wie über ein Springseil. Sie sah fröhlich aus, zufrieden mit sich und unternehmungslustig.

- Es ist lauter geworden. Mehr Farben, sagte sie, und mehr Gedränge. Aber wenn man sich etwas umtut, findet sich noch immer ein Plätzchen zum Tanzen.

– Eben jede Menge. Warum . . ., ich meine, du hast mir noch längst nicht alles gezeigt, was du kannst, sagte ich und suchte nach einem einschlägigen Ausdruck. Spagat, zum Beispiel . . .

– Ach, den probiert jetzt jeder. Modezeug. Außerdem, ich bin noch nicht soweit. Erst wenn ich perfekt bin, trete ich an die Öffentlichkeit. Ich werde eine große Tänzerin sein, ein Star. Zur Zeit bin ich ein Geheimtip, kannst du sagen. Aber bald komme ich groß heraus, mit allem Drum und Dran, die Medien, das muß man einfach verstehen heutzutage, kein Problem für mich, du wirst es ja erleben, bald, mein erstes Interview, die erste Talk-Show, und häßlich bin ich nicht gerade, oder? Und auf den Kopf gefallen auch nicht, da ist alles drin für mich, ich muß nur den richtigen Zeitpunkt abpassen.

Sie war sehr aufgeregt, drehte Pirouetten, piepste und krächzte zum Erbarmen. Ich sah zur Seite. Wasser mochte Emilia nicht, auch keine Tränen, meine schon garnicht. Ich wischte sie weg, neue quollen hervor, Mund und Kinn zuckten. Es half nichts, gleich würde das Weinen mich schütteln und pressen, ich kannte das, mich ausschwemmen unter Wimmern und Jaulen.

Nach einiger Zeit hörte ich die Laute und begriff, daß sie vom mir kamen, daß ich immer noch auf der Brücke stand und schluchzte. Hinter den Tränen waren die krausen Lichtbahnen auf dem Wasser zu wattigen Strähnen zerflossen, verschwommen der Mond, die Konturen des kolossalen Gebäudes, das kantige Geländer unter meinen Ellbogen. Alles verwischt und verwackelt im Weinen über mich selbst. Fehler, Enttäuschungen, Erbärmlichkeit, Schwäche und Versagen von

Anfang an, nichts im ganzen Leben, das dem Zerfließen standhielt, den Schmerz besänftigte, nicht einmal Trauer war das, ein kläglicher, unersättlicher Kummer, der abfloß, abflaute, sich unbemerkt erneuern, mich wieder überfallen würde, das einzige in mir, das mich nicht verließe bis zum Schluß. Nichts davon zu Emilia. Rechtzeitig hatte sie das Weite gesucht, vielleicht schon, während ich mich abwandte und noch glauben mochte, mir kämen Tränen ihretwegen.

Jetzt kamen keine mehr. Keine Erleichterung, nur Müdigkeit oder das vielleicht, was sie besprochen hatten in ihrer Kaffeerunde, die Mutter, Tante Ruth, Großtante Charlotte und Frau Michaelis, sehr gerade auf den Biedermeierstühlen und nickend, als die Worte fielen, sie wiederholend, während ich der Mutter ungeheuer Wichtiges, das keinen Aufschub duldete, mitteilen mußte, ins Ohr flüsterte und flüsterte, gebannt durch ein Wölkchen Lavendel und Neugier auf ausmalende Beschreibungen eines krankheitsähnlichen Zustandes, die aber ausblieben, so daß für mich »nervöse Erschöpfung« mit besorgten Frauengesichtern und dem Eindruck verschmolz, es müsse sich um Schlimmeres handeln als vor Aufregung schwach sein, wie ich mir anhand der beiden Wörter vorstellte, aber es blieb ein Geheimnis der Frauen in Sonntagskleidung, denen meine Müdigkeit nach dem Weinen als gute Voraussetzung für eine ruhige Nacht erschienen wäre.

Das Gehen kostete Anstrengung, wie das Fortlaufen in Träumen, wie in meiner Erinneruung die Flucht vor dem großen gefährlichen Mädchen, das mich tatsächlich einholte und tatsächlich schlug, ich hatte es beim Rennen schon gewußt, das Wissen als wachsende Läh-

125

mung gespürt, Beine aus Blei und Knie aus Watte, so ähnlich jetzt, nur ohne Angst. Die Straße war hart, die Häuserwände waren hart, die Laternenpfähle, die Autos am Straßenrand und die wenigen, die noch vorbeifuhren, alles um mich her war hart, der Weg nicht weit, aber mühselig, weil kein Vorankommen zu spüren war, trotz der vielen geduldigen Schritte, die mir als Einbildung erschienen wären, hätte ich ihr Geräusch nicht gehört, ein flaches Tappen, wie mit Händen, auf dem Stein.

Das Haus an der Ecke war plötzlich da. Als hätte der endlos kurze Weg sich zusammengezogen, mich mit einem Ruck vor dem Ziel abgestellt. Die Toreinfahrt. Auf dem Hof Mondlicht, Geraschel und Geklapper in den Müllcontainern. Kein Laut aus den Wohnungen, nichts Einzelnes – etwas wirres Gemeinsames, leise und ohne erkennbaren Geruch, die Atemzüge, die Ausdünstungen der hingestreckten Körper, in vier Schichten auf das Vorderhaus, die hinteren Aufgänge A bis E verteilt und voneinander getrennt durch Zwischenräume, abgeschirmt durch Wände, jeder für sich im Traum oder traumlosen Schlaf oder schlaflosen Daliegen hinter zugezogenen Vorhängen, bei offenen Fenstern, im Dunkeln. So unsichtbar, so still, als wäre niemand in dem ganzen großen Haus, als wäre es nur von meinem Wissen bevölkert, daß in solchen Häusern Menschen leben und hier normalerweise auch. Tagsüber zeigt sich hin und wieder jemand, ein bekanntes Gesicht, viele noch nie Gesehene, wie der langhaarige junge Mann heute Morgen, aus dem Seitenflügel vielleicht, Mauer an Mauer mit mir, schon möglich, man kennt ja die wenigsten und ist nicht auf Nähe aus in diesem dichten

Beieinander, nicht einmal auf Geselligkeit, sondern Ruhe, bloß Ruhe und Geborgenheit in den eignen vier Wänden, Lichtjahre entfernt von den Nachbarhöhlen, woher manchmal Geräusche dringen, deren Urheber, so groß ist die Entfernung, längst tot sein können.

close yet very far away

Daß da gesprochen wird, hört man, nicht aber, was, nicht einmal, wo genau. Treppauf treppab laufen, das Ohr an Wohnungstüren pressen, wer täte das denn. Es wäre auch unergiebig. Immer etwas verpaßt, den einen Fleck zu früh verlassen, den anderen zu spät erreicht. Flitzen durch die Treppenhäuser, um zu sammeln, worüber sie reden in einem bestimmten Augenblick, den Gesamtinhalt der Sprechgeräusche festhalten – ein utopisches Unterfangen, noch utopischer als Appelle, aus der Mitte des Hofes, an alle: Die Fenster auf, stellt euch an die Fenster, redet dort, laut und deutlich, es wird alles aufgezeichnet, ein, zwei Minuten lang, was auch immer ihr zu sagen habt, keines eurer Worte soll verloren gehen. In einem beliebigen Augenblick, an einem einfachen Tag wie heute oder morgen, nichts Besonderes müßte gesagt werden, ganz im Gegenteil, auf die normale Rede käme es an, die bei offenen Fenstern weiterlaufen sollte, als würde niemand sie beachten.

Nur so ein Einfall, zu nachtschlafener Zeit. Ein verblasenes Projekt von vornherein. Zwar ließe Geld sich dafür locker machen mit einigem Geschick, aber die Leute, wie kämen sie dazu mitzuwirken, zur Unterhaltung der radiohörenden Allgemeinheit, Polyphonie im Hinterhof oder wie die Sendung auch hieße, wetten, daß nicht mal zwanzig von den Einwohnern hier bereit wären, einem Aufruf zu folgen, der zu solchem Experiment einlädt, na das fehlte noch, auf Anweisung ganz spontan nach draußen sprechen, damit irgendwelche Nichtsnutze mit dem Ergebnis hausieren gehen, sich womöglich lustig machen über Geschwafel aus soundsoviel Fenstern, über diese Krankheitswetterarbeitsgeld-

128

undeinkaufsgeschichten, die man ja loswerden muß, aber nicht vor denen, nicht für ihr bescheuertes Projekt, solln sie sich woanders Dumme suchen und sich bloß nicht erwischen lassen mit dem Mikro in den Treppenhäusern, denn es geht niemanden etwas an, worüber hier gesprochen wird, schlimm genug, daß Wände und Decken so dünn sind, daß man mitanhören muß, was sich da abspielt bei Wildfremden in nächster Nähe und niemals Stille herrscht, es immer irgendwo rauscht, knackt, pocht, tröpfelt, summt oder murmelt, von den heftigeren Geräuschen nicht zu reden und gar nicht von Schreien, von Hilferufen, die anders klingen als aus dem Fernsehen und die verlangen, daß man irgend etwas tut, und sei es, die Ohren zuzuhalten. Belästigung von früh bis spät in diesen schäbigen Schachteln dicht an dicht, Strafe für die Minderbemittelten, Untüchtigen, Entschlußlosen, Unbeweglichen jetzt und die von früher, die längst schon Verblichenen.

Im Nachlaß noch das Echo ihrer Klagen: *Fürs erste, liebe Minnie, zu Deinem sehr traurigen Brief vom 30-9-62.* Eine pünktliche Antwort, verfaßt am 12. Oktober 1962, eine Woche darauf in der Luisenstraße, Berlin N.4, eingetroffen, zehn Tage später erledigt, wie auf der Rückseite des Luftpostumschlags vermerkt ist, und ähnlich bei allen anderen Briefen aus Laguna Beach in Kalifornien. Zwei Schuhkartons voller Mitteilungen und Fragen oder Antworten auf Fragen und Klagen, manchmal auch sanfte Zurechtweisung: *Du beklagst Dich, daß ich nicht Deine Fragen beantworte, ja, aber liebes Kind, antwortest Du wirklich alle meine Briefe ausführlich,* offenbar nicht, aber vielleicht kam es darauf weniger an, wenn nur Briefe hin und her gingen zwischen den seit fünfunddreißig Jahren Getrennten, die nicht aufhörten, auf ein Wiedersehen zu hoffen, auch wenn es immer unwahrscheinlicher, der Wunsch mit der Zeit zur fixen Idee wurde, alles zu spät, viel zu spät. *Wie oft halte ich Zwiesprache mit Dir und wünschte, ich könnte Dich hier haben, wärest Du doch nur damals rüber gekommen, Elle, Mutter und Erna und Erich wären jetzt auch hier. Solltest Du jemals Deine Meinung aufmachen und kommen, ich will Dir helfen Dein Ticket zu schicken und auch eine Arbeit zu finden, und lerne Dir english. Später kannst Du ja Deine Familie kommen lassen, natürlich seid Ihr für eine kleine Weile getrennt, aber so waren wir auch, nach dem seid Ihr glücklicher umsomehr. Alles nimmt Mut und Courage, Du weißt, mit all meinem Sentiment habe ich es doch fertig gebracht, es zu unternehmen.*

Die Stimme, die das jetzt halblaut liest, aber in der Stille ringsum klingt sie viel zu laut, indiskret, obwohl niemand zuhört, ist dunkel und kräftig, ist meine Stimme, nicht die der alten Frau auf dem Sofa, das eine Etage tiefer gestanden hatte, in einem mit schweren Möbeln vollgestellten Zimmer, wo sie schliefen, aßen, um den Tisch in der Ofenecke saßen und die Neuigkeiten aus Amerika anhörten, Erna, Ella, Minna, dann nur noch Ella und Minna, die sicher jeden der Briefe vorgelessen hatte, *meine liebe, gute, einzige Minnie, habe niemals eine andere Freundin gehabt in fünfunddreißig Jahren. Das kannst du sicher glauben, sonst hätte ich nicht versucht, Dich wiederzufinden,* aber verloren, in niemandes Gedächtnis mehr auffindbar der Klang von Minnas Stimme, schneller vergessen als die paar nachgebliebenen Sätze und Bilder.

Und eher verflüchtigt als der Wohnungsgeruch, der den Gegenständen eingewachsen war und bei den

Ausgewählten blieb, die nach dem Tod der alten Frauen, in andere Haushalte versetzt, ihr Fremdsein dort hartnäckig ausstrahlten, für eine neue Note sorgten, Arends plus König, sagte Johannes, eine der Spielarten von Veränderung in bestehenden Geruchsrevieren, soweit die verteilten Dinge eben gekommen waren, hier und in anderen Wohnungen ein Hauch Geschwister König, erstaunlich gut erhalten in den Kartons mit Briefen, Fotos, glänzend bunten Giant Post Cards. Roter und rosa Oleander, ein welliges, frischgrünes Tal, im Hintergrund schneebedeckte Berge unter hellblauem Himmel, vorne rechts ein Baum, brechend voll mit orangegelben Früchten, nein, keine Äpfel, die Entdeckung mußten sie gleichsam buchstabieren, Apfelsinen waren das, die man nicht mehr zu Gesicht bekommen, seit die Mauer stand, fast zwei Jahre schon und kein Ende abzusehen, völlig unerreichbar das Haus 2605 am Nido Way in Laguna Beach, ein Postkartenversprechen auf immer und ewig, dieser *Winter in Southern California*.

Nichts ließen sie nach außen dringen, keinen Schrei, kein lautes Wort. Schließlich gehörten sie nicht zu den Verrückten wie die Schreierin im zweiten, die Ruferin im ersten Hof, verdrehte Weiber, die sich zum Gespött der Umgebung machten, peinlich das, und bedauernswert die beiden, denn sie hatten niemanden, der auf sie Acht gab, so wie Minna und Ella auf Erna aufpaßten, sie nicht allein ließen, weil sie dann Angst bekam, außer sich vor Angst war, wenn es an der Tür klingelte, Erna, versteinert, entrückt in der Obhut der Schwestern, im Schutz der Wände ihrer Wohnung, aus der niemand sie fortbringen würde, bevor der Vater im Himmel sie zu sich rief. Zu Hause sollte sie entschlafen, um keinen

Preis in ein Pflegeheim wie Erich, der nicht mehr zurückgekehrt war aus Bernburg. Im Sommer 1941 ein Telegramm: *Besuche aus mit der Reichsverteidigung in Zusammenhang stehenden Gruenden gesperrt = Heilanstalt.* Einige Tage später fiel ein Bild von der Wand, da wußten sie Bescheid, die offizielle Nachricht ein Wisch, wer sollte das denn glauben. Sie setzten den Text für die Traueranzeige auf: *Nach der uns zugegangenen Mitteilung ist mein einziger unvergeßlicher Sohn, unser lieber Bruder Erich König im Alter von vierzig Jahren verstorben. Wir bitten um stilles Beileid.* Den hat der Hitler auf dem Gewissen, sagte einmal Ella und mehr nicht. Und wie klang Minnas Stimme, als sie vorlas, was Clara Lentz, seit 1927 Claire Griffith in Amerika, im Oktober 1946 geschrieben hatte: *Wärest Du doch nur damals rüber gekommen, Elle, Mutter und Erna und Erich wären jetzt auch hier.* Die Nacht würde kaum reichen, um alle Briefe zu lesen, die noch genauso in den Kartons steckten, wie sie vor zehn Jahren aus der leergeräumten Wohnung in diese gelangt waren. Es wäre auch schade, mit halblauter Stimme, weil sich die fremde Schrift so leichter liest, die Stille zu stören, eben wirklich Totenstille, als wären alle fort, verstorben, verzogen, ausgewandert, als hätten sie plötzlich begriffen, daß es höchste Zeit sei, der Bestrafung durch das Leben eine Ende zu setzen oder ihr zuvorzukommen, keinesfalls den Punkt zu verpassen wie Minna König, die der Freundin hätte folgen sollen, anstatt bis an ihr Ende auf graue Wände zu blicken und sehr traurige Briefe zu schreiben.

Also die Wohnungen ringsum schon leer, die Leute unterwegs nach USA und Kanada, ins sonnige Australien. Nur ich bin noch hier und hatte wieder einmal geträumt, nichts mitbekommen, den jungen Mann am Morgen nicht richtig verstanden. Denn zweifellos hatte er gefragt, ob ich hier *noch* jemanden suche, auf den letzten Drücker sozusagen, während die Sachen schon verladen wurden, die guten Stücke aus mehreren Haushalten, von jedem nur wenige, streng ausgesucht, man wollte ja neu beginnen. Das meiste verdiente ohnehin nicht, mitgenommen zu werden. Die lindgrünen Sessel mit dunkelbraunem Kunstleder an den Armlehnen und all dieser schmiedeeiserne, dieser nahezu holzfreie, mit glänzenden Folien überzogene Ramsch, den man, ohne sich zu beschweren bei Betrieben, die so etwas herstellten, und Handelsorganisationen, die es abnahmen, brav gekauft, viel sauer verdientes Geld hingeblättert hatte, um sich zeitgemäß einzurichten und Jahre später dann zu sehen, was man stattdessen hätte haben können, wäre man nicht hier geblieben. Betrogen nach Strich und Faden, hintergangen auch im guten Glauben an den Fleiß der Werktätigen und Kultur im Heim, das war einmal und ließ sich nicht ungeschehen machen, doch in der anderen Welt vergessen, wo man ohne beschämende Erinnerungsstücke eintreffen, von vorn anfangen würde, niemand sich darum scherte und nichts mehr zeigte, woher man kam.

Ja, alle Sachen, die mir lieb waren in meiner Heimat, habe ich noch in meinem Herzen und auch im Heim, es ist echt deutsch. Die Mutter von unserem Doktor, ihr Name ist Théa, war hier drei Jahre zurück und sie sagte zu mir, 'ich bin hier in deinem Haus, liebe Claire, mehr in Deutschland denn in Bonn.' Sie ist wirklich formal von Berlin-Grunewald.

Die Wohnungen verlassen, alle auf einen Schlag, so daß es jetzt sehr still ist und morgen früh die Stille geradezu befremdlich, die Geräusche tagsüber dünn wären, das Schlurfen alter Leute, ihre Hunde und Vögel, die Handwerker wie immer. Ich muß aufpassen, rechtzeitig unten sein bei den Containern, sie nach Hinterlassenem durchsuchen. Ich nehme Plastiktüten mit, viel kleiner als die blauen Säcke, die Kühne herumschleift, mit dem ich nicht zusammentreffen will, während ich noch beim Suchen bin, eine mit Briefen und Postkarten erst halb gefüllte Tüte in der linken Hand. Die rechte wühlt und harkt in lockerem Papier, packt eine Handvoll davon, wirft es so hoch wie möglich, damit ich Zeit habe, die herabschaukelnden Stücke mit Blicken auszusortieren, manchmal eines aus der Luft zu greifen. Die anderen hebe ich vom Boden auf oder muß sie, je mehr sich dort anhäuft, aus der Papierschicht herausklauben, schnell, solange ich noch weiß, an welchen Stellen sie gelandet sind, und darf nicht abschweifen in die bunten Weiten der Reiseprospekte, Preisausschreiben und Sonderangebote, nein, Geschwindigkeit und Konzentration, die Arbeit soll beendet sein, bevor Kühne kommt, der heute eher auftauchen wird als gewöhnlich. Das Datum der Auswanderungen kannte er längst, da bin ich sicher, und suchen will auch er, nicht in den Papiercontainern, die verdammt vollgepackt sind mit Zeitungen, schwer zu bewegen, und immer unbequemer, je weiter man nach unten kommt. Magere Ausbeute bisher, selten eine heile Ansichtskarte, ein privater Brief, weit und breit kein Fotoalbum, kein Tagebuch, natürlich nicht. So etwas wurde mitgenommen, wenn schon das übrige im neuen Leben keinen Platz mehr hatte, zurückblieb oder in den Müll wanderte. Also wird Kühne, damit niemand ihm zuvor-

134

kommt, beizeiten hier sein und sich umtun, mich aber daran hindern weiterzuwühlen, Umschläge hochzuschleudern, unter denen sehr selten einer ist, dessen Format oder Farbe anzeigen, daß er kein amtliches Schreiben enthält. Jetzt zwei auf einmal, einer fliederfarben, der andere mit einem Regenbogen auf grauem Grund. Ich bücke mich, finde sie ohne Mühe am Rand der knöchelhohen Papierspreu wieder, will nach ihnen greifen, da stellt sich ein brauner Schuh mit dicker Sohle vor meine Hand.

– Wer hat Sie befugt?

Sächsischer Akzent, die Stimme knarrt. Die Hosenbeine sind von dunklerem Braun als die Schuhe und unverkennbar aus diesem blanken einheimischen Stoff, einst präsentiert als siegreiches Erzeugnis, Geburtstagsgabe für die zwanzigjährige Republik, Gewebe, das sich vollsog mit dem Geruch von Schweiß und Nikotin, dem Versammlungsmief der mittleren Jahre, als es aufwärts ging, Kühne sich für zivile Anlässe den dunkelbraunen Anzug angeschafft, an seinem Revers das Abzeichen der herrschenden Partei befestigt hatte, ein guter Kauf. Die Hose ist immer noch als Arbeitskleidung brauchbar, wenn sie auch Staub und Fusseln anzieht, man sieht es aus der Nähe deutlich. Ich tue, als bemerke ich nichts, fahre mit beiden Händen knapp an den Schuhen vorbei weiter durch Papier, dessen Geruch mich abschirmt vor fremder Ausdünstung.

– Ich kann Sie nicht riechen, sage ich zu den klobigen Schuhen, den Beinen der Präsent 20-Hose.

Dann höre ich den Befehl: Aufstehen! und weiß, als Nächstes kommt: Und zwar ein bißchen plötzlich, oder soll ich nachhelfen?

Darauf ich: Sie haben mir nichts zu befehlen und nichts zu helfen, wer sind Sie eigentlich, und spüre, wie Kühne sich in Positur stellt.

– Ich bin der Hausmeister von diesem Objekt, ich werde Sie anzeigen wegen vorsätzlichen Verstoßes gegen die Haus- und Hofordnung, sagt er.

– Und wegen Widerstandes gegen die Staatsgewalt, sprechen Sie es ruhig aus, wir sind unter uns, sage ich.

Das geht so eine Weile hin und her. Ich bleibe am Boden und sehe nicht hoch und halte dem Hausmeister vor, daß er mich verjagen möchte, nur um selber ungestört zu wühlen, nicht in wertlosem Papier, sondern nebenan, im allgemeinen Müll, wozu sonst die großen Säcke.

– Die sind mir seit geraumer Zeit schon aufgefallen, sage ich, und nicht mir allein, es interessiert eine ganze Reihe von Einwohnern, was mit den abgeschleppten Dingen geschieht und übrigens auch, bei wem der neue Hausmeister früher für Ordnung und Sauberkeit gesorgt hat.

– Sieh mal an, auch noch frech werden, drohen wollen Sie mir, habe ich mir gleich gedacht, daß Sie zu denen gehören, die Sorte kenne ich, die rieche ich zehn Meter gegen den Wind, aber aus der Traum, sagt Kühne mit erhobener Stimme, ihr könnt mir gar nichts, jetzt herrscht der Rechtsstaat, darum zum letzten Mal, wer hat Sie befugt? Sie sagen nichts? Also niemand, war ja klar. Und jetzt räumen Sie endlich das da weg, mit den Händen, jawohl, und ich bleibe hier stehen, bis der letzte Schnipsel verschwunden ist, bis es so sauber ist, daß man vom Boden essen kann, das ist ein Befehl, haben Sie mich verstanden? brüllt Kühne, wie ich mir sein Brüllen immer vorgestellt habe, hör dir das an, Norma, bestimmt schallt es bis ins Nebenhaus, du wolltest es ja nicht glauben, ich habe ihn überführt.

Ich richte mich auf und sehe vor mir das rotangelaufene Gesicht, das ich nicht mehr sehen will, und stülpe schnell die halbvolle Plastiktüte über Kühnes Kopf, der sich für Augenblicke in einen rutschenden, sacht zerflatternden Papierhügel verwandelt.

Die Briefe von Claire Griffith stecken, zweimal gefaltet, in den sorgfältig aufgeschlitzten Luftpostumschlägen. Nur selten sind die Marken herausgeschnitten, verschenkt an wer weiß welchen dieser Auszeichnung würdigen Empfänger, einen Mann, denke ich, weil ich keine briefmarkensammelnden Frauen kenne. Wer aber wäre in Frage gekommen, nachdem die Ersehnten schon im ersten Krieg gefallen waren, verschollen oder fortgeblieben, so daß Clara Lentz, seit zehn Jahren verheiratet, ihre Hoffnungen für die Freundin schon abbaute und der bald Vierzigjährigen im Dezember 1936 schrieb: *Habe immer gedacht, meine Minni wird mir bald eine Verlobungsanzeige schicken, aber Kuchen, na hast ganz recht, denn auch verheiratet sein hat seine Wenn und Aber, man fühlt gut, wenn man durch ist, aber bis man durch ist, so ich weiss nicht einmal, ob Du so viel vermisst. Vielleicht kommt noch mal einer mit viel Geld, ich wünsche es Dir von ganzem Herzen, bei Mutter und Elle ist es auch sehr schön, Du bist immer geborgen. Was sagst Du zu dem König Eduard, ich glaube die Königin Mutter ist mehr in Sorge als wir jemals waren, auch Königinnen haben ihr Päckchen.*

– Mit der möchte ich nicht tauschen! rief Frau Klarkowski.

Immer laut, die Stimme schrill und der Hals gereckt,

wenn sie sprach. So glich sie einem Hahn. Ihre kleinen, festen Locken metallisch rot, dunkelrot der schmale Mund, Kleidung in den Schockfarben einer früheren Mode, üppige Ohrringe und Broschen, Schuhe mit hohen Hacken – ein funkelnder Dragoner, stellte die Umgebung in den Schatten, die schmächtige Traute Müller allemal, außer wenn sie Streit hatten.

– Verglichen mit der Queen, rief Frau Klarkowski schräg nach oben, geht es uns richtig prima.

– Der Teufel scheißt eben auf den größten Haufen, rief Frau Müller nach unten, willste nicht raufkommen, auf ne Tasse Kaffee?

Frau Klarkowski packte die Einkaufstüten, zwischen denen sie stand, und verschwand im Aufgang E. Den Kaffee mußten sie herunterspülen, nicht mit diesem klebrigen Zeug für Kränzchenschwestern, mit ein paar Klaren oder Braunen, was gerade da war, und irgend etwas war immer da. Ging es ihnen nicht prima, in Müllers Wohnstube am offenen Fenster, Lüftung mußte sein, sonst hielt man es in dem Qualm ja nicht aus, die Bude blau in Nullkommanichts, vor allem, wenn Harry da war, der rauchte wie ein Weltmeister.

– Denn, sagte Frau Müller, die Entziehung war bloß für den Alkohol, und trocken ist er seitdem, unberufen, aber ein Laster darf der Mensch wohl haben.

– Sag ich auch immer, sagte Frau Klarkowski, wir sind alle keine Engel, nein, sind wir nicht.

Friedlich waren sie, zwar laut und lauter, doch kündigte keine Hexe, Schlampe, Eule, Spinatwachtel, Gewitterziege den Beginn eines ihrer Gefechte an, bei denen die Fetzen flogen und die Fronten sich laufend verschoben, wenn Harry Müller dazukam als gemein-

138

samer Feind, als Einzelgegner von Traute, als Verbünde-
ter von Klärchen gegen Traute oder von Trautchen
gegen Klara, die eigentlich Elli hieß, in den Kämpfen
aber Käte, Trine oder Tusnelda, Traute dafür unabän-
derlich doofes Lieschen, Lieschen Müller, bei Versöh-
nungsfeiern mit Musik jedoch bella, bella, bella Marie,
in schmetterndem Sopran, der plötzlich alles übertönte,
auch den Sänger Schuricke, und die rote Sonne aus
dem Meer bei Capri wieder hochholte, daß sie über den
beiden Hoheiten leuchtete, stellte ich mir vor: Maria
und Elisabeth, die einträchtig nebeneinander standen,
kerzengerade, als drückte sie kein familiäres Päckchen
und nicht die Bürde der Macht. In blinder Rotation war
sie auf ihren Schultern gelandet, so wie sie jeden treffen
konnte, eines Tages die Köchin Klarkowski getroffen
hatte und, gleich neben ihr, die Hausfrau Müller, Staatsmann nun auch sie, zum Zeichen der Amtsausübung in
weißen Handschuhen, wenigstens das, aber ohne Krone, weil die vertrottelten Vorgänger, so einsam sie vor
sich hinregierten, nicht daran gedacht hatten, endlich
die Monarchie auszurufen, sondern dieses Rotationssy-
stem weiterschleppten mitsamt dem Namen Volksde-
mokratie, wie es in den unantastbaren Schriften stand,
das mit der regierenden Köchin auch. Also mußte Frau
Klarkowski daran glauben und übernahm die Macht,
aber nur, wenn Trautchen mitmachte. Na schön, zwei
Frauen an Stelle eines Mannes, das ging ungefähr auf
und bot keinen Anlaß, gegen Doppelherrschaft einzu-
schreiten. Sie konnten sich die Arbeit teilen, füreinander einspringen, wenn eine von ihnen zu Hause unabkömmlich war oder etwas Wichtiges vorhatte, das
Leben ging schließlich weiter. Und scherte sich nicht

darum, wessen Konterfei in den öffentlichen Gebäuden hing, obwohl, für einen Augenblick hatten alle hingesehen und sich gefreut, ein erfrischendes Bild, die beiden Frauen mit der neuen Dauerwelle, mal was anderes nach all diesen Stirnglatzen, die man kaum noch auseinanderhalten konnte, freilich, am System würde sich nichts dadurch ändern und hätte sich doch etwas geändert, wäre es ihnen gelungen, die Monarchie einzuführen. Was schon daran scheiterte, daß die Krone nur einer von beiden gehören konnte. Harry Müller, stellte ich mir vor, hätte sich im Streit der Frauen um den künftigen Thron wetterwendisch verhalten wie sonst auch, bei Gelegenheit erklärt, in sämtlichen Aufgängen unterstützte man die Kandidatur von Trautchen und seine Königin sei sie sowieso, dann wieder gewarnt, wenn es mal anders käme, wen würden sie zuerst aufknüpfen, also lieber im alten Pißpott, aber am Leben bleiben, als zu hoch hinaus. Da konnten sie nur zustimmen. Geht es uns nicht prima im Vergleich mit der Queen, und in der Welt rumfahren können wir jetzt auch, nur wir zwei beide, unsere Harrys lassen wir hübsch zu Hause, ja, darauf Prost und nächstes Jahr nach Capri, bella, bella, bella Marie.

Ich müßte darauf achten, wenn ich dann noch hier bin, ob sie im nächsten Jahr mal fort sind. Vielleicht ein freischwebender Plan, diese Reise nach Italien, einer von früher, als noch die Erfüllung solcher Wünsche nicht wirklich vorstellbar und die lebenslängliche Nichtverwirklichung unausdenkbar war, weswegen die erste Amtshandlung von Königin Maria oder Elisabeth ein Dekret über die Freilassung aller hätte sein müssen. Aber nun war die Mauer auch ohne ihr Zutun verschwunden, gerade noch zur rechten Zeit für Traute und Elli, am Beginn eines vorgezogenen Rentenalters und mit Altersübergangsgeld in der Tasche, nicht viel, gewiß, doch als Zahlungsmittel überall akzeptiert, auch in den besten Kaufhäusern der Welt.

Bitte, liebe Minnie, finde das aus, ob Ihr ein Konto im K.D.W. haben könntet und könntet Ihr da Bestellungen machen, wenn ich jeden Monat dort Geld hinsende, ich mache einen account auf in Eurem Namen; dann könntet Ihr Euch Lebensmittel etc. etc. oder was Ihr braucht an anderen Sachen bestellen, ich möchte Euch so gern ein T.V. (Fernseher) schenken, womit Ihr Euch ein wenig unterhalten könnt, es hilft sehr viel oder ist das auch verboten, Radio auch? Es hilft viel, wenn man alleine ist, schreibt Claire Griffith nach dem Tod ihres Mannes, im Sommer 1979, als für mich und für Johannes feststand, daß den Schwestern König durch nichts zu helfen war.

Trübsinnig, trist, traurig, trostlos, ein Dasein ohne Aussicht auf Besserung, nur noch beschwerlicher konnte es werden, immer näher an Krankheit, Tod und Einsamkeit, dem Verlust des einzigen Haltes: *Ihr seid zwei und habt Euch gegenseitig,* auch wenn Minna schon tagelang abwesend war, nicht mehr sprach, auf dem kleinen Sofa saß und geradeaus starrte, in die vergilbten Gardinen. Hin und wieder ein Brief mit schlechten Nachrichten nach Kalifornien, zu Claire-im-Glück, die es richtig gemacht hatte und dafür belohnt worden war mit Mann und Tochter und Haus und Hund und guter Ernährung in einem reichen Land, jenseits von Krieg und Kälte, zu Claire, die ihnen seit dem Sommer 1962 wieder regelmäßig schrieb, sich aus weiter Ferne zurechtfragen mußte: *Schreibt mir recht bald mehr von Euch oder wird es censiert? Dürft Ihr telefonieren oder was? Wie sind*

die Lebensmittel bei Euch? Habt Ihr russisches Geld? und die
Freundin ermahnte, auf die Fragen zu antworten, überhaupt mehr zu erzählen von ihrem täglichen Leben:
Also Herzchen, nehme Dir Deinen Maulkorb ab und setze Dich
hin und schreibe mir all Deinen Kummer und auch Freuden, wie
Claire selbst es tat. Mit gutem Beispiel ging sie voran,
schilderte die Lage des Hauses hoch über dem Pazifik:
Wenn ich im Wohnzimmer stehe, dann denk ich immer, daß ich
in einem großen Boot lebe, weil man kein Land sehen kann und
alles nur Glasfenster bis zum Fußboden von der Decke und
berichtete, wer zu Besuch war, im Oktober 1962 ein
Wasserfall namens Ethel Zwick: *10 Leute haben sie gebracht*
und 8 haben sie abgeholt. Ethel spricht gern von vergangenen
Tagen und sie kann es durch die ganze Nacht tun, bin froh, ich
habe mein eigenes Schlafzimmer und auch Badezimmer, sonst
würde der arme Paul verrückt geworden sein. Ethel ist ein lieber
Mensch, nur sehr verwöhnt, sie ist gefüllt mit Geld und sie kann
alle Puppen tanzen lassen, wenn sie will. Aber nicht mit mir und
sie weiß das auch, sie ist sehr kusch, wenn sie mit mir ist. Sie war
eifersüchtig, weil ich so viel von Euch gesprochen habe, endlich hat
sie begriffen, daß Ihr wie Schwestern für mich seid. Zugleich
aber Sorgenkinder, denen mit Päckchen, mit Geld und
gutem Rat zur Seite zu stehen war.

So klingt es durch alle Briefe, erleichtert nicht einer
und nirgends ein Anzeichen, daß Minna König, außer
über Krankheit und Entbehrung, von ihrem täglichen
Leben erzählt hätte, dem Beispiel der Freundin folgend,
diesem unerreichbaren, denn was auch hätte sie schildern können. Den Blick auf Mauern etwa und Fenster, die
Enge der Wohnung, in der niemand ein Zimmer für sich
hatte, den eisernen Ausguß in der Küche, fließend kaltes
Wasser immerhin und eine Innentoilette, zum Kochen

ein Kohleherd – eine Kochmaschine, hätte sie schreiben
müssen, und Claire wäre gerührt gewesen, weil es sie an
die Jugend erinnerte, und besorgt, ob sie genügend Holz
oder Kohlen hatten, genug natürlich nie, nur soviel es auf
Karten gab. Da mußten sie sparsam umgehen mit ihrem
Schatz im Keller und waren schon froh, als sie sich eines
Tages einen Gaskocher mit zwei Flammen leisten konnten, keinen elektrischen Koch- und Backofen, wie Claire
ihn besaß und für sie fotografiert hatte, ein hochbeiniges
Schmuckstück mit eingebauter Uhr irgendwo: *Paul hat
Maisbrot sehr gerne, so habe ich eins im Ofen und wenn es klingelt
am Ofen, dann muß ich rennen und es rausnehmen,* rennen
durch ein Haus mit zwölf Zimmern, weite Wege, freilich
nicht so weit wie der Weg der Schwestern König in den
Keller oder zu den Mülltonnen, drei Stockwerke hinunter, schräg über den kahlen, häßlichen Hof, von dem
Claire keine Vorstellung hatte in ihren patios, ihrem
Garten mit Treibhaus und Kräuterbeet, auf einem
Grundstück, das Minna und Ella sich nicht vorstellen
konnten, so groß und steil war es und mußte zweimal die
Woche bewässert werden von einem Schwarzen, den
Claire den Blitzjungen nannte: *So langsam spricht er und
arbeitet auch, aber essen wie der Blitz,* worüber sie bestimmt
lachten.

Ein Lichtblick jedesmal, diese Luftpostbriefe, und
nichts Glänzenderes in der Posttasche, damals, als die
großen Ansichtskarten aus Laguna Beach, die der Brief-
träger oder später die Postzustellerin betrachteten, vielleicht auch lasen, bevor sie sie in Königs braunen
Blechbriefkasten zwängten, der meistens leer blieb, in
dem niemals eine Zeitung steckte und, wie bei allen
anderen auch, kein Superangebot, keine Aussicht auf

Traumreise, Traumauto oder Traumhaus, nichts Buntes, das vom Goldregen für eine glückliche Gewinnerin berichtet, die sprachlos das viele Geld in Händen hält und hatte nichts dafür getan, als ihren Gewinn-Anforderungs-Schein einzusenden. Blaß und mager der Inhalt der Briefkästen bei uns, damals, als die Ämter wenig, die Geschäfte gar nichts mitzuteilen hatten. Zu Veranstaltungen wurde mitunter auf Handzetteln eingeladen, die mühselig zu entziffern waren, letzter Durchschlag oder verblaßter Abzug, als stammten sie von mittellosen Organisationen in der Illegalität, die den Postweg umgehen und Verteiler losschicken mußten, immer dieselben, bei deren Anblick, spätestens, der Gedanke an Konspiration verschwand und die Frage auftauchte, was sie einander so ähnlich machte, diese Abgesandten der Kirchgemeinde und der Volkssolidarität. Vor zehn, fünfzehn Jahren konnte man ihnen hier begegnen, wenn sie Einladungszettel in die Briefkästen verteilten, mit Sammelbüchse – Frau Mertens – oder Spendenliste – Herr Bärwald – unterwegs waren für die Innere Mission oder für unsere Veteranen. Frau Mertens war sicher erfolgreicher, weil man ihrem Auftraggeber und der Ankunft des Geldes dort, wo Hilfe nottat, vertrauen konnte. Im Hinblick auf die Organisation von Herrn Bärwald, nichts gegen ihn persönlich, erschien jedoch Kontrolle statt Vertrauen angebracht, und weil sie nicht möglich war, dachten wohl die meisten, keinen Pfennig für die da. Eine verschwindende Minderheit sah es genau umgekehrt, das kleine Mittelfeld spendete nach beiden Seiten, in gutem Glauben an die guten Zwecke sowie an bestimmte Reste von Redlichkeit.

Und war es denn ein Fehler?

Wen interessiert das noch, sagt im Vorbeigehen Harry Müller, und Trautchen sagt: Eure Probleme möcht ich haben, falsch gespendet oder richtig, war doch bloß Spielgeld und ist längst durch den Schornstein.

Aber der Diskussionsrunde kommt es nicht auf die Summen an. Wir reden hier nicht von Entschädigung, sagt einer, sondern über Verfehlung und Verstrickung.

Die Worte klingen eigenartig in unserem Hof, wo Versammlungen unüblich sind, selbst an geschichtlichen Wendepunkten nicht stattgefunden haben. Diese hier muß einem Zufall entsprungen sein, dem Stehenbleiben von zwei, drei Leuten auf dem Weg nach Hause, der Neugier von ein paar anderen, die wissen wollen, warum die ersten da stehen, und fertig ist die Ansammlung, nichts Besonderes, doch an dieser ist irgend etwas seltsam.

Ich gehe näher heran, da wird es mir klar: Erwachsene wie bei einem Kinderspiel, alle im Kreis und einer in der Mitte.

– Guten Tag, Herr Bärwald, sage ich durch die Lücke zwischen Herrn Neumann und einer fremden Frau, lange nicht gesehen, ich dachte schon, Sie sind ... Wirklich schön, Sie wiederzusehen, ganz unverändert in all den Jahren, ich habe Sie gleich erkannt, wir sind uns früher manchmal begegnet, im Aufgang B, ein Stockwerk über den Schwestern König, die sind vor zehn Jahren gestorben, vielleicht erinnern Sie sich noch, immer die Kette vor, und ließen niemand in ihre Wohnung, nur den Arzt, den Pfarrer, die Gemeindeschwester und mich, ja, und Frau Mertens, weil die von der Kirche kam, von der richtigen Seite sozusagen, hoffentlich hat es Sie nicht gekränkt, war bestimmt nicht persönlich gemeint.

– Nun seien Sie mal still, und stören Sie nicht die Verhandlung, sagt Neumann.

Die fremde Frau erklärt ihm, dies sei kein Gericht, sondern ein Gesprächskreis. Herr Bärwald, der kurz den Kopf gedreht hat, sieht wieder zu Boden, ob beschämt, bekümmert, verlegen oder nachdenklich, kann ich nicht erkennen. Die Diskussion geht weiter und berührt das Problem der objektiven Schuld.

– Halten wir fest, sagt jemand, daß guter Glaube keine Entschuldigung darstellt für Handlungen, die objektiv dem Unrecht gedient haben.

– Jawohl, wäre eine bequeme Ausrede für all diese Täter, die man auf deutsch Verbrecher nennen sollte.

– Nun bleiben Sie mal auf dem Teppich! Da müßten Sie ja jeden, der hier gearbeitet, Steuern gezahlt, zum Bevölkerungswachstum beigetragen hat, letztlich als Verbrecher bezeichnen.

– Vorsicht, antworten Sie jetzt nichts, denn mit solchen Spitzfindigkeiten versuchen die Anhänger des alten Regimes immer wieder, in den Reihen ihrer Gegner Verwirrung zu stiften.

– Ich – ein Anhänger? Bei Ihnen piepts wohl, außerdem, so wie Sie reden, na, die Sprache kommt mir ziemlich bekannt vor, wer weiß, auf welchen Schulungen Sie die gelernt haben.

– Was tut das hier zur Sache? Nicht die Form, der Inhalt ist ausschlaggebend.

So kann man das heute nicht mehr sehen, würde ich sagen, trotzdem, ich stimme Ihnen zu, was uns hier beschäftigt, sind nicht Formfragen, sondern Fakten, Schuld oder Unschuld dieses Bürgers hier.

– Uns, wieso uns?

– Ist doch Schnee von gestern, Volkssolidarität und dergleichen, ich dachte schon, ihr habt einen von denen erwischt, die jetzt den Leuten ihr bißchen Geld aus der Tasche ziehen, einen echten Betrüger, nicht so ein harmloses Würstchen wie den da, jenseits von Gut und Böse, sieht doch jeder.

– Ich nicht, sagt Neumann.

– Ganz recht. Als würde es nach dem Aussehen gehen. Da könnten Sie die Rentnerriege, die uns den ganzen Schlamassel eingebrockt hat, glatt wieder an die Macht holen.

– Soweit kommts noch!

– Also, mir ist dieses Gerede echt zu blöd.

– Mir auch, und es ist immer dasselbe, die Kleinen hängt man, die Großen läßt man laufen, besten Dank, ohne mich, sagt der Klempner Behr und geht mit seinem Schwiegersohn davon, in den zweiten Hof, wo die Schildermaler beim Bier sitzen in der sonnigen Gartenecke.

Der erste Hof liegt im trüben Licht der Wintermonate. Dabei ist Sommer, ich sehe es an der Kleidung der Umstehenden, an frischer Farbe auf ihren Gesichtern, rundum Kontraste zur Bleichheit von Herrn Bärwald, der Ende siebzig sein muß. Wer weiß, wie lange er schon dort steht, wie aufgehalten auf dem Weg zur Kellertreppe, auf der Flucht vielleicht, denn er wohnt nicht in unserem Haus und kann in keinem der Keller etwas zu suchen haben außer ein Versteck, aber gehetzt oder ängstlich wirkt er nicht, die Gruppe um ihn nicht bedrohlich, ausgenommen Herrn Neumann, die fremde Frau und auf der anderen Seite ein Paar in mittlerem Alter, das ich vom Sehen kenne, wie die meisten anderen auch. Nur wenige unter ihnen können Herrn Bärwald begegnet sein, als er hier Einladungszettel in die Briefkästen verteilte und mit Spendenlisten unterwegs war noch zu Lebzeiten der Schwestern König, denen er in seiner Stummheit und Blässe nun näher steht als den Umstehenden, einem gesprächigen, am Außenrand rasch wechselnden Kreis.

Die fremde Frau sieht Herrn Behr und seinem Schwiegersohn nach und sagt: Weglaufen war noch nie die richtige Lösung.

– Aber fortgehen, ruft jemand, und zwar beizeiten, sonst gehört man eben zum dämlichen Rest, der alles schluckt und es hinterher ausbaden muß wie wir, die wir hier stehen.

– Sie vielleicht, wir nicht, wir waren auf der Straße, damals im Herbst.

– Und heute sitzen Sie bald dort, haha, oder etwa fest im Sattel?

– Auf der Gewinnerseite?

– Und immer noch im Hinterhof?

– Können Sie sich was Besseres leisten, bei den Mieten heutzutage?

– Und einem Berg Schulden, nehme ich an, weil es gleich ein Audi sein mußte, funkelnagelneu, ich dachte, ich seh nicht richtig, aber so ist es eben, über die Verhältnisse leben und immerzu meckern, genau wie früher, nur gab es da genügend Grund.

– Jetzt wohl nicht? Sie machen mir Spaß, endlich mal einer, der mit allem einverstanden ist, Kohl-Wähler, was?

– Ruhe, sagt Neumann, wir sind nicht zum Quasseln hier, schließlich geht es um die Schuld dieser roten Socke da.

– Keine Vorverurteilung, sagt das streng aussehende Paar wie aus einem Mund.

Die fremde Frau fügt hinzu: Daß Sie nicht begreifen, wozu wir zusammengekommen sind. Nicht richten wollen wir, sondern die Vergangenheit bewältigen, das heißt Erinnerungsarbeit leisten, die eigene Geschichte aufarbeiten, und dazu gehört die Einsicht in Irrtümer, in schuldhaftes Verhalten, bei jedem von uns.

Der Kreis strudelt und drängt auseinander, verengt sich dann, sechs sind geblieben, Herrn Bärwald eingeschlossen, dem ich nun gegenüberstehe. Ich frage ihn, ob er nicht auch nach Hause möchte. Er sieht mich an, als habe er die Frage nicht verstanden. Ich frage noch einmal, und wieder sagt Neumann, daß ich die Verhandlung störe.

– Jetzt reicht es aber, sage ich zu ihm. Wenn hier jemand in die Mitte gehört, sind Sie es, Sie Anscheißer, jawohl. Beweise? schreie ich, was scheren mich Beweise, wenn ich über Sie Bescheid weiß, dreimal dürfen Sie raten, durch wen. Ich habe nämlich etwas, das es für Sie unter Garantie nicht gibt, eine Opferakte. Da staunen Sie, nicht wahr, und wollen um alles in der Welt erfahren, was über Sie drinsteht, aber natürlich sind Sie der Letzte, dem ich es sagen würde. So. Und selbst wenn Sie ein Opfer wären mit neunundneunzig Aktenbänden, würde ich Sie fürchten, wie ich Sie immer furchtbar gefunden habe, und bei weitem nicht ich allein.

– Aha, sagt das strenge Paar, deshalb haben Sie mit Ihrem Ausbruch gewartet, bis die meisten fort sind.

Auch Neumann will etwas sagen. Ich lasse ihn nicht zu Wort kommen.

– Eine Schande ist es, diesen alten Mann zu quälen, der überzeugt war, einem guten Zweck zu dienen, sich dafür den Feierabend um die Ohren schlug, während Sie und Ihresgleichen längst in der Kneipe waren oder vorm Fernseher, wo Sie in der Tat wenig Schaden anrichten konnten. Höchst verdienstvoll, aber es zahlt sich nicht so recht aus in der neuen Ordnung. Deshalb muß man sich ein bißchen entschädigen durch eine Veranstaltung wie diese, die kein Gericht sein soll, leider, denn wäre sie es, hätte der Angeklagte immerhin einen Verteidiger, hätte eine Beweisaufnahme stattgefunden, um die sich hier kein Mensch schert, wäre man weniger fahrlässig bei der Wahrheitsfindung als in diesem sogenannten Gesprächskreis, daß ich nicht lache. Kreis schon, doch in der Mitte ein Sündenbock, den irgendjemand hergezerrt hat, mit Sicherheit Sie selbst, schreie ich, und meine Stimme schallt aus dem Hof, auf die Straße, bis ins Nebenhaus, hör dir das an, Norma, du wolltest es nicht glauben, ich setze mich ein für Wahrheit und Gerechtigkeit.

Die fremde Frau schüttelt den Kopf, daß ihre Haare fliegen, sich entfalten zu einer knisternden Mähne, und sagt zu mir mit Normas Stimme: Schluß jetzt, wir sind nicht im Theater. Noch nie haben Sie sich für irgend jemand oder irgend etwas wirklich eingesetzt, nur so getan als ob, um anderen zu gefallen, um Ihre abgrundtiefe Teilnahmslosigkeit zu verdecken, aber ich lasse mich von Ihnen nicht täuschen, sagt die Frau mit Normas Stimme und fordert mich in aller Entschiedenheit auf, hier nicht länger zu stören.

– Bravo, sagt Neumann.

Das streng aussehende Paar erklärt, ich befände mich

im Irrtum. Niemand habe Herrn Bärwald in diesen Hof gezerrt, die Versammlung sei auf seinen Wunsch hin zustandegekommen, wie ich am Mitteilungsbrett hätte lesen können.

– In meine Sprechstunde ist ja keiner gekommen, murmelt Herr Bärwald.

– In was für eine Sprechstunde? frage ich.

– Sie laufen wohl mit Scheuklappen durch die Gegend, sonst wären Sie die Erste gewesen, die bei der roten Socke auf dem Sofa gesessen und sich Märchen angehört hätte, allerdings auch die Einzige. Wer außer Ihnen hat soviel Zeit für Blödsinn übrig? Jawohl, ich weiß Bescheid über Sie, ständig dieses Gevögel, und das in Ihrem Alter, sagt Neumann.

– Niemand ist gekommen, sagt Herr Bärwald wieder, da habe ich an eine Versammlung im Freien gedacht, denn ohne Beteiligung des Kollektivs kann Kritik und Selbstkritik nicht gedeihen.

Sie werden ihm gleich die Wörter verbessern, denke ich, aber was kümmerts mich, ich gehe. Ich habe genug, dies ist meine letzte Versammlung gewesen, die allerletzte, das schwöre ich. Sie hat so wenig gebracht wie ihre ungezählten Vorgängerinnen, noch weniger als sie, weil niemand hier ist, mit dem ich hätte schwatzen können, mich lustig machen wie früher über unsere Verwandlung in lächerliche Figuren an langen Tischen, in geschlossenen Räumen, wo die Luft immer schlecht wurde, auch bei Rauchverbot, und das Licht meistens künstlich war. Versammlungen begannen nach Arbeitsschluß, was sie nicht hinderte, sich in die Länge zu ziehen, als wären sie ein Vergnügen gewesen, oder weil sie es für einige sogar waren. Die ließen sich durch

Referate, Rechenschaftsberichte und durch die Serie vorbereiteter Diskussionsbeiträge nicht einschläfern noch entmutigen, stürzten auf die Phantome kritischen Denkens oder ehrlicher Überzeugung zu und nahmen sie für echt, flößten durch diesen Irrtum erst den Schattengefechten einen Hauch Leben ein, der die gelangweilte Mehrheit für Augenblicke erlöste und eine Ahnung hinterließ, wie unsere Versammlungen hätten sein können, wären sie das gewesen, wofür wir sie halten sollten, denke ich, schon vor der Tür zu unserem Aufgang.

Ich drehe mich um zu einem Abschiedsblick auf meine letzte Versammlung. Der Hof liegt im trüben Licht der Wintermonate, als habe es sich zwischen den hohen Hauswänden gestaut für alle Zeiten. Ich sehe den alten Mann, grau und bleich inmitten von sommerlich bunten Gestalten, unter denen niemand ist, mit dem ich schwatzen, Zettelchen oder Blicke tauschen könnte wie damals mit den Kollegen Simon und Köhler, bevor plötzlich zwischen ihnen Emilia auftauchte im grünen Seidenkleid und mir zuzwinkerte. Daß sie jetzt fortbleibt, obwohl sie mir durch den Kopf geht, erleichtert mich. Kein Ort für sie, dieser Hof, keine Gesellschaft für sie, diese Fünfergruppe, in der eine Frau mit gestohlener Stimme das große Wort führt, gegen mich geführt hat, als würde sie mich kennen, als habe sie Norma nicht nur Kopfbewegung und Stimme, auch die Gewißheit entwendet, über mich Bescheid zu wissen.

Mach dir nichts draus, hatte der kleine Köhler auf dem Weg zur Kneipe gesagt, und ich weiß nicht mehr, was es war, woraus ich mir nichts machen sollte, irgendeine Lüge, Demütigung, Drohung, Zurechtwei-

152

sung, ein Lebenszeichen aus dem Bereich der unverbesserlichen Macht, unter der wir uns meist wegducken konnten, die wir hinterrücks verspotteten. Von Herzen gehaßt hatten wir sie nicht, wir wußten nur, daß sie hassenswert war, zwar früher und anderswo furchtbarer als hier und jetzt, doch zum Fürchten immer noch. Von Zeit zu Zeit erinnerte sie uns daran, wenn wir gerade dabei waren, sie kaum mehr zu spüren und daraus zu folgern, sie habe sich mit zunehmendem Alter gebessert und werde eines fernen Tages vielleicht noch mild und weise. Was sie bei Gelegenheit richtigstellte, damit wir nicht übermütig wurden, nicht vergaßen, mit wem wir es zu tun hatten, und sie sich mit den wenigen befassen konnte, die ihr entschlossen die Stirn boten, an die Leute wie der kleine Köhler und ich allenfalls tippten. Wir fügten uns im Bewußtsein prinzipieller Ungefügigkeit, darüber sprachen wir untereinander, bestätigten und bestärkten uns, auch auf Zettelchen während der Versammlungen oder mit Ermutigungssprüchen hinterher, beim Bier, wenn das Erlebte noch einmal durchgenommen und die Grenzen wieder abgesteckt wurden zwischen uns und den anderen. Ihren Veranstaltungen sahen wir innerlich gefestigt entgegen und wohnten ihnen in vertrauter Gespaltenheit dann bei.

Im tiefsten Grund teilnahmslos, sagt die Frau, die mich durchschaut haben will. Meinetwegen. Soll sie von mir halten, was sie will. Sie kann mir nichts anhaben mit ihrer Meinung, auch wenn sie hier als Versammlungsleiterin auftritt. Ich bin das letzte Mal dabeigewesen. Es fehlen die Kollegen von früher. Es gibt den Druck nicht mehr, der uns zusammenhielt.

Wer ist denn übriggeblieben? Ein klägliches Häuflein. Alle anderen auf und davon, als die Frau erklärte, wozu man zusammengekommen sei, Einsicht in Irrtümer, schuldhaftes Verhalten bei jedem von uns, da lief der Kreis auseinander, ließ sich von ihr nicht halten. Sie versuchte es nicht einmal. Keine Macht über die anderen, keine Macht hinter sich, das ist ganz klar. Aber warum hatte sie es auf mich abgesehen?

Jetzt liegen ihre Haare wieder eng am Kopf, ihre Stimme klingt anders als vorhin, schon, weil sie leise spricht, wie die übrigen auch, bis auf Neumann, der von Natur aus brüllt. Eine fremde Frau. Was hat sie mit mir zu tun? Woher kennt sie Normas Kopfschütteln und ihre Vorwürfe gegen mich, die sie noch zugespitzt hat? So weit ist Norma nie gegangen, selbst im Zorn nicht, mich festzunageln auf einen Grundmangel. So weit dürfte sie nicht gehen. Das immerhin hat die fremde Frau mir deutlich gezeigt. Hätte sie mich zurechtgewiesen mit einer Bemerkung über Selbstgerechtigkeit, mit der Frage etwa, woher ich die Gewißheit nähme, unter keinen Umständen fähig zu sein zum Verrat, ob ich die Hand für mich ins Feuer legen könne, hätte ich Nein gesagt und von meinem Streit mit Norma erzählt und zugegeben, daß ihr Zögern, ihre Antwort, damals vor drei Tagen, nicht falsch gewesen sind. Das sähe ich inzwischen ein, es erleichtere mich geradezu, denn es bedeute Zukunft für unsere Freundschaft – das passendere Wort, hätte ich leise zu der Frau gesagt, möchte ich, wie Sie gewiß verstehen, hier in aller Öffentlichkeit nicht aussprechen –, von der ich wünsche und hoffe, sie währt so lang wie unser Leben.

Liebste Minnie, vielleicht hatten meine letzten Zeilen einen lakonischen Unterton und ich bitte um Verzeihung: 'Und wenn ein Freund Dich kränkt, verzeih ihm und versteh, es ist ihm selbst nicht wohl, sonst tät er Dir nicht weh.' Das ist der Weg, wie ich fühle im Moment. Die Range ist wie ein Segen, er sagt, er fühlt wie ein Sohn zu uns; denn er hat niemals ein Heim kennen gelernt, seine Eltern waren geschieden. Nun meine liebe gute Minnie, Deine Augen sorgen mich sehr, ich kann es garnicht verstehen, warum die Operationen Dir nicht geholfen haben, vielleicht mit der Zeit wird sich der Zustand verbessern, denn die Augennerven werden kräftiger. Schone Dich nur sehr, denn Ruhe tut Wunder. Mein Wunsch ist, ich könnte mir mehr gönnen, aber mit all dem, was ich zu tun habe, ist es almost unmöglich. Will diesesmal nicht ausführlich auf alles eingehen, bis ich weiß, ob diese Post ankommt, und wenn, hoffe, ich lebe so lang. Scherz beiseite, dem armen Paul sein 78. Geburtstag war ein sehr ruhiger, habe, wie immer, für seinen Frühstückstischplatz einen Blumenkranz um den Teller gemacht und Tanny hatte eine kleine Gabe in ihrem Schnäuzchen und ich hatte ihm einen Kuchen gebacken. Phyllis und die Kinder waren am Nachmittag zum Kaffee hier und er war sehr froh darüber. Nun, 2 Wochen von jetzt ist hier Vatertag und Phyllis hat etwas für ihn geplant; er ist jetzt der einzige Großvater in der Familie, denn Bobs Vater ist tot. Ach Minnie & Elle, ich habe Eure Pfingstkarte vor mir und wie schön und erfrischend der Gedanke an Pfingsten zu Hause immer war, Frühconzerts, Maien & Kalmuspiepen, ach goldene Kindheit und so weit, weit zurück.

Achtzig, neunzig Jahre inzwischen, und weit und breit niemand mehr, sogar Herr Bärwald zu jung, denke ich, um sich an dieses Pfeifen oder Fiepen zu erinnern und an die Gräben oder Teiche, wo sie Kalmus gepflückt hatten, falls nicht zu Pfingsten Leute vom Land ihn verkauften für die Kinder in der Stadt, damals, vor dem ersten Krieg, als sie frisch und laut und lustig waren, richtige Rangen. Das Wort wenigstens war geblieben, dem mexikanischen Nachfolger des schwarzen Blitzjungen zugefallen. Wahrscheinlich hatte ihm Claire erklärt, was sein Beiname auf deutsch bedeutete, wie man ihn aussprach, und dachte dabei an irgendetwas, das weit, weit zurück lag, auch im Gedächtnis von Minna und Ella aufbewahrt sein mußte. *Wißt ihr noch, damals,* so wäre es gegangen von früh bis spät, hätten sie sich wiedergesehen in Deutschland oder Amerika, leichter in Laguna Beach, jenseits der zertrümmerten Stadt, die entstellt, umgebaut, in grauem Verfall vor diesem Grün und Gold und den frühen Bildern gestanden hätte. Vor späteren auch, die Ella nicht kennen konnte, vielleicht nicht kennen sollte, weil sie aus einer Abzweigung der Kinder- und Familienfreundschaft stammten, nur Minna und Klara gehörten, denke ich und bin auf der Stelle überzeugt, den verschwiegenen Grund einer Beziehung zu wissen, die als Freundinnentreue, Schwesternliebe und in zärtlichen Anreden, Küssen auf dem Papier fortdauerte, weil ihr verdammtes Glück hattet, Claire und Minnie, mit der Entfernung zwischen euch, ihr wußtet gar nicht, welches Glück.

Ich verspreche Euch, sowie ich fühle, daß ich reisen kann, ich komme, natürlich mit Grace. Darum wäre es besser, Ihr würdet kommen, es würde billiger sein, da wir ja bei mir leben und kein Hotel brauchen. Ach, haben wir nicht Träume, was wird das Leben sein, darin bin ich immer noch ein Kind. Ein besorgtes, treusorgendes, von der Haltung der großen Schwester nicht abzubringen. Wodurch auch, in einem anhaltenden Trauerspiel mit stabiler Besetzung. In den Hauptrollen Krankheit und Mangel, ferner die unzuverlässige

Post nebst Zensur und schikanösen Paketbestimmungen, das Hindernis der räumlichen Entfernung und Minnies Saumseligkeit beim Beantworten von Claires immergleichen Fragen oder Claires Vergeßlichkeit bei Minnies immergleichen Antworten. Von Brief zu Brief: Was könnt ihr kaufen? Wie sind die Lebensmittel bei euch? Kann ich euch Geld schicken? Was tun, damit ihr herkommen könnt, ist es denn ganz unmöglich? Ach, wäret ihr doch hier.

Sie wollen eine Woche bleiben, ja, zu zweit, die Schwester mit ihrem Mann.

Welchen Gesichtsausdruck Frau Samuel hatte, als sie das sagte, konnte ich nicht sehen. Ich war zwei Etagen höher damit beschäftigt, unseren Klingellöwen zu polieren, und aus dem Tonfall ließ sich nichts erschließen, denn Frau Samuel sprach zu Frau Schwarz, also lauter als gewöhnlich, etwas höher auch und in gleichbleibender Tonlage, wie die meisten es taten, die Frau Schwarz etwas mitzuteilen hatten, Johannes ausgenommen, der sich weigerte, das Gehör der alten Frau und sein eigenes dergestalt zu malträtieren. Daher blieb er lieber stumm oder unverständlich, was Frau Schwarz nicht zu stören schien, vielleicht, weil sie von Männern nichts anderes gewöhnt war, abgesehen von Neumanns Gebrüll, das aber um Frau Schwarz einen Bogen machte, seit Neumann sie in irgendeinem Streit zu Luft erklärt hatte, eine gute Lösung, fanden alle, denen Frau Schwarz es erzählte.

Nun hörte sie zu, wie Frau Samuel vom bevorstehenden Besuch ihrer Schwester sprach, dem ersten seit einundsechzig.

– Ist ja noch kurz vor der Mauer rüber, von Werder

nach Westfalen und hat dort einen Kaufmann geheiratet. Zwei Söhne, der jüngere ist einen Tag älter als unsere Kerstin, sagte Frau Samuel zu Frau Schwarz, die wahrscheinlich Aha sagte oder Ja sowas, zu leise, als daß ich es verstehen konnte, ein schwaches Pausengeräusch, dann sprach wieder Frau Samuel. Von den Laufereien wegen der Einreiseerlaubnis. Von den Schwierigkeiten der Unterbringung, zu Hause gings ja nun wirklich nicht, also Interhotel, etwas anderes war nicht erlaubt. Eine Sauerei, wie die den Leuten das Geld aus der Tasche ziehen, Zwangsumtausch, fünfundzwanzig Mark West pro Tag und eins zu eins, stellen Sie sich das mal vor. Mein Schwager sagt, da vergeht ihm jede Lust herzukommen, aber meine Schwester ist so anhänglich, die hat Heimweh, kann ich nachfühlen, bloß, was sollen wir denen vorsetzen.

Wieder verstand ich nicht, was Frau Schwarz sagte, es war wohl ein unbrauchbarer Vorschlag, denn Frau Samuel antwortete: Sollen wir uns blamieren? Nee, gutes Fleisch muß sein, Filet, Rouladen, Kalbskotelett, irgendwas wird Meister Wilke schon für mich übrig haben. Schlimmstenfalls greif ich in die Gefriertruhe, ohne die wären wir wirklich aufgeschmissen, Erdbeeren für die Torte, wo soll man sowas sonst herzaubern im März, aber das bedenken die von drüben nicht. Bei denen ist ja immer alles da und unsereins kann sich sowieso nie revanchieren für all die Päckchen, schon der Kaffee, wenn ich den hier kaufen müßte und die Schokolade und die Strümpfe, wissen Sie, was so ein Paar drüben kostet, Sie werden es nicht glauben.

Frau Schwarz sagte, jetzt laut genug, daß ich es verstand: Der Tisch muß gedeckt sein, aber das Schönste ist doch, wenn Verwandte sich wiedersehen nach so langer Zeit.

– Ganz meine Meinung, und noch schöner wärs, wenn wir auch mal rüber könnten, an den Rhein oder in den Schwarzwald oder nach Helgoland, mein Traum seit der Schulzeit, aber vor der Rente nicht daran zu denken, noch neunzehn Jahre, sagte Frau Samuel.

Jetzt konnte ich mir ihren Gesichtsausdruck vorstellen und sah ihn vor mir, in den aufgerissenen Augen des blanken Löwenkopfs. Mit seiner stumpfen Nase, der fliehenden Stirn und dem starren Lockenkranz erinnert er mich weiter an Frau Samuel. Sie wohnt inzwischen in einem Neubau und war längst auf Helgoland, denke ich, und bei ihrer Schwester, gleich im November neunundachtzig, auch etliche Male danach, bis zur unvermeidlichen Szene im deutschen Theater der Gegenwart, in der die Schwester der Schwester, die Schwägerin dem Schwager, wer wem auch immer, eine Gemeinheit sagt, vielleicht nicht kränkender als früher gesagte, anderswo vernommene, aber diesmal der Tropfen, der das Faß zum Überlaufen bringt.

Das ging nun wirklich zu weit, hätte sie nie und nimmer erwartet, mußte man sich nicht bieten lassen, noch dazu von der eignen Verwandtschaft, hätte Frau Samuel, stünde sie wieder im Treppenhaus mit Frau Schwarz zusammen, ausgerufen und nicht erst abgewartet, daß Frau Schwarz: Was denn? fragte, sondern die Geschichte erzählt, wie sie doch immer zur Schwester gehalten, es an nichts habe fehlen lassen, als sie zu zweit angereist kamen, für eine ganze Woche. Sie wissen ja selbst, was das bedeutete, auch Meister Wilke half nicht für Gotteslohn, zum Glück konnte sie sich

159

mit Kaffee erkenntlich zeigen, dank der Päckchen aus dem Westen. Das wolle sie überhaupt nicht bestreiten, nein, von Herzen froh und dankbar sei sie gewesen, habe freilich nie ein Wort darüber verloren, welche Mühe sie sich ihrerseits mit den Geschenken gegeben, keinen Geburtstag und kein Weihnachten ausgelassen habe. Sie wissen ja selbst, was das bedeutete bei dem hiesigen Angebot, etwas Nettes zu finden für Leute, die alles hatten und vom Feinsten. Also, da könnte sie Bände mit füllen, aber Schwamm darüber, und sie hätte das auch nie erwähnt, wäre ihr der Schwager nicht gekommen mit all diesen Sprüchen. Sie schäme sich direkt, die zu wiederholen, und daß die Ostler wohl dächten, man würde sie weiter durchfüttern wie bisher, na, da sei ihr der Kragen geplatzt. Schließlich kenne sie sich aus mit den Produkten und den Preisen, mittlerweile, und könne einschätzen, wieviel sie den lieben Verwandten wert gewesen, das habe sie ganz sachlich zum Ausdruck gebracht, und was glauben Sie, was da los war, seitdem ist Funkstille. Also, wenn mir einer gesagt hätte, daß die Einheit so aussehen würde! hätte Frau Samuel am Schluß ihres Monologs ausgerufen, in unser Treppenhaus den Ruf getragen, der landauf landab erscholl, nun auch Frau Schwarz zu Ohren kam, so daß sie bekümmert den Kopf geschüttelt und versucht hätte, etwas Versöhnliches zu sagen, irgendwie das aufgebrachte Löwengesicht zu beschwichtigen, aber nein, nein, geben Sie sich keine Mühe, aus der Traum, riefe Frau Samuel, und ihr Tonfall bestärkte mich darin, daß sie verdammtes Glück hatten, Minnie und Claire, mit der Entfernung zwischen sich.

Keine Szene aus dem Gegenwartsstück hätten sie verstehen, geschweige denn mitspielen können, die Schwestern König, die schon für Frau Schwarz zur vorigen Generation gehörten, sich umgeben sahen von Zeitgenossen nicht mehr aus ihrer Zeit, einem anderen Menschenschlag, lauter, härter, eiliger, verwöhnter, achtloser als die jungen Leute von früher, anderes Benehmen, andere Gesichter, allesamt fremd und darin einander ähnlich, und hatten sie sich an jemand Neues gewöhnt, zog der wieder weg, als wäre das Haus ein Hotel. Ein immer kälterer Ort jedenfalls, wo ständig die Türen schlugen, die Kinder das Grüßen verlernten und die Tierliebe ausstarb, schrieb vielleicht eines Tages Minna König an Claire Griffith, klagte über die anhaltende Hundelosigkeit im Aufgang B, erinnerte an die unvergeßliche kleine rehbraune Hexe, erfuhr von Pauls und Claires Glück: *Ein genauso süßes Luder wie der süße Köter von Euch, sie ist ein Australien Schäferhund, aber ein Liliput, und ist in Australien geboren, ein Matrose hat sie herübergeschmuggelt für seine Mutter, aber Tootsie, so hatte er sie getauft, hatte mich gesehen und ist nicht mehr von meiner Seite gegangen. Ich war recht froh, denn sie hatte Tootsie nicht gut behandelt, sie war halb verhungert. Ihr Sohn war wieder zur See gegangen und der kleine Stenker ist nun unser,* erfuhr von Claires und Pauls Leid, als kaum drei Jahre später Tootsie starb: *Habe niemals einen Mann weinen sehen wie Paul, von mir garnicht die Rede, das könnt Ihr Euch ja vorstellen,* und stellte es sich vor, wie sie in ihren Vorstellungen stets der Freundin nahe war aus stabiler Ferne. Für deren Fortbestand gab es mancherlei Gründe, so das Erscheinen von Tootsie, mit der die weite Reise nicht in Frage kam – und ohne sie erst recht nicht –,

dann ihr Tod: *Wenn nun auch die Aussicht viel näher ist,*
Euch wiederzusehen, so nimmt es dennoch eine Überbrückung, da
Paul sehr darunter leidet, bevor seine Tränen nicht trocknen,
werde auch ich keinen Frieden haben, um neue Pläne zu machen,
dann wieder anderes und immer unumgänglich, triftige
Gründe bis zum Schluß. *Meine Lieben, wie oft wünschte ich,*
daß Ihr hier sein könntet, aber für 7 lange Jahre hatte ich nichts
weiter wie Kummer und Sorgen um das Haus, es war so groß für
mich, außerdem war ich schwer leidend. Am 29. Januar 78 war
ich im Hospital auf der kritischen Liste. Nur unser Herrgott
hatte mich erhalten, wer weiß, vielleicht um Euch zu helfen.

Die Briefe von Claire Griffith liegen, aus den Umschlägen gezogen, um mich herum auf dem Teppich,
jedes Blatt zerfurcht von zwei Falten. Die Schuhkartons
hatten nach Ordnung ausgesehen, aber das war die
Ordnung des Aufräumens, schnell verstautes Papier. Es
wird dauern, bis ich die Reihenfolge der Briefe, den
ersten und den letzten, die Ausdehnung der Lücken
herausgefunden habe. Irgendwann. Jetzt raschelndes
Papier und eine halblaute Stimme, Sätze von da und
dort, wie es gerade kommt oder weil ich ein Blatt sehen
will, das zuunterst liegt, einen der Briefe in kleinerem
Format, einen von den wenigen auf bräunlichem Papier
mit dünnem Strichmuster wie auf diesen Kunststoffplatten, die einmal alles bedeckten, Küchenmöbel, Kan-
tinentische, Campingtische, Kühlschränke, unseren ersten Kühlschrank, den Ladentisch im alten Konsum für
Obst und Gemüse, bis Griebenow das Geschäft übernahm.

Griebenow renovierte, brachte Schwung in den Laden, den Schwung von Initiative unter widrigen Bedingungen, ja, und weckte ringsum Hoffnung auf Grünes

im Frühjahr, zur Kirschenzeit Kirschen, ausreichende Getränke an heißen Tagen, unverfaulte Kartoffeln durchs ganze Jahr. Wenn Griebenows hellblauer Lieferwagen anrollte, war er rasch umstellt, wurden Erkundigungen eingeholt über seinen Inhalt, den Beginn des Verkaufs, über Vorratsmengen und die Laune des Chefs. Kleiner König Griebenow, den blinden Gewalten von Handel und Versorgung untertan, zermürbt durch deren Gleichmut, erschöpft von üblichen und Zusatzwegen, im Stich gelassen von teuren Helfern, Helfershelfern, nicht angewiesen auf die Gunst der Kundschaft, doch auf den Beinen von früh bis spät, Hoffnungsträger, unverwüstlich. Heute ist er ein einfacher Geschäftsmann, der es schwer hat wie die meisten Kleinen im Viertel, wenn auch in vorteilhafter Entfernung zu den Supermärkten in den ehemaligen Kaufhallen, und dessen Laden eines Tages ein anderer übernehmen wird, der nicht mehr mit Obst und Gemüse handelt und zeitgemäß umbauen, sämtliche Spuren der Ära Griebenow tilgen wird. Zu ihrer Anfangszeit erinnerte man noch ausdrücklich daran, wie der Konsum unter Führung der Schwestern Kaczmarek ausgesehen und gerochen hatte, lobte die Verwandlung und fand sich leicht zurecht zwischen umgestellten Regalen, darüber neue Obst- und Gemüsefotos, stand an vor dem unverrückten Ladentisch und sah, daß der fleckige Kunststoff ersetzt war durch blankes Metall. Darauf die alte Kasse, die so alt nicht war, erst seit dem letzten Winter da, nachdem die Vorgängerin endgültig ausgedient hatte. Es blieb im Gedächtnis, weil Frau Götz, die aus den Wechselfällen ihrer Kasse las wie andere in den Sternen, den letzten Seufzer des Geräts nachträglich als

Vorzeichen für das baldige Ableben ihrer Schwester klar erkannte. Daß sie gerade dieses Mal dem Hinweis keine Beachtung geschenkt, ihn glatt überhört habe, würde sie sich nie verzeihen, sei ihr ganz unbegreiflich, wie ein Blitz aus heiterem Himmel treffe sie dieser Todesfall, alle anderen natürlich auch, nur sie viel schmerzlicher, handele es sich bei Fräulein Kaczmarek doch, jetzt könne sie es ja bekanntgeben, um ihre eigene Schwester. Das hatte niemand gewußt oder geahnt, und unklar blieb, warum man es nicht hatte wissen sollen. Mit jemand Fremdem zusammenzuarbeiten in der Verkaufsstelle, die ihre Schwester geleitet hatte, dazu sah sich Frau Götz außerstande und kündigte. Der Laden wurde geschlossen. Im Sommer begannen die Renovierungsarbeiten, türmte sich auf der Straße Gerümpel in erstaunlichen Mengen. Im Lagerraum, im Hinterzimmer konnte man nicht mehr treten, keinen Fußbreit, behauptete Griebenow und verdichtete das Geheimnis der beiden Schwestern, denn nachweislich hatte sich Frau Götz des öfteren in den Hinterräumen aufgehalten und durch den Ruf: Kundschaft! zurückholen lassen von dort, wo irgendwo Fräulein Kaczmarek mit Warenbewegung und Leitungsaufgaben beschäftigt, durch die offene Tür auch zu hören gewesen war.

Das habe ich behalten. Ich kann sagen: die neue Kasse, der alte Ladentisch, das dünne Strichmuster der Kunststoffplatten, das aussah wie das Muster des bräunlichen Briefpapiers von Claire Griffith Ende der siebziger Jahre. Ich kann mich wunderbar erinnern an ein paar Einzelheiten, wie ich sie behalten habe. Wären es nicht so wenige, könnte ich mehr erzählen. Ich könnte Duplikate von verschwundenen Dingen herstellen, an Originalschauplätzen Vergangenheit aufrollen, daß es nur so rauscht und allen der Mund offenbleibt, die schon ausrufen wollen: Nostalgie! oder dergleichen, aber verstummen vor einem Erinnerungsvermögen, dessen Inhalten sie erst mal nachkommen müßten, Stück für Stück, bevor sie sagen: Ja, so war es, oder: Diese Erinnerungen, schön und gut, nur sah die wahre Wirklichkeit ganz anders aus. Ich würde erbarmungslos ausführlich sein und nichts auslassen, so daß eine Menge geschähe, vieles vorkäme bis zu dem Augenblick, in dem sie es nicht mehr aushielten und sagten, was sie längst schon sagen wollten: Wie treffend! Wie falsch erlebt! Ich hätte mit all meinen Erinnerungen immerhin die Urteilsgeschwindigkeit abgebremst. Aber nicht einmal das könnte mir gelingen mit den paar Einzelheiten, die ich behalten habe. Und nicht für immer.

Schon weiß ich kaum noch, wie das Geld aussah, das wir hatten, bevor wir richtiges Geld bekamen, wie die Etiketten auf den Konservendosen, Gläsern und Flaschen aussahen, die Briefmarken und Fahrscheine, die Zahnpastatuben, Hautcremedosen, Haarbürsten, Nagelfeilen, Papierservietten, die tausend kleinen Dinge, die es in den Geschäften *1000 kleine Dinge* gab oder wieder einmal nicht gab. Wie also die Dinge aussahen, die ich nicht vermisse, nur jetzt nicht mehr sehe, und wie es war, als ich sie häufig sah und häufig vermißte, weil es sie wieder einmal nicht gab, und wie es in bestimmten Momenten war, wenn fehlte, was ich brauchte oder mir wünschte oder zu kaufen mir vorgenommen hatte, wie das war, in ganz bestimmten Momenten, und wie auf die Dauer, also im Zusammenhang mit wiederum anderen Erlebnissen, an die ich mich erinnern müßte, einzeln und auf die Dauer und im Zusammenhang. Sicher steht einiges davon in meinen Briefen aus der Zeit, als ich noch häufig Briefe schrieb, an wechselnde Personen im In- und Ausland, an viele, von denen ich seit langem nichts mehr weiß, nicht einmal, ob sie noch am Leben sind. Es wäre mühevoll, all diese Personen, die ich um freundliche Unterstützung meiner Erinnerungsarbeit bitten könnte, unter ihren jetzigen Namen, an ihren jetzigen Wohnorten ausfindig zu machen, während Claire nach einer einzigen Adresse zu forschen brauchte.

Komisch, ich habe mir immer gedacht, daß Ihr Luisenstraße 45 wohnt, da wo Liese seinen Laden hatte, wo wir immer unsere Schulsachen haben gekauft. Da kann ich mich noch sehr erinnern. Das war der einzige Weg, wie ich konnte Eure Adresse erinnern.

Und wenn ich, auf mancherlei Wegen, an meine Ziele gelangt wäre, fänden sich dort längst nicht mehr alle Briefe, natürlich nicht, nach so langer Zeit, nach Umzügen und Entschlüssen, sich von altem Ballast zu trennen, Papier zu Papier, in die öffentlich bereitstehenden Behälter, aus denen das eine oder andere Blatt wieder hervorgeholt, bei Sammlern gelandet sein mochte, die mit Plastiktüten auf Beutezug gehen, weil sie sich für die Hinterlassenschaft ihrer einstigen Nachbarn interessieren, Vergangenheitsspuren bergen, ihrem mangelhaften Gedächtnis auf die Sprünge helfen wollen, sich dabei der Hilfe Unbekannter bedienen, so auch meiner, nichts dagegen. Vielleicht gelangt, auf welchem Weg auch immer, die eine oder andere Erinnerung an mich zurück, erkenne ich sie sogar wieder.

Bis dahin bleiben mir andere Möglichkeiten. Ich gehe am Abend in die Gartenecke, setze mich zu den

Handwerkern und frage Herrn Behr nach Unterschie-
den: Zwischen den Rohren, Ventilen, Schellen, Muffen,
Hähnen von früher und den jetzigen. Nicht Preisunter-
schiede, sage ich, ich meine die Eigenschaften. Haben
die Trapse sich verändert? frage ich beispielsweise,
und lasse mir alles genau beschreiben, falls Herr Behr
nicht sagt, jetzt ist Feierabend. Aber irgend jemand
aus der Runde wird schon auf das Thema eingehen.
Wahrscheinlich macht es ihnen sogar Spaß, sich zu
erinnern und festzustellen, was sie alles beinah oder
ganz und gar vergessen haben oder woran sie sich
erinnern können, als sei es eben erst gewesen. Und
halten sich nicht lange auf bei den Dingen und ihren
Eigenschaften, sondern erzählen Geschichten, ereifern
sich, streiten darum, wer Recht hat mit seiner Erinnerung, bis jemand sagt, ob sie nicht endlich aufhören
können mit der Vergangenheit, jetzt ist jetzt, man lebt
nur einmal. Beschwer dich bei der jungen Frau hier,
sagt dann Herr Behr, der in meinem Alter ist, und
spendiert mir ein Bier. Sie wechseln das Thema, ich
höre nicht mehr zu, versuche zu behalten, was sie
erzählt haben, stecke den Bierdeckel ein mit einer
Strichzeichnung, unter der Dallmer Traps steht, sieh dir
das an, sage ich zu Norma, auch ich habe Andenken an
Kneipengespräche.

Oder ich gehe zum Mitteilungsbrett und befestige
einen Zettel. *Wer hilft mir beim Sammeln von Erinnerungen?*
Suche Tagebücher, Briefe, Dokumente aus vierzig Jahren. Ma-
rianne Arends, Aufgang B, vier Treppen. Eine gute Idee, ich
lernte Leute kennen, bekäme Material, das älter, kohä-
renter und umfangreicher wäre als das, was ich beim
Wühlen in den Containern zufällig finden würde. Ich

167

müßte mich nicht mit Kühne herumärgern, dem ich von ferne mit einem Packen Papier winken und zurufen könnte: Alles aus der Zeit vor der Wende! Sehr interessantes Material! Es gibt Leute mit gutem Gedächtnis, das sollten Sie nicht vergessen!

Oder ich schreibe auf den Zettel eine Einladung. Ich lade ein in meine Wohnung zu einem Gesprächskreis mit dem Thema: Unsere Biografien.

Als dieses Thema aufkam, hoffte ich auf eine Welle von Reaktionen, denn immer wieder konnte man hören, wie einer zum anderen sagte: Wir müssen uns unsere Biografien erzählen. Jedoch, so würde ich in meiner kleinen Begrüßungsansprache bei der ersten Zusammenkunft des Kreises anmerken, den Worten sind Taten nicht gefolgt, die in diesem Fall freilich auch aus Worten bestehen. Also, fangen wir an mit Erzählen, würde ich sagen und aufmunternd in die Runde blikken, Herrn Bärwald, der Einladungen wohl seit eh und je befolgt, leider auch Neumann erblicken, dem jede Gelegenheit recht wäre, sich in meiner Wohnung umzutun, und ein paar andere, die ich nur vom Sehen kenne. Nicht die fremde Fau, auch nicht Norma, der ich mein Unternehmen verheimlichen würde, solange ich nicht von seinem Erfolg überzeugt wäre.

Herr Bärwald finge an, seinen Lebenslauf vorzutragen, von einem dicht beschriebenen DIN A 4 Blatt abzulesen, Jahreszahlen, Ortsnamen, Namen und Geburtsdaten von Angehörigen, Namen von Betrieben, Schulungsheimen, gesellschaftlichen Organisationen und staatlichen Auszeichnungen und Urlaubsorten, Wohnanschriften und immer wieder Jahreszahlen, eine Datenmenge, die niemand behalten könnte. Bei aller

Ausführlichkeit wäre sie ungenau, so daß zu erraten, was Herr Bärwald als junger Mann in nicht erwähnten Zeiträumen und in für Urlaubsreisen wenig geeigneten Gegenden getan, erlebt haben mochte, den Zuhörern überlassen bliebe, vielleicht als Anregung zum Fragen gedacht oder aus alter Gewohnheit unterschlagen. Das ließe sich im anschließenden Gespräch herausfinden, für Diskussionsstoff wäre jedenfalls gesorgt. Aber Neumann würde stören, von Anfang an, dazwischenreden, aufstehen und herumlaufen, als könne man auf meinen Stühlen unmöglich sitzen, dabei doch nur die Wohnung inspizieren, um sich ein Bild zu machen, wo eventuell die Kopien meiner Opferakte aufbewahrt sind. Denn daß ich ihm mit purer Erfindung gedroht hätte, würde er mir nicht zutrauen, also sich ein bißchen umsehen, mit Vorliebe auf Dielenbretter treten, die knarren, und, wenn jemand um Ruhe bäte, erwidern, was denn, das sei gar nichts. Er als mein Unterwohner müsse sich ständig solchen Lärm anhören, und nicht nur am Tage, und nicht nur diesen. Na, die Anwesenden könnten sich denken, was er meine, und wenn wir schon hier herumsäßen zur Märchenstunde, würde er lieber als das Gesülze der roten Socke mal von Frau Arends hören, wie sie es fertigbringt, mit ihrem Mann zu bumsen, wo der doch gar nicht da ist, und mit wievielen sie dieses Kunststück schon geübt hat im Lauf der Jahre, und immer ohne Folgen, sehr merkwürdig. Neuerdings ein Techtelmechtel mit dieser Käte aus dem Nachbarhaus, die hier die Leute nervt von wegen Straßenfest und schützt die Ausländer, also allerhand Biografisches, das jeden in diesem Raum interessiert, nicht wahr?

Die Anwesenden, die ich nur vom Sehen kenne, würden nicken und sähen mich erwartungsvoll an, ja, etwas in der Art habe ihnen vorgeschwebt, deshalb seien sie gekommen. Und verstünden nicht, warum ich die Zusammenkunft, kaum, daß sie spannend werde, für beendet erklärte, die Eingeladenen regelrecht vor die Tür setzte, nein wirklich, und gingen verärgert nach Hause.

Ein absehbarer Mißerfolg. Leiten war noch nie meine Stärke, organisieren auch nicht. Da müssen andere kommen, und wenn sie kommen mit einer guten Idee, einem interessanten Projekt, bin ich dabei. Das Material, sage ich zu ihnen, liegt auf der Straße. Man muß nur hinsehen, hinhören, es wird so viel gesprochen in einem Haus wie diesem, Lebensstoff en masse, jedoch schwer zu bergen. Flitzen durch die Treppenhäuser und sammeln, woran die Leute sich erinnern, treppauf treppab laufen, das Ohr an Wohnungstüren pressen, wer täte das denn. Genau, würden sie mir antworten, deshalb unser Projekt. Gute Mikrophone, geschlossene Fenster, mehr ist nicht nötig. Es wird alles aufgezeichnet, in einem beliebigen Augenblick. Nichts Besonderes muß gesagt werden, ganz im Gegenteil, auf die Alltagsrede kommt es an, die weiterlaufen soll, als würde niemand sie beachten. Ob ich bereit sei mitzumachen? Gern, würde ich sagen. Zwar habe ich im Augenblick niemand, zu dem ich sprechen kann, aber es geht wohl auch so? Ja sicher, teilen Sie einfach mit, was Ihnen gerade in den Sinn kommt, nur laut und deutlich, denken Sie daran, es soll für eine Radiosendung sein, kanns losgehen? Ja, würde ich sagen und deutlich vor mich hin sprechen.

Jeden Morgen, wenn ich aufstehe, ist es 6 Oclock, denn meine Tanny muß raus. Es ist sehr früh, aber das Schlimme ist, ich kann nicht mehr schlafen. Dann gehe ich ins Wohnzimmer, sitze in meinem Stuhl, huste für eine Stunde oder mehr, bis ich ganz hin bin. Bei 8 Uhr hole ich mir meinen Apfelsinensaft und sitze für eine ganze Stunde, das ist, wenn ich bete und auch an Euch denke. Dann endlich fange ich an, nehme mein Bad. Zähne, Haare, um 10 Uhr bin ich fertig, mein Haus zu machen, Tanny zu bürsten. Zwischendurch habe ich Frühstück, ich esse sehr wenig, kein Fleisch, aber Gemüse & Obst & Ziegenmilch, Käse, Yogurt. Um 4 Uhr Nachmittag mache ich nichts mehr, dann bin ich auch wirklich fertig. Dann kommt der Doctor nach Haus, kommt rauf und wir haben eine Tasse Kaffee zusammen, manchmal muß er zurück zum Hospital. Dann mache ich mir mein Abendessen & abwaschen & Schluß. Dann sehe ich mir mein T.V. an, bis ich schlafen gehe.

Ob man den Pazifik hören kann, bis hinauf ins Haus, oder welche Nachtgeräusche zu welcher Jahreszeit, weiß ich nicht, werde ich vielleicht wissen, wenn ich eines Tages alle Briefe gelesen habe. Hier ist im Augenblick, sobald kein Papier mehr raschelt und die murmelnde Stimme schweigt, nichts zu hören, kein Rauschen, Pochen, Tröpfeln, Knarren, kein Laut durch die dünnen Wände, die offenen Fenster, nichts von mir, solange ich den Atem anhalte. Als sei eben, im Morgengrauen des achtzehnten Juni, hier alles in völliger Stille an sein Ende gekommen.

171

AM 14. JULI

Wir haben die Stadt erreicht. Alle Häuser, an denen der Zug jetzt vorbeifährt, sind Häuser in Berlin. Die Stadt ist da, hat sich nicht von der Stelle gerührt, während man ihr für eine Weile den Rücken kehrte. Auf unverrückten Gleisen nimmt sie den Zug in sich auf. Ihre heimkehrenden Einwohner begrüßen sie im stillen. Oder hörbar. Da biste ja, sagt weiter vorne eine Männerstimme und klingt gerührt.

Die beiden Kinder auf der anderen Seite des Ganges pressen sich ans Fenster. Sie streiten um mehr Platz an der Scheibe, sie hüpfen, sind vor Aufregung aus dem Häuschen und entdecken unentwegt ihr Haus, ihr Auto, ihren Balkon, ihren Rudi, den sie hören würden, ließe das Fenster sich öffnen, doch selbst mit vereinten Kräften nicht. Nun reichts aber, sagt hinter ihnen der Vater, greift über die Lehne des Vordersitzes, staucht den größeren Jungen auf seinen Platz: Und da bleibst du, bis wir aussteigen, jedesmal dieses Theater, wie alt bist du eigentlich. Der Junge mault, kämpft mit den Tränen. Dann blickt er um sich, auch zu mir herüber. Ich nicke ihm aufmunternd zu. Ist doch gut, daß alles noch da ist, sage ich, und wer ist Rudi? Soviel Ahnungslosigkeit verschlägt ihm die Sprache. Er beugt sich vor, sieht wieder aus dem Fenster, an seinem Bruder vorbei, der sich nicht so fett machen soll, gefälligst.

Ringsum beginnen die Vorbereitungen auf das Aussteigen, rückgespultes Einsteigen, nur entspannter, gemächlich fast. An Westkreuz eben vorbei, die Alten erheben sich zuerst. Freundliche Geschäftigkeit. Niemand voller Ungeduld, schnell, nur schnell nach Hause, wer weiß welchem Anblick entgegen. Was soll sein. Das Vertraute, vielleicht ein wenig fremd geworden, die

175

Wohnung mit dem eingesperrten Geruch, die sich selbst überlassenen Dinge. Erdbeben, Wirbelstürme, Krieg und marodierende Banden, nicht hier, Männer, die Häuser anzünden, andere Häuser mit anderen Einwohnern, bei uns nicht, und im Fall der Fälle, wir sind versichert. Wir werden am Bahnsteig abgeholt, Sie auch?, zu Hause erwartet, nehmen uns ein Taxi, kommen ganz überraschend, ach, ein bißchen aufgeregt ist man ja doch. Waren Sie lange fort?, eigentlich nicht, es kam uns lange vor, nein, nichts gegen die Unterkunft, die Landschaft, wir haben uns wirklich wohlgefühlt und wollen nächstes Jahr wieder, aber jetzt erst mal nach Hause, genau, wir warn im Osten, wir warn im Westen, doch in der Heimat, da ists am besten.

Am Bahnhof Zoo der große Empfang, gemischt aus vielen kleinen. Ein Gewirbel da draußen, Lachen, Laufen, geschwenkte Tücher, ausgebreitete Arme, Umarmungen, Rufe, ein munteres Stimmengewirr neben dem verlassenen Zug, es dringt durch die offenen Türen in die fast leeren Waggons.

Die jetzt noch weiterfahren, wirken ein wenig verloren, wie übriggeblieben am Ende einer gut besuchten Veranstaltung, aber sie rücken nicht zusammen, es lohnt nicht, für zwanzig Minuten, denn an der übernächsten Station, und die heißt Hauptbahnhof, ist Schluß.

Der Zug fährt, als verließe er die Stadt, durch weitläufiges Gelände, das spärlich bewachsen ist, bestückt mit bemalten Ruinen aus Beton und Eisen. Keine Deckung weit und breit, ein flaches Terrain, unschwer einzusehen vom hohen Bahndamm aus, der im Bogen wieder dicht an Wohnhäuser heranführt, wie streckenweise in den belebten, den unversehrt wirkenden Stadtteilen, die der Zug hinter sich gelassen hat, um nun, am Ende seiner Fahrt, in eine Gegend vorzudringen, bei deren Anblick ein Fremder an Erdbeben, Krieg und marodierende Banden denken, sich fürchten könnte auszusteigen. Die Einheimischen nehmen erleichtert ihr Gepäck. Unser Viertel steht noch, wie denn nicht, meine Straße auch, ich habe sie im Vorbeifahren gesehen, gleich sind wir angekommen, gleich bin ich zu Hause.

– Ich wette, daß niemand aus diesem großen Wagen, diesem Großraumwagen, in ein so häßliches Haus und eine so bescheidene Wohnung zurückkehrt wie du. Ein guter Satz, findest du nicht? sagte Emilia in einem der Tunnel zwischen Fulda und Kassel.

– Mit dir wette ich nicht, du kommst und gehst, wie es dir gefällt, ich aber werde bis Berlin auf meinem Platz ausharren, der Zug knüppelvoll, und würde ich die Wette gewinnen, wärst du verschwunden, statt mir zu gratulieren.

Emilia saß, halb abgewandt, auf der Armlehne meines Sitzes, die langen Beine in den Gang gestreckt.

– Na schön, sagte sie, ich wette nicht, ich weiß, daß niemand undsoweiter.

– Aha, und woher weißt du?

Wir stritten über Wissen, Gewißheit, Beweise, bis Emilia aufsprang. Sie werde jetzt eine Befragung der Fahrgäste vornehmen und todsicher mit dem Beweis für die Richtigkeit ihres Wissens zurückkomen.

– Hauptsache, du kommst zurück, sagte ich.

In Frankfurt-Louisa war sie aufgetaucht. Mir ging es schon etwas besser, mein Kopf steckte nicht mehr unter der Jacke. Ich erkannte, wo ich war und hätte dem Kontrolleur die Fahrkarte hinhalten können, ohne gefragt zu werden, ob mir nicht gut sei. Die Zittrigkeit der Hände nicht besonders auffällig, die Augen verquollen, wie bei Zugschläfern häufig zu beobachten, die Sprache verständlich. Daß aber Emilia sich täuschen ließ, wunderte mich. Und wenn sie die Trostlosigkeit meines inneren Anblicks genau gesehen, sich trotzdem eingefunden hatte, um mir da irgendwie herauszuhelfen, war es noch erstaunlicher und ereignete sich zum ersten Mal.

Lange hielt sie es auf der Armlehne nicht aus, so nah bei mir. Sie lief durch den Wagen, wandte sich der rechten, der linken Reihe zu, ohne irgendwen in seinem Tun oder Nichtstun zu stören, wie auch die Beinsperre im Gang, wenn sie neben mir saß, und ihr häufiges Aufspringen, Herumlaufen niemandem auffiel außer mir. Emilia hatte ich für mich allein, da konnte sie weggehen, sooft und solange sie wollte.

Immer kehrte sie mit einer Nachricht zurück. Sie trug mir das Zuggeschehen zu, als sei ich außerstande, es selbst zu entdecken, festgenagelt an meinem Platz und angewiesen auf ihre Berichterstattung, die sachlich war und ausgesprochen sprunghaft und zwischen Fulda und Kassel am Anfang eines Tunnels einsetzte, an seinem Ende abbrach, so daß ich mit geschlossenen Augen den Wechsel von hell zu dunkel und dunkel zu hell verfolgen konnte im Rhythmus der Schweigezeiten und der Vernehmlichkeit ihrer krächzenden, piepsigen Stimme.

Sie teilte mir mit, über wieviele angewinkelte, wieviele ausgestreckte Beine sie in den Vorräumen, in den Gängen der Abteilwagen hinweggestiegen war, aber niemand liegt, sagte sie. In der ersten Klasse gibt es mehr Anzüge und mehr Computer als im übrigen Zug. Er heißt Ricarda Huch und fährt von Basel nach Berlin, man kann sich die Strecke auf den kleinen Landkarten ansehen, vor denen immer jemand steht. Die Tracht der Schaffnerinnen sieht hübsch aus, dunkelrot, dunkelblau, weiß, mit einem Halstuch zur Verzierung. Was sie mir auch erzählte, ich sagte nicht: Weitere Informationen entnehmen Sie dem Faltblatt »Ihr Zugbegleiter«, ich war ja froh, Emilia zu hören. Sie führte mir einen Zug vor, der wie vorgesehehn funktionierte und pünktlich seine Strecke entlangfuhr.

An einem blaßblauen, windstillen Julitag. Anblick von Wärme. Heiß würde es werden über der ausgebreiteten Landschaft, den roten Giebeln, den Autostraßen und Brücken, den Flachdächern der Werkhallen, Lagerhallen, Großmärkte, den Bürogebäuden, dem Schotter der Gleise, heiß um die gekühlten Wagen des Zuges, in dem niemand zu leiden hat, versicherte Emilia, die Fahrgäste das stundenlange Sitzen, eng beieinander, klaglos ertragen.

– Worüber sollten sie sich beklagen? Freiwillig sind sie hier. Viele aus dem ganzen Volk reisen zum halben Preis, und wer aus der kleineren Volkshälfte stammt, sagte ich, wäre einst glücklich gewesen, derart gut zu fahren, und konnte von dieser Strecke nur träumen, während man sich durchrütteln ließ in überheizten, in zugigen Zügen mit Verspätungen, an denen gemessen die jetzigen ein Scherz sind, und mürrischem Personal, Frauen in Männerkleidung ausgesetzt war, nicht informiert, noch willkommen geheißen wurde, auch gut daran tat, auf Klogänge zu verzichten, ausreichend Proviant mitzuführen, auf Unbilden jedenfalls gefaßt zu sein bei Reisen mit der Bahn, damals, als Ricarda Huch und ihresgleichen durch eine Welt sausten, die den meisten von uns unerreichbar blieb, sagte ich. Wenn du hier herumgehst, achte mal auf die Unterschiedlichkeit der Fahrgäste.

– Ist doch klar, sagte Emilia. Frauen und Männer, Kinder und Erwachsene, Junge, Alte, Raucher, Nichtraucher, erste und zweite Klasse. Oder meinst du unterschiedliche Nationalitäten?

– Ob du es einigen ansiehst, daß sie die alten Zugerfahrungen noch in den Knochen haben, sagte ich, aufmerksamer sitzen. Neulinge in einer Umgebung durchdachter Annehmlichkeiten, die für die anderen ganz natürlich sind, das mindeste, was sie erwarten dürfen für ihr Geld, kein Grund also, sich vorsichtig, dankbar, mit sichtlichem Genuß oder Stolz dieser Annehmlichkeiten zu bedienen und der hübsch gekleideten Schaffnerin die Fahrkarte so beflissen zu zeigen, als müßte man versuchen, sie freundlich zu stimmen wie früher den schnauzenden Kontrolleur. Achte mal drauf, rief ich Emilia nach, die schneller verschwand, als ich mit meinen Gedanken vorankam.

Die Fahrt war eine Qual. Ich wollte nicht mehr sitzen, nichts mehr denken, den schmerzenden Kopf loswerden, verschwinden wie Emilia. Die geleckten Ortschaften, eine wie die andere, die Helligkeit, das Sprechen von überall her, die knisternde Zeitung neben mir, das Auf und Ab im Gang, alles war mir zuwider, zuviel, sollte endlich vorbei sein. Diese Gesichter, strotzend vor Selbstverständlichkeit, und das Gebimmel des Imbißwagens zum soundsovielten Mal, als dürften keine zwei Stunden vergehen ohne Kaffee, Cola, belegte

Brote, irgendwas zum Naschen. Dieses dauernde Fahnden nach Zugestiegenen. Ein umtriebiges Team von Kontrolleuren, und würde jenseits der nicht mehr vorhandenen Grenze abgelöst durch ein anderes, das seinerseits an alle herantreten wird, Personalwechsel, das Zugbegleiterteam der Reichsbahn, dem Kollektiv glücklich entwachsen, genauso kostümiert wie die Abgelösten, begrüßt die Fahrgäste an Bord unseres Eurocity und teilt mit, von wo nach wo, über welche Haltebahnhöfe die Reise geht, und zählt wiederum die Annehmlichkeiten auf und sollte endlich Ruhe geben, sich ins Dienstabteil zurückziehen, die Vorhänge zu und nicht mehr stören für den Rest dieser Fahrt, quälend genug.

Den Platz verlassen. Herumlaufen wie Emilia. Die Ehemaligen entdecken, ihnen auf den Kopf zusagen: Na, das ist doch etwas anderes hier, als mit der Reichsbahn von Suhl nach Saßnitz, stimmts? Was ist uns nicht versagt geblieben, was haben wir uns bieten lassen, all die Jahre! Kann man jetzt erst so recht ermessen, kommt einem schon unwirklich vor, obwohl, die Erinnerung sitzt tief. Der klebrige Kunststoff, die Rückenlehnen, wie erfunden, um das Schlafen im Zug zu erschweren, das sowieso kaum gelang, mit Wut im Bauch, weil immer irgend etwas fehlte, nicht funktionierte, eine Zumutung war, man sich pausenlos hätte aufregen können, aber wer kann das schon, und Lachen ist ja viel gesünder, also hatte man auch seinen Spaß. Was haben wir gelacht, wenn so ein Trottel erschien und Fahrkarten sehen wollte, wo der Zug mehr stand als fuhr und Verspätungen immer voraussichtlich waren, unter zwanzig Minuten nicht der Rede wert und in Stundengröße nicht ungewöhnlich, stimmts? Da konnte einem das Lachen aber vergehen, zumal an Hochsommertagen, erst recht im Winter und wenn zu allem Überfluß noch betrunkene Soldaten oder Fußballfans mitfuhren. Ja, wir haben einiges hinter uns, können ein Lied davon singen, wem sage ich das. Na, vielleicht arbeitet die Zeit einmal auch für uns. Kopf hoch, und seien wir nicht ungerecht, denn alles an diesem Zug ist besser als das, was wir aus Erfahrung kennen, wir Ehemaligen.

Sitzenbleiben oder aufstehen, es war mir einerlei. Ich wollte niemanden entdecken, die Fahrt überstehen, mich nur nicht ansprechen lassen. Mein Nachbar am Fenster las Zeitung. Keiner von denen, die das Gespräch suchen: Woher, wohin, Berlin, ach wo denn da? Ich wollte nichts hören, nichts aus seiner Zeitung, seinem Leben, und wollte nichts sagen, brauchte auch nur nein zu sagen bei Göttingen, als er das Blatt beiseitelegte und fragte, ob es mich stören würde, wenn er jetzt frühstücke. Er öffnete seine Brotbüchse, aß Schwarzbrot mit Schinken, trank Tee aus einer Thermoskanne und sprach nicht beim Essen, störte in keiner Weise, der ideale Nachbar, nach dem Frühstück las er weiter.

Emilia, wieder einmal da, konnte sich nicht beruhigen: Wie findest du das, wie findest du den? Du interessierst ihn überhaupt nicht, aber er gesteht dir zu, ihm eventuell das Essen zu verbieten! Das ist Höflichkeit, das ist Rücksichtnahme, sagte ich, davon verstehst du nichts. Sie funkelte mich an: Davon wolle sie auch nichts verstehen. Blankes Theater. Ja, wenn er dich gefragt hätte, ob du Hunger hast, ob dir nicht gut ist, so wie du aussiehst, das muß selbst einem Blinden auffallen, aber dieser Rücksichtsvolle kümmert sich nicht im geringsten darum, verzieht sich hinter seine Zeitung und basta. Genau das finde ich gut, sagte ich. Dir ist nicht zu helfen, hörte ich aus einiger Entfernung, dann das Geläut des Proviantwagens.

Um die Mittagszeit erreichten wir den neuen Landesteil. Ich sah Bauten, die ganz neu, andere, die erneuert waren, frisch gedeckte Dächer, helle Farben, hervorstechend aus dem Unveränderten, Vorstöße einer Erneuerung, die um sich greifen würde, das war absehbar, das Ende nicht. Vielleicht schneeweiße Dörfer in der Magdeburger Börde und auf Potsdam zu, geleckte Ortschaften nach naheliegenden Vorbildern. Vielleicht ein anderer Anblick, Hartnäckigkeit des Alten, vor dem Verfall gerettet und bei sich geblieben. Wäre schön und nicht unmöglich, weiter westlich kann man sich ein Bild davon machen, sagte ich mir im Gedanken an Frankreich und wollte nicht schon wieder an Frankreich denken. Wenn sie dort ihr Nationalfest feierten – hier war es ein gewöhnlicher Tag, sollte in meiner Erinnerung zu anderen gewöhnlichen Tagen fallen, in der Menge des Unglücks verschwinden. Was hatte der Tagesstempel auf meiner Karte mit dem Sturm auf die Bastille zu tun. Hätte ich die Karte nicht angesehen, wüßte ich gar nicht, den wievielten wir heute haben, wäre es ein Tag ohne Datum, mit einem herrlichen Sonnenaufgang, einer Flucht zum Bahnhof in aller Frühe, weiß Gott kein Anbruch einer neuen Zeit, ein quälender Tag nach einer schrecklichen Nacht, das genügte, mehr sollte er nicht sein – das Ende einer Geschichte, ich wollte nicht daran denken, wollte nur, daß die Zeit verging.

Das langweilige Ackerland lag schon hinter uns. Es kamen die Wälder, der erste See. Auf der andern Seite des Ganges entstand Bewegung. Sie hatten lange still gesessen, wie ermattet vom Eingesperrtsein, dem verlorenen Kampf um ausgedehntere Streifzüge als bis zu den Toiletten, von den Ermahnungen und Verboten aus der Reihe hinter ihnen. Sie hatten sich mit Büchern und Geduldsspielen beschäftigt und wollten beim Anblick des Wassers, der weißen Boote endlich hinaus, wollten beide am Fenster sitzen, wissen, wie weit es noch war bis Berlin, bis Potsdam, von Potsdam bis Berlin, und stritten darum, wer von ihnen besser schwimmen, besser tauchen, segeln, am besten fliegen konnte.

Jetzt lassen sie sich durch die Stimmen von hinten nicht mehr bezwingen. Sie bereiten der Stadt einen stürmischen Empfang und sind dann, als es ans Aussteigen geht, still und folgsam, unter denen, die am Bahnhof Zoo den Waggon verlassen, die Kleinsten.

Die nächste Station ist Friedrichstraße. Der Bahnsteig ist für den Zug zu kurz. Aussteigende aus den letzten Wagen werden darauf hingewiesen, den Abstand zur Bahnsteigkante zu beachten. Niemand warnt vor dem Weitergehen, hinunter durch Gänge und Hallen, vorbei an Schildern voller Namen, Großbuchstaben und Zahlen, an Pfeilen, Piktogrammen, Durchgangsverboten, treppauf treppab durch ein beschriftetes Labyrinth, in dem Fremde verloren sind, wenn ihnen kein glücklicher Zufall, kein Ortskundiger hilft, diesem Bahnhof zu entrinnen, wo aus alter Gewohnheit und auf denselben beiden Gleisen wie zu der Zeit, als er Grenzfestung war, die Fernzüge halten.

Mir muß niemand helfen, ich kenne den Weg. Er ist

nicht weit. Über die Brücke für Fußgänger, die unter der Eisenbahnbrücke hinüberführt an das andere Ufer der Spree. Das Wasser sieht schwer aus. An seinen winzigen Strudeln erkennt man, daß es fließt. Über dem Wasser, auf der schattigen Brücke ist es etwas kühler als dann auf dem Schiffbauerdamm, voll in der Sonne. Kein Straßenbaum, auch nicht in der Albrechtstraße, der Marienstraße, der Luisenstraße. Flimmernder Asphalt, geschlossene Fenster, die Marienstraße wie ausgestorben. Wuchtige Musik aus einem vorüberfahrenden Auto. Kein Windhauch in den Schluchten, Geruch von Abgasen, Kellergeruch aus den Toreinfahrten. Der Himmel über den Dächern blendet. Was habe ich hier zu suchen. Hier ist die Erde völlig begraben unter Steinplatten, Straßenbelag und Häusern. Nichts wächst hier am Weg. Das Wasser aus der Leitung wird lau sein und nach Chlor schmecken, die Luft in der Wohnung abgestanden, die von draußen zu heiß, sie hereinzulassen. Ich werde den Koffer vier Treppen hoch tragen an meinen Wohnplatz über anderen Höhlen, die ebenfalls bewohnt sind. Ich werde aufschließen, eintreten und mir sagen, daß ich zu Hause bin. Ich erwarte nicht, mich zu freuen. Ich werde schon froh sein, wenn ich alles so vorfinde, wie ich es verlassen habe, und nichts Unangenehmes in der Post. Ich könnte herumgehen, die Schritte zählen, mit denen ich von einem Ende der Wohnung ans andere komme, und müßte nicht lange zählen. Ich werde herumstehen neben meinem abgestellten Koffer, werde überlegen, was ich als nächstes tun möchte. Etwas Kaltes trinken, also in die Küche gehen und dort, spätestens dort werde ich eine Nachricht von Norma entdecken. Als hätte sie geahnt, daß ich heute komme oder mich schon seit Tagen erwartet, überzeugt davon, daß ich es drüben bei Johannes keine drei Wochen aushalten, mich nach Hause sehnen würde, wo einer ihrer gelben Klebezettel mich willkommen heißt.

Sie schicken eine Mahnung. Sind berechtigt, sehen sich gezwungen, wollen davon absehen, eine Mahngebühr zu erheben. Sie sind glücklich, dir das Passende für deinen Geschmack, zu dem sie dich beglückwünschen, anbieten zu können. Sie sorgen sich um deinen Umgang mit Geld und haben Mitarbeiter, die immer für dich da sind. Sie versenden Einladungen zum Mitmachen, Mitfahren, Ausprobieren und Glückslose. Du kannst gewinnen, sie drücken dir die Daumen. Die Freunde im Urlaub schreiben wenig, ihre Ansichtskarten hast du schnell erfaßt. Die Unbekannten aber vergessen dich nicht und erinnern daran: Ohne Asche keine Glut.

Sie sind amtlich und korrekt, verlangen nichts Ungesetzliches. Erläutern ihr neues Abrechnungsverfahren, ihre neue Gebührenordnung, weisen dich auf die geltenden Bestimmungen hin, auf die Frist für deinen Einspruch. Lesen mußt du. Sie geben dir reichlich zu lesen, viel Kleingedrucktes. Und wer den Ofen heizt mit ihren Mitteilungen in den ungeöffneten Umschlägen, verbrennt sich die Finger daran, früher oder später, sie kriegen dich schon, es kann teuer werden. Du hast es dir selbst zuzuschreiben, wärest auch im Knast nicht sicher vor ihren Formularen, Instruktionen und Mahnungen.

Das liegt nun in der Wohnung verstreut. Entfaltete Blätter, im Gehen überflogen und fallengelassen, als wäre Hoffnung, daß sich der Boden auftut, sie zu verschlucken. Es liegt ausgebreitete Zuwendung da. So kann man es sehen. Wer hat dich empfangen? Ihre Post. Sie kennen dich nicht, du mußt sie nicht kennen. Ihre Aktenzeichen und Kontonummern, deine Anschrift und Registriernummern, so könnt ihr Briefe wechseln, Leistung gegen Leistung, mit freundlichen Grüßen. Was regst du dich auf?

Umzingelt, belagert, bedrängt, belästigt. Die gute Fee, den guten Hacker herbeiwünschen, dich löschen lassen aus sämtlichen Dateien. Niemand werden, nicht mehr auffindbar hinterm Schutzwall der Datenlosigkeit, himmlischer Frieden dann. Denkst du. Schon die Wörter, mit denen du das denkst! Mehr als bedenklich! Das ist dir immerhin klar. Jetzt läufst du durch die Wohnung, hebst alles auf, entschuldigst dich bei den höflichen, den netten Schriftstücken. Die Übermüdung, die lange Zugfahrt, die Hitze, ja, und euer Amtschinesisch, euer ewiges Rechnen und Verlangen nach Geld. Gar nicht zu reden vom Geschrei der Verheißungen all dieser Erlebnishäuser, Tiefkühlvergnügen, Knabberspäße für die ganze Familie, wahrhaft unerträglich. Keine Ausreden! So etwas war nicht in der Post, bei den Zeitungen vielleicht, aber die stapeln sich, wie sie gekommen sind, ungelesen. Gib es zu: die Kränkung. Weil du sie nicht begreifst, ihre Ordnung nicht durchschaust, sofort wieder vergißt, was sie dir erklären. Hinter den freundlichen Grüßen vermißt du den freundlichen Staat. Die persönliche Anrede nimmst du persönlich, du Nummer. Ihre Praktiken sind zu modern für dich, das ist es. Veranstaltest einen Wirbel um ganz normale Post! Das Chaos ist in deinem Kopf, nirgends sonst, denn blicktest du die Welt vernünftig an . . .

In aller Ruhe. Die Wohnung ist übersichtlich. Sechzig Quadratmeter. Noch einmal an die Stellen, wo der Zettel sein könnte, hingelegt oder angeklebt und heruntergefallen, sichtbar jedenfalls. Noch einmal nichts. Ich weiß nicht, wo ich weiter suchen soll. Etwas, das es nicht gibt, kann man nicht finden. Zwischen den Zeitungen vielleicht. Nie und nimmer. Sie weiß, daß ich die wegtue, vom sechsundzwanzigsten Juni bis gestern. Wer versteckt eine Nachricht in altem Schnee. Zwischen fremden Briefen, ja, aber da ist nichts, ich weiß es nun.

Sie ist hier gewesen, hat den Briefkasten geleert, die Pflanzen gegossen, sogar daran gedacht, die Wanduhr aufzuziehen. Sie ist durch meine Abwesenheit, mein Fortbleiben, mein Nichtvorhandensein ein- und ausgegangen, in der Hand die Schlüssel zu dieser Wohnung, die sie im Auge behält, gewissenhaft. Sie hat hier auf dem Teppich gelegen und Musik gehört, das sehe ich. Auf dem Bauch liegt sie, die Ellbogen aufgestützt, die Hände zu einem Halbkreis um das Gesicht. Es ist ein festes Gesicht, flach, mit hohen Backenknochen und einer kurzen Stirn. Die Augen sehen ich weiß nicht was, den Tönen hinterher, unverwandt geradeaus, mich nicht von ferne und nicht, wenn ich herantrete, vor ihnen herumfuchtele, kein Reflex der Pupillen, das Farbgemisch der Iris nicht die Spur verändert, kein Schatten von mir in diesem hellen Blick.

Mein Amulett aus der Nacht, als sie plötzlich neben mir, ganz selbstverständlich mit uns ging. Eine große Gestalt in einem schwarzen Mantel, der mich anwehte, als wir rannten, getrieben, mitgerissen von explodierender Ungeduld, das Unfaßliche selbst zu sehen, zu sehen, daß es kein Gerücht, keine Täuschung war. Ein Taumel in Wirklichkeit, nicht mehr die Wirklichkeit eines unscheinbaren Tages, dahingegangen ohne Vorzeichen, ohne Vorahnung, ein ruhiger grauer Tag, und endete im

Lauffeuer der Nachricht vor tatsächlich sich öffnenden Toren. Lachen, Tränen, Schreie, Sprünge, alles durcheinander, ihr und wir und die da in den Uniformen, ein Gewoge und Gestammel die Nacht hindurch. Körper, die hinwegfluteten über das Ende einer Welt und viele ohne weitergestecktes Ziel, als nur diese Bewegung auszuführen, als müßte ein Hindernis niedergewalzt, der Weg ins Freie festgetreten, das bis eben Unmögliche erobert werden im drängenden Hin und Her auf engem Raum. Ein hellwacher Rausch, ein Tanz, der uns auseinanderriß und zusammenführte in undurchschaubaren, traumhaft sicheren Figuren immer wieder auf einander zu, Johannes und mich und die Frau im schwarzen Mantel. Einmal, als ich herantrieb, stand sie ganz still, sah mich nicht, sah vielleicht niemanden, war nur Anblick. Andächtige Zuversicht, wie gesammelt aus allen Augenblicken, die dem Ereignis dieser Nacht entgegengesehen, ihm unbeirrt zugearbeitet hatten, jetzt auf ihrem Gesicht vereinigt und zur Ruhe gekommen in einer Atempause des Festes, als sollte ich von seinen zersprühenden Bildern gerade dieses zurückbehalten.

Ich behielt es für mich und zeigte es keinem. Ich war nicht überrascht, daß ich sie jetzt öfter auf der Straße oder beim Einkaufen traf. Ich wußte, als ich eines Abends fremde Schritte die Treppe heraufkommen hörte, daß sie es war. An ihre Stimme, die etwas zu hoch und manchmal klirrend von dem gehüteten Bild absprang, gewöhnte ich mich bald und empfand sie nicht mehr als unnatürliches Tönen aus einem Körper, den ich in diesem Vergleichsspiel: was könnte Norma sein, wenn sie ein Musikinstrument wäre, ohne zu

190

zögern Violoncello genannt hätte. Ihren Namen nahm ich hin, längst vertraut mit Taufirrtümern, der obstinaten Unstimmigkeit zwichen den Wesen, die ich kannte, und der Benennung, unter der sie ins Leben geschickt wurden, ja, inzwischen auch bereit, den auf den Leib geschriebenen Namen nicht mehr als geglückte Verschmelzung, erfüllte Prophezeiung oder dergleichen bei jeder neu in meinen Gesichtskreis tretenden Person zu erhoffen und regelmäßig zu vermissen, sondern einzusehen, daß er Zuschreibung war, deren Äußerlichkeit in der Natur der Sache lag und ihre eigenen Reize hatte, zumal bei schönem Klang oder schmeichelhaften Anklängen.

Sie aber sagte, als mir in den Sinn kam zu fragen, wie sie, außer den zwei aneinanderstoßenden Silben, die ich beim Aussprechen im Mund fühlte als kleinen Widerstand in der Mitte, der sich zerdrücken ließ, und die mir gefielen, auch genügten, um sie anzureden und namentlich an sie zu denken, nur eben nicht alles waren, und so fragte ich, im Geiste schon unterwegs zur Tür mit ihrem Namensschild, wie sie denn weiter hieße, Norma Edith Scholz geborene Niebergall, wenn du es genau wissen willst, sagte sie. Ich sah zu ihr hin, die in Cordhosen und selbstgestricktem Pullover vor mir saß, nicht groß, schwarz, entrückt in einer begeisterten Menge stand und so natürlich allein, wie zunächst jeder, den man als einzelnen kennenlernt und für sich nimmt ganz, bis ein Umfeld auftaucht, früher oder später. Ich fragte nach Herrn Scholz. Ein Schulkamerad, für neunzehn Jahre Normas Ehemann, Vater von Ines und Sandra Scholz, lebt in Köpenick seit eh und je, hat dort eine Zahnarztpraxis und eine neue Assistentin. Die Trennung ge-

191

schah in gegenseitigem Einvernehmen, sagte Norma. Die Töchter aus dem Gröbsten raus, Christoph ein tatkräftiger Helfer bei der Wohnungssuche, beim Umzug und in finanzieller Hinsicht auch. Nein, kein Bedauern, ein abgeschlossenes Kapitel, sagte sie, mein Leben besteht aus Abschnitten. Scholz-Niebergall, das würde sie jetzt vorziehen, aber zum Zeitpunkt der Scheidung, ein Jahr vor der Wende, kamen Doppelnamen nicht in Betracht, und zurück zu Niebergall, wozu denn, auch war Scholz ihr nicht verhaßt. Ja, was sind schon Namen, sagte ich, Schall und Rauch. Das wollte sie nicht gesagt haben, sagte Norma.

Und Edith, fragte ich, warum Edith?

Norma verschränkte die Arme hinter dem Kopf. Sie lehnte sich zurück mit halbgeschlossenen Augen und hatte jetzt Kinderohren und hörte Geschirr klappern, einen summenden Wasserkessel, hörte, wie das Lachen näherkam, vor dem Küchensofa stehenblieb, wo ein Federbetthügel in den Morgen ragte. Das ging nicht mit rechten Dingen zu, eine Kuhle im Kopfkissen, aber kein Kopf in der Kuhle, das Kind wahrhaftig verschwunden, dem Lachen wurde himmelangst. Wenn bloß nicht um Mitternacht eine Hexe durch den Schornstein gesaust war und in der Küche dreimal herum, bis sie das schlafende Mädchen entdeckte, schwupp, vor sich auf den Besen setzte und ab in die Lüfte, auf Nimmerwiedersehen, ja, so mußte es sich zugetragen haben. Die Hände tappten wie ein Blindenstock über den Hügel, und weil sie nichts fanden, ertönte Gejammer über dem leeren Bett. Wer würde nun zu Onkel Jochen mitkommen, das Kätzchen aussuchen, das er Norma versprochen hatte, und was überhaupt sollte Oma Edith anfangen so ganz allein, heulte es kräftig, mit kleinen Pausen, in denen ein Kichern zu hören war, der Hügel ein bißchen wackelte, dann hin und her schwankte wie wild. Hilfe, jetzt ist alles vorbei, schrie das Geheul und hatte Norma am Hals, die gellend aus dem Erdbeben hervorschoß, sich auffangen, schaukeln und drehen ließ, sich festsaugte an dem prustenden Mund, der dann, noch außer Atem, sagte: Wer in fünf Minuten fertig ist, kriegt zum Frühstück eine Überraschung, und beim scheinheiligen Geplätscher von Normas Morgenwäsche die Geschichte erzählte, wie einmal Onkel Jochen von seiner Katze Adelheid ausgelacht wurde. Wenn sie lachte, sagte Norma, klang sie wie eine schnurrende Katze. Edith Barsig, die Mutter der Mutter, Normas große Liebe aus einem frühen Abschnitt.

Sie ist hier herumgegangen auf knarrenden Dielen, sie hat die Fenster geöffnet, man konnte denken, ich sei da. Es fiele nicht auf, wenn ich meinen Koffer nähme und wieder verschwände. Sie würde weiter die Post ablegen, die Stapel wachsen sehen, würde die Uhr aufziehen, die Pflanzen gießen. Mit mir hat das nichts mehr zu tun, ich weiß nicht, wie lange schon, ich kenne ja die Geschwindigkeit nicht, mit der sie diesen Abschnitt abgeschlossen hat und kann sie nicht ablesen an kleinen Nachrichten, überall verstreut, anfangs häufig, dann spärlicher, irgendwann nichts mehr. Keine erste und keine letzte Botschaft habe ich vorgefunden. Kein Zeichen gibt mir zu verstehen, daß sie, sooft sie in meiner Wohnung war, an mich gedacht hat, die hier fehlte. Sie hat hier Schallplatten gehört, das weiß ich, wie ich wußte, schon bevor sie es feierlich erklärte, daß ihr Musik über alles geht.

Nicht auf einer Bühne, aus der ersten Reihe der Soprane an die Brüstung der Orgelempore herangetreten, um mit schlichter, klarer Stimme, den Blick abwechselnd auf die Partitur und den dirigierenden Kantor gerichtet, ihr Solo vorzutragen zum Lobpreis des Höchsten in einer Kantate oder Motette, die sie geduldig einstudiert hatten und im Gottesdienst darbrachten. Kein Musizieren seitdem, auch die auf ihre Weise beglückende Hausmusik im Köpenicker Freundeskreis nicht, sei den Chorjahren gleichgekommen, Musikferne ihr grundsätzlich unvorstellbar, eine Art Blindheit, sagte sie, aber verurteilen wolle sie mich deshalb nicht, nur auf meine Frage antworten. Was hatte ich denn gefragt, das ihr Bekenntnis auslöste, Reaktion wahrscheinlich auf die Bemerkung, ob sie etwa zu denen gehöre, die gern im Chor singen.

Doch, du kannst es sehen. Den Trinker, den Kettenraucher, den Vielfraß erkennst du ja auch, so wie sie aussehen, und ich sage dir, sie ist musiksüchtig, etwas, wovon wir keine Ahnung haben, mit unserem erbärmlichen Gehör und dem Gestümper, einstmals, auf Klavier und Geige. Das als solches zu identifizieren seine Ohren immerhin ausgereicht hatten, weswegen er dem Fräulein Wernicke dann Kohlen schleppte, statt unter ihrer Anleitung weiterzustümpern, sagte Johannes. Das musikalische Äußere unserer Nachbarin sei ihm bisher entgangen, ihre Stimme klinge manchmal etwas blechern, und wenn er ihr etwas ansehe, dann einen Hang zum Kunstgewerbe.

So trennte sich das Paar, das mir in einem Morgentraum erschienen war und groß und schön, vertieft in das Dahinschwinden des Abstands zwischen den beiden Körpern, den beiden Mündern, mitten auf der Straße stand, alles ringsum vergessend, von sich weisend mit solcher Bestimmtheit, daß die Autos auswichen, als wollten sie auf Zehen gehen, und ich den Atem anhielt, die Augen nicht wenden konnte von dieser Übermacht, die dort, wenige Schritte vor unsrer Toreinfahrt, im Entstehen und schon unabwendbar war, mich leichthändig beiseiteschieben, gar nicht beachten würde auf meinem Lauerposten hinter dem Holztor, an mir vorbeischritte wie durch mich hindurch, stracks zum Aufgang B, in den vierten Stock hinauf, wo ich fortan ausgewiesen, eine in den Pausen der Lust von weither aufflackernde Erinnerung wäre, ein Schatten, der vorüberhuscht, wenn sie irgendwann fragen, was wohl aus Marianne geworden sein mag.

Der Traum zog sich hinein in das Erwachen. Ich lag in meinem Bett, Johannes neben mir. Das Fenster, die Wände, der Schrank, alles unverrückt und wirklich, von einem Augenblick zum anderen, deutlich wie ein letzter Anblick, noch da und schon verloren. Ich sah Johannes an. Er sah nicht aus, als würde er träumen, hatte ein glattes, mit nichts als Schlafen beschäftigtes Gesicht, keine Ahnung von dem Paar, zu dem er und Norma sich zusammentun würden, wie ich, die Verliererin, soeben als erste erfahren hatte, vielleicht, um mich innerlich darauf einzustellen, das einzige, was angesichts eines unabänderlichen Schicksals zu tun blieb. Der Schmerz war noch immer betäubt. Gefaßt, ihn gleich in aller Heftigkeit zu spüren, sah ich weiter Johannes an und merkte, wie sich der Traum langsam zurückzog, das ohnmächtig starrende, an die Wand gedrückte Wesen von mir abrückte. Seine Widerstandslosigkeit erstaunte mich. Sein Selbstmitleid war mir peinlich. Das sollte ich sein? Der Traum empörte mich wie eine üble Nachrede. Nichts wollte ich auf ihn geben, gar nichts. Johannes rührte sich und fragte mit verschlafener Stimme nach der Uhrzeit. Es ist Sonnabend, sagte ich, schlaf nur weiter. Er knurrte zufrieden, drehte sich auf die Seite. Ich legte mich an seinen Rücken, ließ mich von Haut, Atem, Wärme beruhigen und dämmerte ein über dem Entschluß, mich von meinem Unterbewußtsein entschieden zu distanzieren.

Norma kam selten zu uns, und wenn sie kam, war ich meist mit ihr allein. Johannes ging zu Versammlungen. Ich dachte, daß er ihr auswich. Doch als ich es dachte, erschien mir der Gedanke schon wie die Hinterlassenschaft eines anderen Zeitalters, in dem Männer Frauen nachstellten oder aus dem Weg gingen, Frauen mit dem geschärften Blick des Mißtrauens Spuren lasen und aus den Fährten ihrer Männer treffsicher auf Begehren, Abwehr, Untreue schließen konnten, weil einfache Verhältnisse herrschten, das Reglement der Arbeits- und Familienzeiten von nichts anderem durchbrochen wurde als Krankheit oder Sex, gesellschaftliche Verpflichtungen immer eine Grauzone bildeten, in die listig hineinzuleuchten den Selbsterhaltungstrieb mit spielerischen Reizen anreicherte in jener alten Welt des Privaten, zu deren Relikten mein Gedanke gehörte, eine antike Scherbe im brandneuen Gemenge der Politik, das uns seit Herbst '89 völlig in Anspruch nahm.

Vom Anbruch einer neuen Zeit, von zwei Jahren Tumult in meiner Erinnerung wäre mir nichts geblieben als das Gefühl, geträumt zu haben und niemandem sagen zu können, was im einzelnen und in welcher

Reihenfolge, so daß mir diese Lebensjahre fraglicher erscheinen würden als alle zuvor, hätte ich nicht im letzten November, an meinem Geburtstag, mich abends noch hingesetzt und eine Art Chronik verfaßt, mir schwarz auf weiß bestätigt, daß bestimmte Ereignisse sich zugetragen hatten von einem Herbst bis zum übernächsten und ich davon berichten konnte, weil ich dabeigewesen war.

Die beschriebenen Blätter liegen zuoberst in einer Schublade mit Dokumenten. Wenn ich dort etwas suche, lese ich die eine ode andere Stelle aus diesem Bericht über eine fene Epoche. Fremd ist sein Ton, geborgt von irgendwo, vielleicht als Mittel, Überblick und Abstand zu gewinnen. Als hätte ich üben wollen, von Veränderungen zu erzählen, die mir unvorstellbar erschienen waren.

»Freiwillig gingen wir zu Demonstrationen. Wir lasen Zeitungen wie noch nie. Im Fernsehen schalteten wir um von West auf Ost. Jetzt behielten wir Sendezeiten, Sendereihen, Namen von Moderatorinnen und Kommentatoren der beiden Programme, die wir ohne Umstände die eigenen nannten. Ich unterbrach meine Arbeit, wenn im Radio eine Sitzung des zentralen Runden Tisches oder der Volkskammer übertragen wurde. Norma engagierte sich bei den Grünen, dann im Unabhängigen Frauenverband. Einige Male ging ich mit.

Der Winter brodelte vorüber. Im März fanden unsere ersten Wahlen statt. Wir mußten den Sieg der Mehrheit verwinden.

Das Frühjahr verstrich. Unsere Energien verbrauchten sich schnell. Im Gegenteil, sagte Norma, sie wolle sich nur nicht verschleißen lassen in Gruppenkämpfen um die richtige Linie, sie wolle das Konkrete, ihren Anteil an Aktionen selbst bestimmen und wissen, was für wen dabei herauskommt. Sie sammelte Geld und Sachspenden und schickte Pakete nach Rumänien. Ich spendete mit, ich half beim Einpacken.

Johannes wechselte vom Neuen Forum zu den Sozialdemokraten. Er verteidigte seinen Schritt mit allen bekannten Argumenten für das Wirken in einer Partei und die parlamentarische Demokratie überhaupt gegen Max, der seinerseits alle bekannten Argumente für Basisdemokratie, das einzig Wahre, ins Feld führte. Und du? fragten sie, was tust du eigentlich, außer diesem Kleinkram, warum machst du nirgends mit, an Auswahl herrscht weiß Gott kein Mangel. Keine Lust, sagte ich, und versuchte nicht einmal, dieses bekannte Argument mit Begründungen zu untermauern. Sie wechselten Blicke, aus denen hervorging, daß ich ein hoffnungsloser Fall war. Wir diskutierten trotzdem weiter über die Vergangenheit, Gegenwart und Zukunft, einmal auch zu viert, Norma äußerst aufgebracht gegen Johannes, den sie seitdem ablehnte. Das war im Sommer, schon nach dem Tag, an dem wir richtiges Geld bekommen hatten, wiederum eine Wende und so einschneidend, daß nun mancherorts die Zeitrechnung vor der Währung, nach der Währung üblich wurde.

Im Hochsommer reiste Norma nach Südfrankreich zur Gründung eines Europäischen Bürgerforums. Sie kehrte tief beeindruckt zurück. Eine Zeitlang trug sie sich mit dem Plan, in die Haute Provence überzusiedeln. Das große Deutschland, das uns blüht, sei ihr unheimlich, sagte sie, und dort unten, in der Kooperative, habe sie wunderbare Menschen kennengelernt, Solidarität in Aktion. Genau die Lebensform, die ihr schon immer vorgeschwebt, dieses gemeinschaftliche Arbeiten, Wohnen, Essen, Erziehen, Musizieren. Eine Verbindung von Landwirtschaft, Politik und Kultur, mit Kontakten rings um den Erdball. Eigener Radiosender, eigene Presse, eine unglaubliche Vielfalt im Tätigsein, seit fast zwei Jahrzehnten schon, keine Utopie, handfeste Wirklichkeit, sagte sie, du mußt dir das ansehen, unbedingt. Ich las die Blättchen, die sie von dort bekam. Ich konnte mir Norma in der Kooperative gut vorstellen. Meinst du denn, daß sie eine Zahnarzthelferin gebrauchen können? fragte ich. Jeden, der bereit sei zu arbeiten, sich in die Gemeinschaft einzufügen, und diese Voraussetzungen bringe sie mit. Du wirst mir sehr fehlen, sagte ich. Sie schloß mich in die Arme. Noch sei es nicht so weit, außerdem könnte ich nachkommen und solle jetzt nicht sagen, daß ich für so etwas zu alt sei. Was ich gerade sagen wollte.

Der Herbst ging dahin, die Nation wurde vereint. Johannes und ich machten Urlaub in Ligurien. Normas Freundin Barbara und zwei weitere Zahnärztinnen gründeten eine Gemeinschaftspraxis. Den Winter über wußte Norma nicht, wo ihr der Kopf stand vor lauter Behördengängen und Umbauten. Sie ließ sich einspannen, wo immer nötig, als wäre sie eine der Praxisinhaberinnen und nicht bloß Barbaras Sprechstundenhilfe. Das 'bloß' wolle sie überhört haben, sagte Norma.

Ich beendete die Übersetzung eines schönen Romans, der im südwestlichen Fankreich spielte, sah mich nach neuen Aufträgen um und fand keine. Die nahen Verlage ertranken in Umstellungsschwierigkeiten, bekamen keinen Fuß auf den neuen Markt, wurden liquidiert. Du mußt begreifen, daß wir in Deutschland leben, das bekanntlich nicht an der Elbe und dem Thüringer Wald endet, sagte Johannes, strecke deine Fühler aus, tu etwas. Er warte ja auch nicht ab, bis sein Institut aufgelöst, die Mitarbeiter ausgesiebt, der Rest auf befristete Plätzchen verteilt sei. Zu Silvester, im Augenblick der Wünsche und guten Vorsätze für das kommende Jahr, hatte er das Glas erhoben auf den Erfolg seiner Bewerbungen, als spreche er keinen Wunsch aus, sondern eine Gewißheit.

Im Mai war der Erfolg da, nicht unbedingt ein Traumjob, doch eine Stelle mit interessanten Perspektiven nach der Probezeit. An jedem zweiten Wochenende kam er nach Hause. Es war der anstrengendste Sommer seines Lebens, an Ferien kein Gedanke. Später holen wir alles nach, sagte er. Wenn du die Probezeit schaffst, sagte ich. Auf alle Fälle, sagte Johannes.

Norma sah ich häufig. Sie kam zu mir, ich ging zu ihr, wir fuhren mit Ines und Sandra an unseren Lieblingssee nördlich der Stadt. Von der Kooperative war wieder die Rede. Ines und ihr Freund wollten dorthin, für ein halbes Jahr oder länger, je nachdem. Als deine Vorposten? sagte ich zu Norma. Sie erklärte, daß sie die Praxis jetzt unmöglich im Stich lassen, und, solange Sandra noch zur Schule gehe, sowieso nicht fort könne. Sandra bekam ihr Geheimsprachegesicht: L'école, je m'en fous, sagte sie, was für niemanden ein Geheimnis war, aber ein korrekter Satz und Ansporn für mich, weiter mit ihr Französisch zu üben. Wir lagen in der Sonne. Wir schwammen ans andere Ufer. Beim Picknick spielte Norma essen wie früher, ersetzte alles, was wir aßen und tranken, durch die Dinge, die wir noch im Juni vor einem Jahr mitgenommen hätten, beschrieb sie so genau, daß ich vergaß, wieviel ich schon vergessen hatte, und die Mädchen sich langweilten. Wir blieben bis zur Dämmerung, auf der Rückfahrt sangen wir. Sandra lehnte sich an mich. Jetzt sind wir eine moderne Familie, sagte sie, was mich mehr erstaunte als ein fehlerfreier Satz in ihrer Geheimsprache. Hin und wieder erkundigte sich Norma nach Johannes. Für sie stand fest, daß er in Mannheim bleiben würde. Ich sage dir, sagte sie, er macht dort Karriere, er gehört längst in den Westen. Wenn er nach Hause kam, ließ sie sich nicht blicken.

Kaum eines der gemeinsamen Wochenenden verging ohne Enttäuschung und Mißverständnisse. Unsere Streitigkeiten wogen nun schwerer, weil für Aussöhnung meist keine Zeit mehr blieb. Unsere Körper drängten zueinander in verzweifelter Heftigkeit, als könnten sie retten, was mit der Entfernung verloren ging. Erschöpft trennten wir uns, bis zum nächsten Mal, und schöpften Hoffnung in den Zwischenzeiten und verloren sie immer leichter über einem ausgebliebenen Wort, einer vermißten Geste während dieser kurzen, erwartungsgeladenen Begegnungen alle vierzehn Tage. Und wenn eine gut war von Anfang bis Ende, wenn es mir gelang, an den Abschied nicht zu denken, traf er mich dann wie eine absichtliche Verletzung, eine Zurückweisung durch Johannes, dem die Arbeit wichtiger war als ich.

An seinem fünfundvierzigsten Geburtstag rief ich ihn abends von Norma aus an. Ich hatte mir ein paar Sätze zurechtgelegt, die meine Gefühle für ihn, mein Nachdenken über unser gemeinsames Leben zum Ausdruck bringen sollten. Ich kam nicht weit. Sein schönstes

Geburtstagsgeschenk, erfuhr ich, hatte er schon am Morgen bekommen, einen Arbeitsvertrag, gültig ab November. Nun werde er unverzüglich eine Wohnung suchen, endlich könnten wir unter menschenwürdigen Bedingungen zusammenleben. Wie meinst du das? fragte ich und wartete die Antwort nicht ab, verteidigte die sechzig Quadratmeter im Hinterhaus, als müßte ich mein Leben verteidigen, und verdarb ihm die Freude an seiner guten Nachricht.

Eine Woche später war mein Geburtstag. Die halbe Nacht schrieb ich. Die Chronik endete mit dem Geburtstag: Ein Bote brachte einen Strauß lachsfarbene Rosen, achtundvierzig, ich zählte nach und brauchte dazu länger, als das kleinformatige Glückwunschkärtchen zu lesen. Ich schenkte mir ein Glas Wein ein und heulte vor mich hin. Kino, sagte ich zu Norma.

Du hast widersprochen. Ich müsse die Geschichte, meine Tränen inbegriffen, unbedingt ernstnehmen. Bei diesem Wort hast du, das kannte ich schon an dir, den Kopf ein wenig vorgestreckt, als wäre deine Wirkungskraft eine Frage der Entfernung, und so empfand ich es auch, sofort im Bann deines nähergerückten Gesichts mit der Anstrengungsfalte zwischen den Augenbrauen.

Kein Mann, hast du gesagt, keiner von den jetzt Erwachsenen, sei in der Lage, eine Frau auf Dauer glücklich zu machen, zumindest keine von den Anspruchsvollen. Ich hätte also zu wählen zwischen meinen Glücksansprüchen und einem dauerhaften Zusammenleben mit Johannes. Und dürfe mich nicht blind und taub stellen gegen die Erfahrungen der letzten Zeit. Zeigten die nicht zur Genüge, daß unsere Gemeinsamkeit nur noch Erinnerung sei? Johannes habe sich entschieden. Für die neue Arbeit, den neuen Wohnort, ein neues Leben im Grunde genommen, mit dir oder ohne dich, und auf Männerart es dir überlassen, eure Beziehung zu retten, indem du nachkommst, hast du gesagt und mich angesehen und gefragt, ob ich wirklich glaubte, daß da noch viel zu retten sei. Du hast von Christoph Scholz gesprochen und wie schwer es für dich war, endlich aus der Erkenntnis einen Entschluß, aus dem Entschluß eine Tat zu gewinnen, eine ganze Reihe von Taten, und dabei nicht mehr zurückzuweichen hinter das einmal Erkannte. Jedes Ding währt seine Zeit, heißt es schon in der Bibel, hast du gesagt, und wenn ich mich genau befragte, würde mir bewußt werden, wie es um die Zeit meines Zusammenlebens mit Johannes bestellt sei. Hineinreden wolltest du mir natürlich nicht, hast du gesagt und den Kopf wieder etwas zurückgezogen. Die Entscheidung sei allein meine Sache, aber die sollte ich wenigstens ernstnehmen. Und wissen, daß ich auf dich zählen könne, wann auch immer.

Warum weiß ich das nicht mehr? Es ist wie nie gewesen, weil ein Zeichen fehlt, ein Willkommensgruß von dir. Ich erzähle mir unsere Geschichte wie einen Nachruf, in dem irgendwann das Machtwort fallen muß, das den Tod als Irrtum entlarvt, rückgängig macht – wenn man nur durchhält im Erzählen, im Glauben an diesen Ausgang.

Aber ich kann nicht, ich weiß, es hat keinen Zweck.

Du hast aufgegeben, mich abgeschrieben, wahrscheinlich schon, als ich dir sagte, daß ich zu Johannes fahren würde, oder habe ich gesagt: nach drüben. Für ungefähr drei Wochen, habe ich gesagt, das weiß ich genau. Du wolltest wissen, was in der Wohnung zu tun sei während dieser Zeit, und sahst aus wie immer. Nichts habe ich bemerkt, kein Anzeichen, daß deine Geduld am Ende, nach einem Jahr Krise und Entschlußlosigkeit verbraucht war.

Ich hatte es längst befürchtet, doch wieder verdrängt, dich hemmungslos beansprucht, dir sogar die Briefe vorgelesen, die seit März aus der schönen neuen Wohnung kamen. Ich habe mich stärken lassen von dir und noch gemeint, dich dadurch auszuzeichnen. Konntest du mich trösten, mir eine Torheit ausreden, redete ich mir ein, ich hätte dich beschenkt. Ich habe dich ausgebeutet, das machst du nun nicht länger mit.

Dein Versprechen hast du gehalten, dich um die Wohnung gekümmert, gewissenhaft, und dabei geübt, mich aus ihr fortzudenken. Vorbei ist vorbei. Weil du das, was dir richtig erscheint, durchführst ohne Wenn und Aber, hast du bewußt auf jedes Zeichen verzichtet. Ja, dies ist deine Botschaft: Falls ich denn zurückkehre, soll ich schon beim Anblick der Wohnung Bescheid wissen und nicht mehr auf dich zählen.

Ausgerechnet jetzt.

Er sah so künstlich aus, ein Bild von einem Spitz. Die dunkelgrünen Hecken, das rötliche Pflaster des Gehwegs wie geschaffen für sein Weiß, noch weißer, wenn er dort entlanglief, von seinem Grundstück bis ans Ende der Straße in sachtem Trippelschritt, der grazile Körper mit dem flauschigen Schwanz so leicht dahin, die Pfötchen aufgetupft in gleichmäßigem Rhythmus, und nach kurzem Aufenthalt, in geringfügig gesteigertem Tempo, genauso anmutig, monoton und unhörbar zurück zu der Gartenpforte, wo ein silbergrauer Herr ihm entgegensah, in der Tasche seiner Flanellhose gewiß den Schlüssel, mit dem er das reizende Geschöpf aufzog, bevor er es auf den Laufsteg entließ.

Das Publikum dezent hinter den Hecken oder im Inneren der Häuser, dennoch im Bilde über das Geschehen draußen, auf der Straße, die ohnehin zu den ruhigen gehörte und förmlich beiseitetrat, sich den eleganten Autos, die sie sonst befuhren, den großen Rassehunden, die sie hin und wieder durcheilten, rigoros entzog, sobald sich dieses Bild von einem Spitz zum Défilé anschickte und mit der Farbe seines Fells das Weiß der Villen in den Schatten stellte. Immer allein, gefolgt von den Blicken des Silbergrauen, auf der ansteigenden Straße – ein wandelndes Wölkchen, dem Himmel entgegen. Olympia unterwegs zum Olymp, stand unter der Zeichnung.

Ich floh auf ein Feuer zu, auf Feuerfarbe. Die Glasfront vor mir glühte in hohem Bogen bis unter das Dach. Auf dem Vorplatz war es kühl. Der Tag würde heiß werden, das sah man. In der Halle müßte Höllenglut herrschen, vom Feuer unter der Kuppel, wäre es ein echtes Feuer. Der Granitboden glänzte wie frisch gewaschen. So früh am Morgen sah hier alles frisch aus, die Lichter, die Schatten, die Zeitungsränder übereinander in den Drahtgestellen und die Augäpfel der Männer auf der Bank. Hall der Schritte wie in einer Kirche. Eine Frauenstimme von ferne, von oben, deutlich zu verstehen, eine wohltemperierte Stimme ohne Akzent. Durch die Ansagen schrammte und ratterte der Koffer auf zwei Rädern, machte einen Höllenlärm bis hoch in die Kuppel, wurde aber von niemand hinausgeworfen und war dann vor dem Schalter still. Ich verstand nur, was ich selber sagte, nicht die Fragen oder Bemerkungen hinter der Scheibe. Irgendwann war alles erledigt. Ich besah die Fahrkarten, sah das Datum des ersten Geltungstages, also das Datum dieses Tages, an das ich bis dahin nicht gedacht hatte.

Die Sonne steht niedrig, schon über dem Quergebäude. Doch sieht das Himmelsstück, das ich vom Bett aus sehe, sehr hell aus. Alle Fenster sind geöffnet, es gibt einen schwachen Durchzug heißer Luft. Wenn man sich nicht bewegt, ist die Hitze auszuhalten, sogar angenehm. Im Hof plätschert Wasser. Stimmen und andere Geräusche kommen von hinten, aus der Werkstatt des Schildermalers. Sonst nichts, nur das Rauschen der Stadt, einschläfernd wie die Wärme.

Vornehme Bahnhöfe, Wohlstandsgeruch tief aus den Poren. Bauten und Gegenstände waren gediegen, geschmackvoll, gemacht für lange Dauer und fürs Auge auch, sogar Plastik sah besser aus als bei uns. Es gab Rolltreppen, Transportbänder, Aufzüge, Gepäckkarren, alles kostenlos. Niemand mußte sich quälen mit Traglasten, auch nicht mit Hunger oder Durst. Essen und trinken, nichts leichter als das, schwierig höchstens die Entscheidung, wo am besten. Man brauchte sich nicht zu fürchten vor den Zügen, den Schaffnern, der Fahrt. Informationstafeln und Hinweisschilder fehlten nicht, sie befanden sich an den richtigen Stellen, wie auf den Straßen die Wegweiser und Verkehrszeichen und weiter draußen im Land die Markierungen der Wanderwege.

Zu ihr hätte ich nicht gesagt: Sieh dir das an, Mama, ich bin auf der Flucht. Du weißt nicht, wovon du redest, hätte sie gesagt. In einer Winternacht alles stehen- und liegenlassen, in den letzten Zug, der die Stadt noch verläßt, sich hineinzwängen mit drei kleinen Kindern und der kranken Mutter und dem nötigsten Gepäck, wohin damit und wer sollte es tragen, falls man denn ankam vor der nachrückenden Front, nicht auf offener Strecke erfror oder in einem Bahnhof, einem Luftschutzkeller von Bomben getötet wurde, den Mann zum letzten Mal sehen, der in der Festungsstadt zurückbleibt, zu spüren, daß es das letzte Mal ist, dabei schon wie abgestorben sein, stumpf und blindlings weiter am Leben, mit neunundzwanzig, bis zum nächsten Augenblick, bis zur Ankunft, irgendwann, unter einem heilen Dach. Zu ihr würde ich nicht von Flucht sprechen.

Ohne Reservierung war ein Sitzplatz Glückssache, zumal im Sommer. Es standen schon die Feriengruppen an der Bahnsteigkante. Alle würden mitkommen. Niemand hatte Grund, sich aufzuregen, zu drängeln. Man blieb ruhig und machte den Aussteigenden Platz. Wer unachtsam war, wer andere behinderte, wurde auf sein Fehlverhalten hingewiesen. Abschiedsszenen fielen knapp aus an Fenstern, die sich nicht öffnen ließen. Was den Expreßzügen fehlte, waren die herauswinkenden Hände.

Dieses Nichtsehen und Aussortieren fremder Gesichter bei der Ankunft. Vorwärts, an allen vorbei in der Gewißheit, erwartet zu werden am Fuß der Treppe. Nur du und ich, die restliche Welt jetzt beliebige Kulisse. Später erkannte ich einzelnes wieder, hatte noch immer keine Vorstellung, in welchem Teil der Stadt wir uns befanden, in welche Himmelsrichtung wir fuhren und war doch schon zum dritten Mal da. Erst zum dritten Mal, dafür nun etwas länger, sagte Johannes. Er war frisch rasiert, sah um die Augen müde aus und sagte: blendend, als ich fragte, wie er sich fühle. Du fährst wie einer von hier, sagte ich. Das kann man im Lauf eines Jahres schon lernen, sagte er.

In die Kapsel gesetzt und mit einem Schlag woanders, in unbekannter Gegend, die an ihnen vorbeiglitt unter strähnigen Abendwolken. War es nicht seltsam, plötzlich hier zu sein, zusammen in eine Wohnung zu fahren, einander anzusehen, sich zu unterhalten wie selbstverständlich, von niemandem als Fremde bemerkt und dabei doch eingeschleust, sagte sie, von einem anderen Stern. Sie wunderte sich laut über den Zauberschlag, wiederholte das Wort, das zu der erstaunlichen Wirklichkeit paßte und zu ihrem Gefühl, durch magischen Trick hierher versetzt zu sein, zu zweit wie eh und je und in der Kapsel gut getarnt, auch von der Gegend widerstandslos aufgenommen, als wäre sie schon bereit, sich annektieren zu lassen. Da vorne auf dem Hügel siehst du unser Dorf, sagte er und fand nichts verzaubert, sondern daß alles durchaus mit rechten Dingen zuging. Sie war jetzt bei ihm und konnte wählen, wohin sie zum Abendessen fahren sollten, er würde ihr drei Vorschläge machen.

Die Schattenflecken bewegten sich, stockten, hatten klare Blattkonturen, dann verwischte und waren im Licht auf der weißen Wand wie eine fortwährend leicht korrigierte Zeichnung. Helligkeit und Stille, auf der breiten Matratze ich allein, mit mir im Zimmer die getigerte Katze auf einem Korbstuhl voller Kleidungsstücke. Nebenan stand die Tür zur Terrasse auf, von dort würde ich in den Garten gehen, durch kniehohes Gras, den Wind spüren, der in die Bäume fuhr und die Weinranken an der Hauswand schaukelte. Der Tag vor mir war frei. Ich würde in den schönen, noch fast leeren Räumen umhergehen, auf der Terrasse sitzen in der Sonne, im Schatten und Zeit in einem Bad verbringen, das so groß war wie die Küche zu Hause, mich über den Inhalt des Kühlschranks informieren, eine Einkaufsliste zusammenstellen, ein bißchen lesen, ein bißchen Musik hören, Johannes erwarten.

Das Gebrüll muß kein Zank sein. Sie sprechen hier oft so laut. Einer von den Handwerkern, denke ich. Es geht um das Wasser, soll es weiterplätschern oder was? und wer macht den Bademeister? Mach du lieber den Biermeister, brüllt es zurück, bald ist Feierabend. Die Geräusche sind voller geworden, die Fernseher schon dabei, und klingen sogleich härter und trockener, als das Wasser abgestellt wird.

In die Grundstücke reichte meine Vorstellung noch, in die Häuser nicht mehr. Aus den Fronten auf die Innenräume, die Ausstattung zu schließen, hätte mich im Spiel mit Norma gereizt. Allein gab ich auf und begnügte mich mit zufälligen Einblicken. Was verstand ich denn von echt oder unecht, von Stilen, in und out. In dieser Straße war das Haus, in dem wir wohnten, das kleinste und schlichteste, dabei hübscher als alle Häuser in der Luisen-, Marien- und Albrechtstraße zusammen, denen die Gärten fehlten und die beruhigende Ausstrahlung des Unversehrten. In der Straße hier wohnten weniger Menschen als in den Aufgängen A bis E bei mir zu Hause. Dorthin zurückzukehren, war ein entrückter Gedanke.

Wir saßen vor dem Haus bis in die Nacht. Wir sahen Sterne und die Lichter aus der Rheinebene. Wir tranken Wein aus dem Markgräflerland. Wir sprachen wenig und vermißten im Augenblick nichts. Ja, sagte ich, ich bin froh, hier zu sein, alles ist sehr schön. Die Katze kehrte aus dem hohem Gras zurück. Am Wochenende würde er mähen, sagte Johannes, mit der Sense, wie früher in den Sommerferien.

Unsere Straße am Hang hatte einen Gehweg aus geschwungenen rötlichen Steinen. Er wurde wenig benutzt, am häufigsten, schien mir, von den Hunden, allein oder in Menschenbegleitung. Normalerweise blieb, wer hier wohnte, in Haus und Garten oder fuhr im Auto davon. Auf meinen Spaziergängen grüßte ich alle, an denen ich vorbeikam. Es war ja ein Dorf, auch wenn es nur in den Gäßchen um den Kirchplatz noch so aussah und die meisten Straßen, ähnlich wie unsere, aus dem Villenvorort einer Großstadt hätten stammen können. Weder Dorf noch Stadt: eine Ansammlung von Einzelhäusern, Inselchen mit Bewohnern, die viel Platz um sich hatten und den Nachbarn nicht zu nahe traten. Es blieb mir verschlossen, womit sie sich beschäftigten, es ging mich nichts an.

Stehenbleiben vor den Einheimischen, sie ansprechen, Kontakte knüpfen über die Hecken hinweg –

manchmal hatte ich Lust dazu und wagte es nicht, manchmal sah ich Gesichter, bei denen mir alle Lust verging.

– Sie sind so reserviert, sagte ich, jede Familie für sich und alle zusammen eine geschlossene Gesellschaft, zu der Fremde keinen Zutritt haben.

– So fühlt man sich überall, wo man neu hinzukommt, sagte Johannes.

– Hier sehe ich Menschen mit einer Glasur über den Gesichtern, vielleicht zum Schutz gegen die Zeit oder als Visier im Nahkampf, abweisende Gesichter jedenfalls.

– Natürlich, sagte Johannes, Westmenschen wie sie im Buche stehen!

– Ich kann nichts dafür, wenn sie so aussehen.

– Laß uns nicht streiten, sagte Johannes, in ein paar Monaten siehst du das schon anders.

In Gedanken richteten wir die Wohnung ein. Wir waren uns einig, daß wir das Nötige besaßen und alles übrige Zeit hatte. Wenn ich an den schönen Häusern vorüberging, in deren Inneres meine Vorstellung nicht reichte, freute ich mich auf die Heimkehr zu den Vorläufigkeiten. Ich mochte die Matratze und meinen improvisierten Arbeitstisch am Fenster, den Haushalt überhaupt, der Ähnlichkeit hatte mit dem von stud.jur. Erlenbacher im Dachgeschoß. Wie konnte eine Studentin sich diese Wohnung leisten? Ihrer Mutter gehört das Haus, sagte Johannes. Hallo, sagte Silvia Erlenbacher, wenn wir einander begegneten. Sie gab mir ihren Wohnungsschlüssel, damit ich den Klempner hereinließ. Bei Ihnen gefällt es mir, sagte ich. Danke, sagte sie, kommen Sie doch mal vorbei. Sie war selten zu Hause.

Gäste sollten wir einladen, bald. Bei diesem Wetter könnte man draußen sitzen, Tische und Bänke würde er von der Winzergenossenschaft ausleihen, sagte Johannes und zählte Namen auf: von Kollegen, von Leuten aus dem Haus, wo er während der Probezeit gewohnt hatte, sagte: Und natürlich Peter und Corinna Kling, du weißt doch, auch Fräulein Erlenbacher mit ihrem Freund, falls sie da sind, und fragte: Fällt dir denn niemand ein, den du gern dabei hättest?

– Oh doch, sagte ich, aber die sind weit weg.

– Ein Berlintreffen besser extra, sagte er, später einmal, einverstanden?

– Klar, sagte ich, die Leute sollen ja einigermaßen zusammenpassen.

Er sah mich unsicher an. Das habe er schon bedacht, sagte er.

Hier läßt es sich aushalten, schrieb ich auf die Ansichtskarten, ich übersetze fleißig und fühle mich wie im Urlaub. Vor meinem Fenster ein Haufen Heu, Johannes hat gestern den Rasen gemäht. Das Wetter ist himmlisch, am nächsten Samstag machen wir ein Gartenfest, für mich lauter neue Gesichter, ich bin gespannt.

An Norma schrieb ich: Liebe, komm und bring mit, wen immer Du willst, Du könntest Dir auch das Auto volladen mit Leuten aus dem Hof, damit sie hier für Lärm und Besäufnis sorgen und Johannes' Gäste das Gruseln lehren, alleine schaff' ich es nicht.

Ich zerriß die Karte und schrieb Norma etwas Ähnliches wie den anderen.

Sie kommt nicht. Von unten sind jetzt Schritte zu hören, hin und her, nicht ihre. Und wenn sie kommt, kann ich sie von hier aus nicht hören. Sie geht über den ersten Hof direkt zum Aufgang B. Ihre Schritte auf der Treppe könnte ich hören, aber nicht von dieser Stelle. Das Bett steht am Ende der Wohnung, und die Geräusche von draußen sind kräftig. Erst wenn sie versucht, die Tür aufzuschließen, würde ich es wahrscheinlich hören, aber ich brauche nicht darauf zu warten. Sie hat aus meiner Karte herausgelesen, daß ich bleiben werde, wo es sich aushalten läßt. Sie war gestern hier, warum sollte sie heute kommen. Daß ein Gefühl ihr sagt, ich sei wieder da, brauche ich nicht zu hoffen, das war einmal. Ich kann, ohne sie zu erwarten, den Geräuschen von draussen zuhören, die einschläfernd sind wie die Wärme.

Mit der Arbeit kam ich gut voran. Saint-Just war bereits Abgeordneter in der Nationalversammlung. Das Jahr 1792 ging zuende, der Prozeß gegen den König begann. Zwei Monate Auseinandersetzung im Parlament, Saint-Just hielt Reden. Er forderte die Hinrichtung Ludwigs XVI. ohne Urteilsspruch, ohne Aufschub, ohne Appell an das Volk. Die Nachwelt werde sich eines Tages darüber wundern, daß man im 18. Jahrhundert weniger weit gewesen als zur Zeit Cäsars. Damals wurde der Tyrann mitten im Senat hingeopfert, ohne anderes Verfahren als dreiundzwanzig Dolchstöße, und ohne anderes Gesetz als die Freiheit Roms, sagte Saint-Just.

Es blieb warm. Die Tage begannen wolkenlos und vergingen in freundlichem Gleichmaß. Die Wohnung, die Katze, der Garten und abends Johannes. Manchmal ein Hallo von Silvia Erlenbacher in Eile, manchmal ein Gespräch hinter der Hecke. Die Stimme unserer Nachbarin, entzückt über die Rosenpracht in diesem Sommer, und eine andere Dame, vom Frisör kam sie, hatte dort Fräulein Kunz getroffen und beinah nicht wiedererkannt, eine richtig schicke Frau, geht auch nicht mehr putzen, der Mann verdient ja, völlig eingelebt jetzt, und wenn man bedenkt, wie die anfangs war, mehr russisch als deutsch.

Manchmal machten wir einen Abendspaziergang durch die Weinberge. Manchmal fuhren wir fort und aßen im Restaurant. Wir stritten uns kaum noch. Das Leben hier bekommt dir, sagte Johannes.

Er nahm einen Schluck und fing an mit den Grimassen und Geräuschen des Weinverkostens. Aus Spaß, dachte ich, lachte und lobte ihn, weil es so albern aussah wie echt. Er war gekränkt. Wenn ich seinem Geschmack nicht traute, könnte ich ja den Wein auswählen. Er bestellte nicht kurzerhand, worauf er Appetit hatte. Er stellte Fragen und ließ sich beraten, am liebsten von Giovanni. Sie behandelten einander wie Freunde in einem Rollenspiel, bei dem der eine zufällig bediente und kassierte, der andere sich bedienen ließ und bezahlte. Johannes hatte von seiner Arbeit erzählt. Giovanni nannte ihn il signore Fuzzy und wollte wissen, ob die signora von diesen Dingen auch etwas verstünde. Wenig, leider viel zu wenig, sagte ich. Aber von guter Küche, bambini, bella Italia, amore, sagte Giovanni und strahlte, als hätte ich viermal ja gesagt, und verschwand. Erinnerst du dich noch an Kurtchen aus dem »Wein-ABC«? fragte ich. Dunkel, sagte Johannes, aber wieso ich auf den jetzt käme und diese Spelunke mit den Sperrholzlauben und rumänischem Pinot noir als höchstem der Gefühle? Ach, nur so, sagte ich.

Friedlich und zufrieden hätte es weitergehen können

beim Rauschen des Lüfters und dem leisen Pfeifen der Festplatte des Computers, einen Sommer hindurch bei guten Abendessen und einem Schoppen vorzüglichen Weins vor dem Schlafengehen, weiter und über den Sommer hinaus harmonisch in der gläsernen Kugel, die unser gemeinsames Erdstück umschloß. Vor den Augen Helligkeit und schöne Dinge, gepflegte Lebewesen. Im Kopf aber das bizarre Schattenreich, in Augenblicken schwer wie Blei und kippte das Erdstück, mich hinaus, zurück, fort aus der plötzlichen Kälte, dem Alleinsein mit lauter Höherentwickelten, fort von den duftigen Frisuren, dem bauschigen Weiß, dem Hallo zu jeder Tageszeit. Freude an frisch erblühten Rosen, eine Freude, die den heimkehrenden Gatten umfängt, sagten unisono die beiden Gesichter im Traum und: Hallo, meine Liebe, Sie müssen noch eine Menge lernen, man merkt doch gleich, wo Sie herkommen, Schaumwein und Sättigungsbeilagen, sagten sie lächelnd, zogen die Dauerwellen ein und die Köpfe zurück durch die beiden Löcher in der Decke, die sich über mir schlossen wie Augenlider.

Das Zimmer muß gemalert werden. So rissig und grau, wie die Decke aussieht, hatte ich sie gar nicht in Erinnerung. Überhaupt ist die Wohnung ziemlich heruntergekommen. Nicht schlimmer als andere hier, denke ich. Die Alten können nichts mehr tun, die Jüngeren rechnen damit, etwas Besseres zu finden, wer investiert schon in diese Höhlen. Aber es ist meine Wohnung. Ich werde hier so bald nicht fortziehen. Ich bin ja nicht dort geblieben, wo es zufrieden und friedlich hätte weitergehen können, wäre nicht plötzlich etwas dazwischengekommen, das aber in der Luft lag, denn immer so weitergehen konnte es natürlich nicht. Wir waren schon stumm vor lauter gutem Willen. Auch in den Träumen sprach ich nicht. Ich erzählte sie nicht mehr. Ich schlief fest und lange und war beim Aufwachen meistens allein. Die letzte Nacht habe ich nicht geschlafen. Ich habe das Haus verlassen, sobald es hell wurde, und diesmal war beim Aufwachen Johannes allein. Bald kommt er von der Arbeit zurück, in der Wohnung wird niemand sein außer der Katze. Ich höre Stimmen und Gelächter. Unten in der Gartenecke sitzen die Handwerker beim Bier. Die Geräusche vom Hof sind angenehm und einschläfernd wie die Wärme.

Natürlich waren die Farben anders als die, an die man mit Wörtern denkt. Grün weiß rot. Ein Fliederstrauch, davor Corinna Kling im naturfarbenen Leinenkleid, am linken Handgelenk ein Korallenarmband, auch Ohrringe aus Korallen. Der Schmuck paßte zu ihrem Namen, der Name zu ihrem Aussehen, das Aussehen, die Bewegungen paßten zu ihrem früheren Beruf. Gang einer Tänzerin über den von Johannes gemähten Rasen. Ich sah ihr zu. Ich erwartete, daß auch die anderen ihr zusahen. Sie aber waren mit Reden und ziellosem Umherblicken ganz beschäftigt, standen in Grüppchen über den Rasen verteilt, hielten Sektgläser in den Händen und hoben sie lächelnd, wenn ich näherkam, als seien sie mir besondere Aufmerksamkeit schuldig. Das Lächeln hätte ich weiterleiten müssen: nicht mir, nicht mir gebührt es, mein Mann hat sich um alles hier gekümmert, nur der Obstsalat zum Nachtisch ist mein Werk. Wenn du unbedingt willst, hatte Johannes gesagt, das übrige werde er doch lieber Giovanni anvertrauen.

Silvia Erlenbacher strich um die gedeckte Tafel. Sieht lecker aus, sagte sie, und daß ich ihr einen Wink geben möge, wenn Hilfe nötig sei. Ich winkte nicht. Ich tat mein Bestes, das Geschehen im Blick zu behalten, auf leere Gläser zuzueilen, Fehlendes aus der Küche zu holen, den Zeitpunkt zu erkennen, an dem man vom Apéritif zum Essen übergehen sollte, und ließ mich in meiner Geschäftigkeit nur widerwillig bremsen, Johannes zuliebe, dem dieser Diensteifer peinlich wurde. Er kam mir nach ins Haus. Ich habe den Eindruck, du läufst vor den Gästen davon, sagte er, bitte tu mir den Gefallen und bleib jetzt eine Weile sitzen.

Der Platz am Tischende, Corinna Kling gegenüber, war frei.

– Ich habe Sie schon vermißt, sagte sie. Es ist gar nicht einzusehen, daß immer uns Frauen die Sorgerolle zufällt. Dagegen müssen wir uns wehren, nicht wahr? Sie hob ihr Glas, lächelte mir zu: Ein bezaubernder Abend. Ihr Werk!

Ich berichtigte nichts und trank. Die winzige Fliege am Rand des Glases spülte ich herunter. Ich wäre ihr gern in die Abgeschlossenheit gefolgt, dort unsichtbar und unansprechbar.

– Rucola, sagte Corinna, erinnere sie an die Kindheit, an den Gemüsegarten der Großeltern.

– In Italien?

– Keine Spur, in der Pfalz. Aber das ist es ja, man kennt die einheimischen Gewächse nicht mehr. Rauke hieß das und wurde als Salat gegessen, allerdings ohne Käse und Carpaccio.

– Ah ja. Noch nie gehört.

– Und ich dachte, sagte Corinna, bei Ihnen im Osten hätten sich die alten Eßgewohnheiten erhalten, wo doch alles rückständiger war. Nicht immer ein Mangel. Zum Beispiel die wundervollen –

– Alleen, sagte ich.

– Genau. Die habe ich selbst gesehen, bei einer Autofahrt durch Mecklenburg, im Sommer nach der Wende. Ein Ausflug in die fünfziger Jahre. Traumhaft, zumindest aus der Touristenperspektive. Für die Einheimischen war es gewiß ganz anders. Hart. Da gebe ich mich keinen Illusionen hin und will mir auch kein Urteil anmaßen. Halten Sie mich nicht –, ich verabscheue das arrogante Auftreten all dieser –

– Besserwessis, sagte ich.

– Sie sagen es. Die Ratschläge von oben herab, derart peinlich. Und die Vorurteile. Seit dem Wochenende in Mecklenburg habe ich die neuen Länder nicht mehr betreten. Man ist auch mit dem eigenen Leben viel zu sehr beschäftigt. Die Zwillinge –

– Ach, sagte ich, Sie haben Zwillinge?

– Das Ende einer Karriere, der Anfang eines neuen Lebens.

Mit der Entscheidung der Natur sei sie völlig einverstanden. Augenblicke der Anfechtung gebe es zwar immer wieder, doch überwiege das Gefühl der Erfüllung. Um nichts in der Welt wolle sie die beiden missen, sagte sie und holte aus ihrer Handtasche ein Foto, das sie mir über den Tisch reichte.

– Süß, sagte ich. Wie heißen sie?

– Edmund und Philipp.

Sie erzählte. Ich trank und hörte zu und merkte, daß ich nichts behielt. Ich war nur Auge und Ohr. Die Aufschwünge, Verzögerungen und Pausen ihrer Stimme, die Farbigkeit der Wörter, hüpfende Bälle vor Sträuchern und Stauden, schon verschwommen zu grüner Kulisse für den Auftritt der Tänzerin. Ihren Sätzen suchte ich entrückt nachzukommen, hielt mich an meinem Glas fest und am Anblick eines Gesichtes, das mit seinem Spiegelbild seit je und noch jetzt in Eintracht und Wohlgefallen leben konnte, mit schönerem Grund als die anderen hier, objektiv betrachtet, dachte ich und spürte diesen Ausdruck als Fremdkörper, umgeben von Müllgeruch und den grauen Wänden unseres Hofes, aus dem Margarete Bauers Stimme herausdrang, wiedergekehrt in einem grazilen Körper, in einer federnden Sprache, mühelos abgehoben von objektiver Betrachtungsweise und subjektiven Faktoren, die sich im Verein mit Wesen und Erscheinung, Geschlechterverhältnissen, Gesetzmäßigkeiten gesellschaftlicher Höherentwicklung in meinem Gedächtnis festgesetzt hatten, übriggeblieben waren aus Margarete Bauers Geschichten.

Wieder würde alles verrauschen. Auftauchen würden später nur Edmund und Philipp, der Glücksfall Peter Kling und Rauke Rucola, wenn ich meine Aufmerksamkeit nicht zusammennahm, wenn ich weiter trank, ohne etwas zu essen.

– Probieren Sie die Austernpilze, sagte jemand, vielleicht nicht zu mir, und ich folgte dem Rat. Ich aß von jedem Teller, aus jeder Schüssel eine Kleinigkeit, deren besonderes Aroma sich alsbald verflüchtigte, ausgefiltert vom Hauptgeschmack nach Olivenöl, Zitronen, Knoblauch, Salbei und Basilikum.

Johannes sah ich von weitem und jetzt wieder klarer. Er unterhielt sich mit einem schnauzbärtigen Mann, von dem ich nicht wußte, welcher der Namen, die ich mir gemerkt hatte, zu ihm gehörte, nur wußte, daß er nicht Peter Kling war, nicht Doktor Winnesberg, der Abteilungschef, auch nicht der Informatiker Jobst Reutlin. Ich saß da mit gespeicherten Namen, hätte sie der Reihe nach über den langen Tisch rufen müssen, um zu erfahren, wer worauf hörte und bei welchem Ruf sich der Schnauzbärtige neben Johannes angesprochen fühlte. Ich hätte, um mich in dieser Gesellschaft zurechtzufinden, die Initiative ergreifen, aufstehen, an mein Glas klopfen und darum bitten müssen, daß sich alle nochmals vorstellten, einprägsamer als beim ersten Mal.

Mit den Namen allein, hätte ich sagen müssen, kann ich nichts anfangen, was sind sie denn, Schall und Rauch, obwohl meine Freundin Norma da anderer Ansicht ist. Doch ich stehe mit meinem Gedächtnis dafür ein, daß sie Unrecht hat, daß Sie, meine Damen und Herren Schmiedel, Fehlau, Rübesame, Lechner, Worch und Maier-Oberried für mich bislang nur Lautgebilde sind, die hier sitzen, essen, trinken und sich unterhalten, auf das Angenehmste, wie ich – in Einklang mit meinem Gatten, Ihrem Kollegen, Freund und Hausgenossen, Ihrem Mitbürger seit fast zwei Jahren – wünsche und hoffe, nur ohne zu wissen, wem dieses Wünschen und Hoffen eigentlich gilt. Und so appelliere ich an Sie, mit Fantasie und guter Laune mitzuwirken, auf daß wir einander kennenlernen, wir Deutschen an einem Tisch, und endlich in meinem zerfahrenen Geist jedes Töpfchen seinen Deckel findet, wie die Leute aus meinem Hof sagen würden.

– Sie wirken so abwesend, sagte Corinna. Fehlt Ihnen etwas? Habe ich Sie gelangweilt? Das tut doch nichts, um Gottes willen, kein Grund, rot zu werden. Ich kann mir vorstellen, daß Sie sich hier ein wenig verloren fühlen, und wenn es Ihnen hilft, sollten Sie darüber sprechen.

– Ich dachte eben bloß, daß ich eine Tischrede halten müßte, sagte ich.

– Warum denn das? Es läuft doch ausgezeichnet, sehen Sie nur, sagte sie.

Ich sah, daß alle an der farbenfrohen Tafel sich angeregt unterhielten, angeregt aßen und tranken. Niemand schien irgendetwas zu vermissen.

– Ich dachte, daß Menschen, die so eng beisammensitzen, unter derselben Sonne, könnte man sagen, mehr voneinander erfahren möchten als die Namen. Deshalb, dachte ich mir, wäre etwas Gemeinsames angebracht, eine Art Gesellschaftsspiel, bei dem die Einzelnen sich vorstellen. Who is who in diesem Garten oder, wie wir zu Hause sagen würden, laßt uns unsere Biografien erzählen, sagte ich und leerte meine Glas.

– Aber doch nicht auf Kommando. So etwas ergibt sich spontan oder bleibt aus, wenn kein Bedürfnis besteht, meinen Sie nicht?

– Ich würde schon gerne, sagte ich.

– Es ist eine individuelle Angelegenheit – zwischen uns, zum Beispiel. Lassen wir die anderen in Ruhe. Ich glaube, sie würden Ihren Vorschlag als Störung empfinden, als, entschuldigen Sie, wenn ich das so sage, Eingriff in die persönliche Freiheit.

– Ich verstehe, sagte ich. Darf ich Ihnen noch etwas Wein nachschenken?

– Einen Tropfen.

Corinna zeigte mit dem Finger an den Unterbauch ihres Glases. Ich gab mir Mühe, den unsichtbaren Eichstrich einzuhalten, goß, ohne zu wackeln, und mein eigenes Glas dann randvoll.

Der Wein schmeckte immer besser. Hohe und tiefe Stimmen durcheinander, das schmetternde Lachen des Schnauzbärtigen, im Hintergrund das Tenorsaxophon von Garbarek, Johannes Lieblingsmusik vor Jahren, vielleicht noch immer.

Die Gesichter, so rosig golden in der Abendsonne. Lauter Kinder in vorgerücktem Alter. Was wollte ich nur, welche Sicherheit wovor, vor wem und wessen Schutz. Wärme ringsum, warm noch die Erde unter meinen Zehen. Niemand griff mich an. Ich mußte mich nicht panzern, nicht auf der Hut sein, in mein Inneres, der kleinen Fliege hinterher, verschwinden. Loslassen und dazugehören, mich zurücklehnen. Hätten die Bänke der Winzergenossenschaft Lehnen gehabt.

Ich spürte Johannes' Blick: Siehst du, wir haben es geschafft. Sind angekommen in einer Gesellschaft, die uns guttut, ich sehe es dir an und bin froh darüber, freust du dich nicht auch? Ich nickte: Gleich, ich bin nahe dran, dieses Glas noch, und alles ist wunderbar, nur würde ich mich gern zurücklehnen können.

Als nach dem Essen Johannes und der Freund von Silvia Erlenbacher Stühle aus dem Haus nach draußen trugen, auf dem Rasen verteilten, verließ unsere Katze den Garten. Ich setzte mich unter den Nußbaum, wo sie zuletzt gelegen hatte, zog einen Korbsessel in die Nähe und wartete auf Corinna Kling. Sie stand auf der Terrasse, sprach mit einem jungen Paar, den Lechners oder Schmiedels oder Fehlaus, die offenbar dabei waren, sich zu verabschieden. Sie hatte mich noch nicht vermißt, meinen neuen Platz noch nicht entdeckt. Allein zu bleiben, den Sessel für sie freizuhalten, es war nicht schwierig. Die anderen schlossen sich schon zu Grüppchen zusammen, und die noch übrig waren, begriffen, auf wen ich wartete, oder hatten keinen Grund, ein Gespräch mit mir zu suchen. Gleichviel, ich saß da, allein wie zuvor die Katze, probierte unverwandtes Blicken, wie sie einen Schwarm Eintagsfliegen angesehen hatte, und wußte plötzlich, daß ich Corinna, sobald sie meinen Blick bemerkte und herkäme, mit dem Satz empfangen würde: Es ist an der Zeit, daß Sie die Wahrheit über mich erfahren.

Ein Anfang immerhin. Wie es weitergehen sollte, wußte ich nicht. Typisch, hätte Emilia gesagt, die sich hier nicht blicken ließ, die ich nicht dabei haben wollte, jetzt nicht, ich war so gut drauf und auf eine Geschichte aus, die ich Corinna erzählen könnte, ihr allein. Also müßte sie mir versprechen, nichts weiterzusagen, niemandem. Also lag nahe, daß ich ihr ein Geheimnis anvertrauen würde. Dachte ichs mir, wieder keine richtige Geschichte, hätte Emilia gesagt, die seit der Nacht zum achtzehnten Juni nicht mehr erschienen war, und: Wie du dahockst, als wolltest du dich in eine Katze verwandeln, auf dem Sprung, eine Maus zu fangen. Hast du schon eine Katze gesehen, die sich betrinkt? hätte ich geantwortet und sie gebeten, gleich wieder zu verschwinden.

Corinna kam auf mich zu. Ihr Lächeln wirkte unsicher, der Gang entschlossen. Ich war im Vorteil. Was ich auch immer sagen würde, ich konnte dabei in ein Gesicht blicken, das unfähig war zu diesem abweisenden Ausdruck, mit dem ich meine einladende Handbewegung begleitete. Sie aber mußte mich ansehen.

- Es ist an der Zeit, daß Sie die Wahrheit über mich erfahren, sagte ich. Oder anders gesagt, ich möchte Ihnen von meinem Leben erzählen.

- Aber gern. Als Sie anfingen, klang es so, ich weiß nicht recht, irgendwie drohend, ja, ich war ein bißchen erschrocken, ein Mißverständnis, natürlich ist es an der Zeit, daß auch Sie - ich habe Sie vorhin ausgiebig mit meinen Geschichten gelangweilt.

- Tief beeindruckt, sagte ich. Mir ging es wie früher beim Ansehen der Bildbände über ferne Länder. Ich dachte, als ich Ihnen so zuhörte, daß wir nicht weit voneinander gelebt haben, Sie allerdings in einer blühenden Oase, ich im Wüstensand.

– Aber –, sagte Corinna Kling.

– Oh doch, sagte ich. Sie haben den Osten nicht kennengelernt! Wüste in den Seelen, Sie wissen schon.

Sie sah mich fragend an.

Ich starrte zu Boden. Die dunkle Erde zwischen den Halmen irritierte mich, der gelbe Sand, den ich mir vorstellte, auch, aber nicht lange, dann war er weiß wie Schnee, und ich wußte, wie es weiter ging.

– Auf einem Sockel, ganz starr, er fror erbärmlich in seinen dünnen Sachen, blaue Lippen hatte er, hätte sich bewegen müssen gegen die Kälte, aber stand reglos da, gab kein Zeichen, daß er mich, mein Winken bemerkt hatte, hielt still da oben im eisigen Wind, neben dem Riesenkopf, den Fackeln und Kränzen an jenem Tag Anfang März dreiundfünfzig. Wir hatten noch russische Winter, möchte ich sagen, und er war nicht zu beneiden, aber ich beneidete ihn heftig um die Auszeichnung, meinen großen Bruder in seiner Pionieruniform.

Ich hielt an, damit Corinna fragen konnte: nach dem Alter damals, dem Namen dieses Bruders und was denn Pioniere waren, schließlich: wozu das Stillstehen in der Kälte.

Ich sagte: Dreizehn, Karlheinz, politische Massenorganisation der Kinder, Stalins Tod.

– Ach so. Aber ich verstehe nicht ganz, welche Auszeichnung –

– Die Ehre, zu Stalins Totenwächtern zu gehören. Wir waren dermaßen –, nicht alle, nein, eine verschwindende Minderheit der organisierten Kinder, mein Bruder und ich jedenfalls, nur wußte ich damals nicht, daß die übrigen aufatmeten, während in unserer Familie -. Aber das führt zu weit, sagte ich und schwieg.

– Es ist doch ganz natürlich, daß Kinder unter dem Einfluß ihrer ersten Bezugspersonen stehen, deren Verantwortung dementsprechend gewichtig, ja lastend ist, sagte sie.

Das könne nur ermessen, wer selbst Kinder großziehe, sie zumindest habe sich, bevor Edmund und Philipp kamen, keinen Begriff gemacht von dieser Aufgabe, sei wie ein Schmetterling durchs Leben getaumelt, leichtsinnig, unbeschwert, irgendwie ohne Gewicht, das ihr erst dank der Mutterschaft – doch wo rede sie hin. Um mich gehe es jetzt, und es interessiere sie durchaus, etwas über die Familie zu erfahren, über mein Verhältnis zu den Eltern.

Sie beugte sich vor und schien erwartungsvoll.

Ich griff nach links unten, zum Glas, das leer war, zur Flasche, die ich Corinna entgegenhielt. Sie lehnte dankend ab. So bediente ich mich allein. Eine Pause brauchte ich, um mir die Familie vorzustellen. Mutter, Vater, Sohn und Tochter, mehr Personen nicht, denn schon mit diesen wußte ich kaum, wohin. Ich überlegte und trank.

– Den größten Teil meines Lebens mußte ich ohne solch guten Wein auskommen. Die Versorgung war diesbezüglich, wie überhaupt, durchweg mangelhaft, sagte ich, und wenn Sie es wünschen, könnte ich da einiges zum besten geben.

– Ein anderes Mal gerne, jetzt würde ich lieber von Ihrem Elternhaus hören.

– Es war die Hälfte eines Reihenhauses, sagte ich, in

einer Arbeitersiedlung aus den zwanziger Jahren. Die Art kennen Sie vielleicht. Alle Wohnungen einheitlich eng, klein aber mein, hieß es, auch wenn die Häuser nicht den Bewohnern gehörten, sondern dem Werk, das dem Volk gehörte, also uns allen und keinem allein, folglich, sagte mein Vater, bestiehlt ein Werksdieb nur sich selbst. In den Gärtchen war die Situation einfacher. Dein Junge hat sich an unseren Birnen vergriffen, sagte unsere Nachbarin zu meiner Mutter, die abends zum Vater sagte, Karlheinz hat bei Königs im Garten geklaut, und Karlheinz bekam vom Vater eine Strafe, keine Prügel, auch wenn es ihn in den Fingern juckte, sagte der Vater, aber da die Lehrer nicht mehr schlagen durften, sollten es die Eltern auch nicht tun, gingen sie doch Hand in Hand, die Schule und das Elternhaus. Übrigens war meines, als ich mitten im Krieg das Licht der Welt erblickte, vaterlos, wie ringsum die meisten. An meinem fünften Geburtstag kam ein fremder Mann in unsere Küche, die Mutter schrie auf. Ich brauchte lange, um zu einem flüsternden, grauen Skelett Papa zu sagen, viel länger als Karlheinz, der ein Geschirrtuch an einen Stock band, mit flatternder Fahne durch die Siedlung rannte und rief: Hurra, hurra, der Vater ist jetzt wieder da.

– Hatten Sie dann noch mehr Geschwister?

– Nein, nur diesen Bruder. Je mehr Personen, desto schwieriger, sie unterzubringen, nicht wahr? sagte ich. Die Großeltern wohnten weiter weg, in Sachsen und der Niederlausitz. Sie starben bald, als letzte die Mutter der Mutter, Edith Barsig hieß sie, meine große Liebe in einem frühen Abschnitt. Und wir hatten auch Verwandte im Westen.

– Ach, wo denn da?

– Irgendwo in Niedersachsen, ich weiß nicht mehr, der Kontakt brach ja ab. Von Faschisten nehmen wir nichts, auch keine Weihnachtsgeschenke, sagte der Vater. Er ging mit Karlheinz zur Post, schickte drei Pakete zurück, mit dem Vermerk »Empfänger verweigert die Annahme«, und hatte Streit mit der Mutter, daran erinnere ich mich, weil sie mich an sich zog. An die Kinder denkst du wohl gar nicht? Daß die sich über echte Schokolade und hübsches Spielzeug freuen würden, ist dir ganz egal, Hauptsache, dein elender Antifaschismus. Dabei sind es deine Geschwister im Westen, nicht meine! Und wenn ich welche hätte, würde ich sie niemals so behandeln!, schrie sie mit Tränen in den Augen. Ich heulte, so laut ich konnte. Es war ein richtiger Krach, sagte ich und schwieg.

– Meine Eltern hatten auch öfter Streit, um andere Dinge natürlich, sagte Corinna. Meistens war es die Mutter, die einlenkte, harmoniebedürftig, wie Frauen nun mal sind. Oder war es bei Ihnen anders?

– Es war wohl so, daß die Mutter viel arbeitete und wenig sprach. Was sie sagte, wenn wir nicht dabei waren, weiß ich nicht. In ihrer Verkaufsstelle vielleicht etwas anderes als auf den Lehrgängen und dort etwas anderes als beim Kaffeeklatsch mit Freundinnen aus der Siedlung, aber zu Hause nichts grundsätzlich anderes als mein Vater. Er vertrat die Linie der herrschenden Partei von Anfang bis Ende unbedingt und hätte sie uns gegenüber verteidigt, wären wir auf die Idee gekommen, sie zu kritisieren. Bei uns ging es einfach zu und, wie Sie sehen, recht harmonisch. Wir waren eine friedliche Familie mit einem Klassenkämpfer an der Spitze.

Ich mußte erklären, was das hieß, Klassenkämpfer, und fand alte Lehrsätze wieder, die ich erst recht erklären mußte. So anstrengend hatte ich mir das Erzählen nicht vorgstellt. Ich verwirrte Corinna, verirrte mich, fühlte mich gemustert von Gestalten, deren Gesichter schon verwischt waren, von meinen früheren Gewilehrern, auch dieses Wort hätte ich Corinna erklären müssen. Vom hundertsten ins tausendste wäre ich gekommen, bei jedem Schritt ungenau oder mit dem Gefühl, herumzustochern nach Gewußtem, das irgendwo klar und deutlich abgelegt, aber so nicht aufzufinden war, nicht auf Anhieb und nicht unter den erschwerten Bedingungen, die ich mir eingebrockt hatte mithilfe von Wein, der immer noch Lust machte auf mehr.

– Sagen wir so, sagte ich, entschlossen, vom historischen Materialismus zu meiner Geschichte zurückzukehren. Dieser Mann, das heißt mein Vater, hatte ein schlichtes Gemüt und ein energisch aussiebendes Gedächtnis. Was er zurückbehielt, war immer Beweis für die Richtigkeit seiner Überzeugungen. Gegenbeweise bewiesen nur, daß die Wirklichkeit falsch gedeutet oder vom Gegner verzerrt, wenn nicht erfunden oder in ihrer komplizierten Vielschichtigkeit noch nicht genügend erforscht worden war. Denn es stand fest und wurde täglich durch die Praxis sowie die wissenschaftlichen Erkenntnisse objektiv erhärtet, daß der Kapitalismus zum Untergang verurteilt war, dem Sozialismus hingegen die Zukunft gehörte. Da beißt die Maus keinen Faden ab, sagte mein Vater. Diesen Spruch habe ich mir gemerkt wie auch die Zahlensprüche, die kennen Sie ja, zum Beispiel, daß irgendetwas so wahr oder klar ist, wie zwei und zwei vier ergibt. In deiner Partei aber sechs oder neun oder wie es gerade beschlossen ist, so daß man unter Garantie mehrere Schatten auf den Fersen hätte, würde man zur Maidemonstration mit der Losung »2 + 2 = 4« erscheinen, hatte Horst König bei einem Streit am Gartenzaun gesagt und den Vater damit zur Weißglut gebracht, denn er, gerade er kannte sich doch aus im Einmaleins des Klassenkampfes und wußte, daß der Regen nun mal von oben nach unten fällt undsoweiter. Er war schon wütend auf seinen Freund Horst gewesen, nachdem ich eines Abends gefragt hatte, was »Hundertfünfzigprozentig« bedeutet, denn das seien wir, habe Bärbel König zu mir gesagt.

– Das gab es also, Freundschaft zwischen Anhängern und Gegnern des Regimes und zwischen deren Kindern?

– In unserem Fall – nein, wirkliche Freunde hatten wir nicht und waren wir nicht, nur bemerkte das keiner von uns. Der Vater hielt große Stücke auf unverbrüchliche Freundschaft, obwohl er bald fand, daß König politisch unzuverlässig sei und ein ewiger Nörgler. Aber so war mein Vater – der Sache des Fortschritts treu ergeben und immer der Letzte, der sich von einem alten Gegenstand oder einer überholten Ansicht trennte. Horst König nannte er stur weiter seinen Freund, erst dann, als die ganze Familie, kurz vor dem Bau der Mauer, in den Westen verschwand, einen Verräter, dessen Name nicht mehr genannt werden durfte.

– Und wie hat Ihr Vater den Zusammenbruch der DDR erlebt?

– Gar nicht, zu seinem Glück. Er war schon tot. Friede seiner Asche, sagte ich.

– Haben Sie ihn denn nicht geliebt?

– Fragen Sie mich etwas Leichteres, sagte ich dumpf.

Ich sah, daß ihr unbehaglich zumute war. Sie blickte zur Seite, wohl in der Hoffnung, jemanden zu entdecken, der ihren Blick auffangen, herkommen und sie erlösen würde. Aber die anderen saßen in einiger Entfernung, unterhielten sich gut, wie es schien, und nahmen keine Notiz von uns. Mir konnte es nur recht sein. Von sich aus fortgehen würde Corinna nicht. Solange niemand sie befreite, hatte ich sie für mich. Ich brauchte sie. Auf ihrem Gesicht sah ich meine Geschichte umgesetzt in Mienenspiel. Ich sprach und wollte weitersprechen, ganz versessen auf diesen schönen Spiegel.

– Wen ich geliebt habe, werde ich Ihnen gleich erzählen, sagte ich. Doch bitte, noch etwas Geduld.

– Keine Eile, sagte sie.

Sie höre mir ja mit Interesse zu, auch wenn es nicht ganz leicht sei. Vieles so fremd für sie, irgendwie undurchschaubar, andererseits zu ihrem Ostbild passend, diesen Widerspruch kriege sie nicht auf die Reihe, das könne ich hoffentlich verstehen. Und gegen etwas Wein hätte sie jetzt nichts einzuwenden.

– Im Rückblick, sagte ich, erkenne ich unsere Isolation. Der Vater muß in der Siedlung sehr unbeliebt gewesen sein, man nahm sich vor ihm in acht. Die Mutter lebte für die Familie, sie hielt zu ihrem Mann. Karlheinz war das Abbild des Vaters, aber intelligenter als er, ehrgeiziger und kälter. Ich denke, er war der Unangenehmste von uns vieren. Ja, und ich – ein nettes Mädchen, in der Schule keine Leuchte, auch nicht ausgesprochen schwach, durchschnittlich eben, weder sehr beliebt noch unbeliebt, unauffällig überall dabei, und wenn nicht, fiel es auch nicht weiter auf. Meine Mutter hatte ihre Freude an mir. Sie sagte, ich käme ganz nach Oma Edith.

– Ihre frühe Liebe, sagte Corinna. Und die Liebe später?

– Was mich im Augenblick beschäftigt, ist diese Stille zu Hause. Wir redeten wenig miteinander. Über praktische Dinge, dies und das aus der Schule, dem Betrieb, dem Konsum für Obst und Gemüse, in dem die Mutter Verkaufsstellenleiterin war, doch kaum über Politik.

– Das ist sicher in den meisten Familien so, ob Ost oder West.

– Aber wir als Hundertfünfzigprozentige –, der Vater gehörte nicht zu den Leitungskräften, doch ständig hatte er irgendeine Funktion in der Partei, in der Gewerkschaft, kam mindestens einmal die Woche von einer Versammlung spät nach Hause. Mein Bruder war an seiner Schule FDJ-Sekretär, das heißt –

– FDJ ist mir ein Begriff, sagte Corinna. Da mußte jeder Mitglied werden, nicht wahr?

– Wir hielten das Mitmachen für selbstverständlich. Worüber hätten wir diskutieren sollen? Der Vater gab Ratschläge für die Überzeugungsarbeit. Unermüdlich im Kampf um die Herzen und Hirne unserer Menschen: so sah er sich selbst, und so wünschte er sich den Einsatz der jungen Generation. Er war stolz auf seinen Sohn, der mit Erfolgsmeldungen nach Hause kam. Ich hatte nichts zu melden, ich verschwieg mein Versagen. Daß ich den Starken aus meiner Klasse nicht gewachsen war, stellte sich früh heraus, schon vor der Fernsehepoche. Wir hörten damals keine Westsender, nicht einmal klassische Musik, denn, sagte der Vater, man trinkt auch nicht Sekt aus einem schmutzigen Glas. Diesen Schwachsinn könnte ich nur von meinem Erzeuger aufgeschnappt haben, sagte Maria Sadony, und Niels Löffler fügte hinzu: dem roten Ochsen. Die anderen lachten: »Roter Ochse« hieß im Volksmund das städtische Gefängnis. Ich stand da und sagte nichts, kein Wort zur Verteidigung meines Vaters.

Nicht von ungefähr sei ich der Antwort auf ihre Frage vorhin ausgewichen, sagte Corinna.

– Gehaßt habe ich ihn nicht, da bin ich mir sicher. Er war, wie soll ich sagen – eine Gegebenheit. Wir kamen miteinander aus. Wie auch die Eltern miteinander auskamen. Walter ist ein guter Kamerad, sagte die Mutter, und ein treusorgender Vater. Von Liebe wurde nicht gesprochen. Vielleicht waren alle Gefühle da, die man sich nur denken kann, aber gezeigt wurden sie nicht, nicht über die täglichen Handlungen hinaus, mit denen wir, so sagte der Vater, das Leben gemeinsam meisterten. Immer in Nähe der Fabrikschornsteine, an einem Fluß, in dem man nicht mehr baden konnte. Sie wissen ja, Chemie und Braunkohle. Im Sommer fuhren wir für zwei Wochen in das Betriebsferienheim im Harz, später auf einen Zeltplatz an der Ostsee, das war schon das höchste der Gefühle.

– Hatte Ihr Vater denn keine Vorteile als Funktionär?

– Er war ein kleines Licht. Selbstlos bis zur Familienschädigung, meinte die Mutter. Karlheinz sagte, die Bescheidenheit des Vaters – reine Dummheit, er aber werde etwas davon haben, zur herrschenden Klasse zu gehören, und zwar mehr als nur die Ehre. Es hat funktioniert. Er wurde Berufsoffizier, verdiente nicht schlecht, brachte es zu all den Dingen, an denen der

Vater, ohne sie selbst zu besitzen, voller Stolz den ständig steigenden Wohlstand der Werktätigen ablas, vom Lada bis zum Eigenheim. Mein Bruder hatte die Sorte Macht, die ihn interessierte: Macht über Untergebene. In der Siedlung sagten sie, die Mutter erzählte es ziemlich verstört, unter allen Scharfmachern in dieser sogenannten Volksarmee sei der junge Kühne am schlimmsten.

– Und was macht er jetzt?

– Ist Wachmann oder Hausmeister irgendwo. Ich weiß es nicht und will von ihm auch nichts mehr wissen. Ich habe genug an meiner eigenen Altlast, sagte ich.

Wieder sah ich Corinna an, daß sie gern in den anderen Teil der Gesellschaft entflohen wäre. Auf der Terrasse tanzten sie jetzt, sogar Johannes, sah ich, machte mit, ließ sich von Silvia Erlenbacher zu großen Bewegungen inspirieren, während die frühere Tänzerin still saß und das Ende meiner Geschichte erwartete. Mit der Familienschilderung war es genug. Um Liebe sollte es nun gehen. Und nicht allein darum, fand ich. Das Zuhören sollte sich gelohnt haben.

– Was immer man von meinem Vater, meiner Mutter, meinem Bruder halten mag, der Schandfleck der Familie bin ich. Das Verhängnis, sagte ich, begann an einem Oktoberabend vor achtundzwanzig Jahren. Ich war Studentin im dritten Semester, bewohnte in Leipzig ein möbliertes Zimmer, das ich zur Messezeit räumen mußte für langjährige Gäste, ohnehin waren dann Universitätsferien. Das Studienjahr begann erst nach dem Ernteeinsatz auf nördlichen Äckern. Riesige Flächen, auf denen die Maschinen gut vorankamen, Kartoffeln ausgruben, die wir in kleine Körbe sammelten und in

234

große Körbe ausleerten, die die Träger auf einen Hänger kippten, der sich unendlich langsam füllte und vom Traktor, wenn er zu den Pausenzeiten kam und Verpflegung brachte, ein Stück vorangezogen wurde, sich so langsam wie wir dem Feldende näherte, an dem wir umkehrten und in der Gegenrichtung die nächsten Furchen absammelten, gebückt die Körbe neben uns herzogen, acht Stunden am Tag, abends kreuzlahm und morgens noch hundemüde: Bataillone in der Ernteschlacht oder lustige Studenten trotz alledem, die nach drei Wochen die endlosen Äcker verließen und zurückkehrten in die nach ihren Messen stets erschlaffte, abgetakelte Stadt. Für mich ein schöner Ort, zwar nah von Zuhause, aber so anders, groß und großzügig, eine Stadt, die ich vor den Eltern lobte, ähnlich wie sie selbst sie gelobt hatten vor Jahren. Völkerschlachtsdenkmal, sagte ich, Auerbachs Keller, Thomaskirche, Zoo, Oper, Dimitroffmuseum, Handel und Wandel. Viel mehr fiel mir nicht ein und wurde auch nicht erwartet. Ich hatte mich für Vorlesungen, Seminare, FDJ-Arbeit zu interessieren, das war ich den Werktätigen schuldig, ich studierte ja auf deren Kosten.

– Kein bißchen Freiheit deshalb? Keine Zerstreuungen? Ich habe Mühe, sagte Corinna, mir dieses Grau-in-Grau einer Jugendzeit vorzustellen. Nicht, daß ich Ihrer Darstellung mißtraue, nein, es fällt mir nur schwer, die Entbehrungen und Zwänge nachzuvollziehen, unter denen die Menschen im Osten leben mußten, sogar willig gelebt haben, wie Sie es schildern, als aktive Opfer, könnte man sagen.

– Sie verstehen mich, sagte ich, hob mein Glas und trank ihr zu. Und auch ich verstehe Ihr Problem!

Wünschen wir uns nicht Eindeutigkeit? Lieben oder Hassen? Wirkliche Opfer können wir bedauern, wirkliche Täter verabscheuen. Was aber mit aktiven Opfern? Da sitzen wir zwischen den Stühlen, nicht wahr, ziemlich unbequem, ich merke es Ihnen an, oh doch, und es kommt noch schlimmer. Ich war, wie gesagt, am Anfang des dritten Semesters. Keine Beststudentin, dazu reichte es nicht, aber strebsam und diszipliniert. Ich hatte Gewissensbisse, wenn ich eine Frühvorlesung mal verschlief, ging nur selten in Kinos oder Kneipen mit anderen, die Zerstreuung suchten und sich Freiheiten nahmen, so ganz ohne lebte man ja nicht, aber ich, sehen Sie, begnügte mich mit Tee und einem Stück Prasselkuchen in dem Café, wo wir in Freistunden einkehrten, kaufte mir auf dem Nachhauseweg Brot und Fleischsalat oder Schmelzkäse und verbrachte die Abende studierend in meinem Zimmer. Meine Wirtin war mit mir zufrieden. Ich machte keinen Lärm, ich rauchte nicht, zahlte pünktlich die Miete, hatte keinen Herrenbesuch. Es hätte mich deshalb wundern, ja warnen müssen, daß sie plötzlich einen Fremden umstandslos hereinließ, an meine Tür klopfte: Besuch für Sie! und verschwunden war, noch bevor ich mich umgedreht hatte. Ein Mann stand im Zimmer. Er hatte blaue Augen und dunkles Haar, war schlank und nicht sehr groß, in seinem Kinn war eine kleine Vertiefung.

– Ein Grübchen, sagte Corinna.

– Ich starrte ihn an. Ich traute meinen Augen nicht, da stand Gérard Philipe, lächelte mir zu und fragte, ob er sich setzen dürfe. Es war wie im Kino, nur viel schöner, weil es Wirklichkeit war. Auf dem Tisch meine Lehrbücher und Hefte und die Reste vom Abendbrot auf einer

Zeitung voller Fettflecke. Ich brachte kein Wort heraus. Ich wollte die Sachen wegräumen, er aber saß bereits am Tisch, griff sich eines der Bücher, sagte, es interessiere ihn sehr, was ich da lese, und entschuldigte sich für die Störung und stellte sich vor: Georg Ohmann. Er sagte, daß er mich nicht lange aufhalten werde, nur gekommen sei, um mir ein paar neugierige Fragen zu stellen, mein Studium betreffend. Selbstverständlich sei ich nicht verpflichtet zu antworten. Ein zwangloses Gespräch, ganz unter uns, sagte er und lächelte wieder und fragte und hörte zu, stand plötzlich auf, schon eine halbe Stunde habe er mich von der Arbeit abgehalten, gar nicht gemerkt, wie die Zeit vergangen sei, in so angenehmer Gesellschaft, und ob er mich bei Gelegenheit wieder besuchen dürfe. Ja, sagte ich, ja.

– Sie waren überhaupt nicht mißtrauisch?

– Ich konnte das Wiedersehen gar nicht erwarten. Ich war in größter Unruhe, den Zeitpunkt, den ich nicht kannte, zu verpassen. Ich schwänzte Nachmittagsveranstaltungen, räumte jeden Tag auf, verbrachte Stunden vorm Spiegel und machte mir Mut und war nach einer Woche zum Sterben unglücklich, weil er immer noch nicht erschienen war. Zu den umschwärmten Mädchen hatte ich nie gehört. Weshalb sollte ein Mann wie er sich ausgerechnet für mich interessieren?

– Aber das konnte Ihnen doch nicht entgangen sein!

– Es zählte nur, daß sich dieses Wunder zugetragen und der schönste Mann der Welt das Studentenzimmer in der Wohnung der Witwe Wackenberg für einen Besuch ausersehen hatte, daß ihm die Zeit dort wie im Fluge verging, in so angenehmer Gesellschaft, hatte er gesagt.

– Und was noch?

– Sie meinen, wonach er fragte ? Ich wußte es schon damals, kaum daß er fort war, nicht mehr genau. Es erschien mir belanglos, Allerweltsfragen. Aber sein Gesicht dabei! Seine Hände auf meinem Tisch! Ich sah sie in Gedanken wieder und malte mir die Arme aus, die zu diesen Händen gehörten, die Schultern, den ganzen Körper und mich, umarmt von diesen Armen und gestreichelt von diesen Händen. Als es dann wirklich geschah, war es kein heruntergekommener Traum, sondern unübertrefflich.

Corinna hatte die Stirn gerunzelt.

– Ich kann nicht glauben, sagte sie, daß es bei der Stasi liebenswerte Männer gab.

– Wer sagt, daß er liebenswert war? sagte ich. Ich habe ihn geliebt, ohne Bedingungen. Ich tat, was er verlangte. Ich habe gespitzelt und verraten. Aus Liebe. So war das.

– Nicht so schnell. Er kam also wieder. Und dann?

– Wir gingen in den nahen Park, gingen durch raschelndes Laub, setzten uns auf eine Bank. Es war noch warm. Wir hatten einen ungewöhnlich schönen Herbst damals. Ich erzählte von zu Hause, von rauchigen Abenden, Laubfeuern in den Gärtchen der Siedlung und Versteckspielen in der Dämmerung. Georg sprach vom Frieden, den wir hüten sollten wie unseren Augapfel. Er sprach von der Bedrohung durch den Gegner, der keine Mittel scheute, uns zu schaden, weil er wußte, daß die neue Ordnung, die wir aufbauten, sich mit der alten so wenig vertrug wie Feuer mit Wasser. Was er sagte, war mir nicht fremd. Die Ausdrücke, die er gebrauchte, kannte ich vom Vater. Ich wünschte mir, daß er nicht aufhörte zu sprechen, dicht neben mir auf der Bank, daß er spürte, wie ich ihm zuhörte und mit seinen Ansichten übereinstimmte. Ich will dem Frieden dienen, sagte ich. Die nächsten Male trafen wir uns in der Bahnhofsgaststätte und in einem neu eröffneten Café, ab Ende November in einer kleinen Wohnung im Norden der Stadt.

– Davon habe ich schon gehört, sagte Corinna. Diese konspirativen Treffs. Ist Ihnen nicht spätestens dann die Sache unheimlich geworden, haben Sie nicht versucht, da wieder herauszukommen? Oder war Ihre Angst zu groß? Hat er Sie bedroht, erpreßt? Die schreckten ja vor nichts zurück.

– Ich auch nicht, sagte ich.

Corinna zog den Arm zurück, den sie mir entgegengestreckt hatte, damit ich ihr Glas nachfüllte.

– Es war am letzten Tag vor den Weihnachtsferien. Ich stand vor Georg Ohmann, in dem konspirativen Zimmer. Ich halte es nicht mehr aus, sagte ich. Ich will mit Ihnen schlafen, jetzt sofort. Sonst können wir uns niemals wiedersehen. Er sagte nichts und rührte sich nicht. Es verging ich weiß nicht wieviel Zeit. Mir rauschte das Blut in den Ohren. Ich lehnte an der Tür und sah in sein Gesicht. Ich sah, wie er endlich zu lächeln begann. Zu Befehl, sagte er dann und schloß mich in die Arme. Das war für mich der Anfang eines neuen Lebens. Ich hatte einen Geliebten, mit dem ich mich heimlich traf, sooft es ging. Viel zu selten, gemessen an meinem Verlangen. Manchmal fuhr ich abends mit der Straßenbahn in den Norden, ging vor dem Haus auf und ab, stieg hoch in den dritten Stock, stand vor der Wohnung mit dem Namensschild S. Neumann, in die ich allein nicht hineinkam. Einmal sah ich von unten, daß dort Licht brannte. Ich habe geklingelt. Ein grauhaariger Mann öffnete, der mir sofort unsympathisch war, schon die Stimme, grob und zu laut. Ich stotterte irgendetwas von Versehen und verschwand. Das darf nicht wieder passieren, sagte Georg, gleich nach der Begrüßung, bei unserem nächsten Treffen. Keine Eigenmächtigkeiten, sagte er. Und ich erfüllte meine Aufträge gewissenhaft. Jetzt schloß ich mich den anderen an, wenn sie durch die Kneipen zogen. Ich suchte Kontakt zu einem Ehepaar aus meiner Seminargruppe und durfte an einem Gesprächskreis teilnehmen, der abwechselnd bei verschiedenen Leuten stattfand, mit Hausmusik, Vorlesen und weltanschaulichen Diskussionen. In meinem Zimmer schrieb ich auf, was ich von den Gesprächen behalten oder welchen Eindruck ich von bestimmten Personen gewonnen hatte. Es beruhigte mich, daß ich melden konnte, der Frieden sei nicht in Gefahr. Trotz ideologischer Unklarheiten stellten die von mir beobachteten Mitmenschen kein Sicherheitsrisiko dar, niemand plane ein Attentat oder Landesflucht. Georg ließ mich ausreden. Bald hatte ich den Eindruck, daß er an meinen Einschätzungen wenig interessiert war. Einmal sagte er, die Auswertung des Materials sei seine Sache, meine das sorgfältige Sammeln. Diese Arbeit kostete Kraft. Das Studium wollte und durfte ich nicht vernachlässigen. Ich schlief nicht mehr genug, hatte selten Appetit. Ich magerte ab, so daß die Mutter erschrak. Ihren Fragen wich ich aus. Ich konnte ja nicht sagen: Der Grund ist, ich verzehre mich nach meinem Führungsoffizier. Außerhalb der Treffen war er für mich unerreichbar. Ich wußte nicht, wo er wohnte, ob er verheiratet war und eine Familie hatte, ich wußte nicht einmal, wie er wirklich hieß. Wenn es bis zum nächsten Mal wieder so lange dauert, sagte ich eines Abends, mache ich mich auf den Weg und suche in der ganzen Stadt nach Georg Ohmann. Er lachte. Unter diesem Namen würde ich ihn mit Sicherheit nicht finden, sagte er. Außerdem hätten wir eine klare Abmachung getroffen. Das war die eherne Grenze, gegen die ich immer wieder anrannte, voller Wut und Hoffnung. Dann kam es, wie es kommen mußte.

Das Erzählen ermüdete. Ich hatte keine Lust mehr. Anfangs hatte mich der Wein umnebelt, dann eine Weile inspiriert, jetzt machte er nur noch schläfrig.

Corinna sah mich an, hellwach, und sagte: Sie wurden schwanger, nicht wahr?

– Ja, genau das. Zum ersten und zum letzten Mal in meinem Leben. Ich bemerkte die Schwangerschaft frühzeitig. Den Rest können Sie sich denken.

– Er hat Sie zur Abtreibung gezwungen, nicht wahr? Sie wollten das Kind, aber nicht ohne den Mann, Sie hofften, daß Ihre Schwangerschaft alles zum Guten wenden und dieser Georg Ohmann nun zu Ihnen stehen würde. Doch er stellte Sie vor die Wahl, entsetzlich, was Männer so als Wahl bezeichnen, und drohte damit, aus Ihrem Leben zu verschwinden und dafür zu sorgen, daß Sie gebrandmarkt wären als Stasihure, entschuldigen Sie den Ausdruck. Ich denke, genau das hat er zu Ihnen gesagt, und Sie in Ihrer Verzweiflung wußten nicht, wohin, waren ganz furchtbar allein gelassen, noch schlimmer dran als andere Frauen in solch einer Situation, und gaben nach. Wenn ich vorhin gesagt habe, aktives Opfer, möchte ich das jetzt zurücknehmen, sagte Corinna. Für mich sind Sie ein tragisches Opfer, dort verwundet, wo Frauen am verletzlichsten sind. Diesem Männerbetrieb der Staatssicherheit waren Sie wehrlos ausgeliefert. Unbedingt gehört Ihr Schicksal deshalb an die Öffentlichkeit.

– Nur das nicht! sagte ich, vor Schreck ganz klar und wach. Ich erzähle die Geschichte einzig und allein Ihnen, ich vertraue sie Ihnen an, verstehen Sie? Sie müssen mir versprechen, niemandem auch nur ein Wort darüber zu sagen. Johannes ahnt nichts davon und soll es nie erfahren. Außerdem haben Sie ein falsches Bild von mir.

– In welcher Hinsicht?

– Ein zu gutes. Denn erstens war ich mit der Abtreibung leichter einverstanden, als Sie annehmen, und wirklich verzweifelt erst drei Monater später, als zum vereinbarten Treffen nicht Georg erschien, sondern dieser Grauhaarige, der sich als Kurt Mahlke vorstellte. Sein Vorgänger sei dienstlich außer Landes, keine Fragen bitte, sagte er. Da erst fühlte ich mich ganz furchtbar verlassen. Wie ich über jenen Herbst und Winter gekommen bin, kann ich nicht sagen. Ein schwarzes Loch. Mein Körper half mir, das weiß ich noch: Apathie und wechselnde Krankheiten, die Mahlke von meiner Untauglichkeit überzeugten. Ab April blieb er fort, seitdem hatte ich Ruhe. Das heißt, meine Mitarbeit wurde nicht mehr in Anspruch genommen, allerdings auch nie offiziell für beendet erklärt. Ich hoffte weiter auf Georgs Rückkehr, begegnete ihm in meinen Träumen. Das Herz stand mir still, wenn ich auf der Straße einen sah, der mich an ihn erinnerte. Ich ging in jeden französischen Film, der bei uns gespielt wurde. Zwar hatte keiner der Schauspieler, die ich bewunderte, auch nicht Gérard Philipe, tatsächlich Ähnlichkeit mit Georg Ohmann, zwar fand ich ihn im Vergleich nun nicht mehr schön, aber vergessen habe ich ihn erst, als ich Johannes kennenlernte.

– Und zweitens? Worin ist mein Bild von Ihnen noch zu positiv?

– In der Hauptsache, natürlich. Liebe hin und her, sagte ich, Verrat ist Verrat, auch wenn ich es damals nicht so empfand.

Das sehe sie genauso, trotzdem seien die Beweggründe nicht unerheblich, sagte Corinna, auch die Folgen nicht. Deshalb die Frage: Wem haben Sie geschadet?

– Niemandem, könnte ich sagen. Ich weiß von keiner Verhaftung, keinem Verhör der Bekannten, über die ich berichtet habe. Es war ja nicht meine Absicht, irgendwem zu schaden. Einige von ihnen mochte ich ausgesprochen gern. Wir waren nicht befreundet, aber selbst dann hätte ich für den Geliebten und den Frieden sorgfältig gesammelt und es Unbekannten überlassen, ihre Schlüsse zu ziehen und Maßnahmen zu ergreifen. Das ist vielleicht geschehen, später, ohne daß ich es erfuhr. Sicher haben die Bespitzelten ihre Akten inzwischen gelesen, sind immer wieder auf eine Person gestoßen, an die sie sich kaum mehr erinnern konnten, wie auch ich mich nur undeutlich erinnere an all diese Leute damals, sind allmählich aber darauf gekommen, wer sich in ihr Vertrauen eingeschlichen hat, wer da mit harmlosem Gesicht bei ihnen saß und nichts im Sinn hatte als Kontrolle und Verrat, wer sich also verbirgt hinter dem Decknamen, der neben den Buchstaben IM immer wieder auftaucht in ihren Akten.

243

– Was war Ihr Deckname?

– Norma, sagte ich.

– Haben Sie ihn selbst gewählt?

Ich saß still da und erwartete den Schlag, der vom Himmel herab, durch das Laub des Nußbaums, mich treffen würde und auslöschen, was ich als letztes Bild vor mir sah, den nächtlichen Garten und die Lampions über der Terrasse, die Augen der Katze plötzlich wieder, durch die Hecke kam sie auf mich zu, und Corinna Kling, die eine dunkle Seidenjacke um die Schultern gezogen und den Mund geöffnet hatte, als wollte sie etwas sagen, schimmernde Schneidezähne über der leicht zurückgezogenen Unterlippe. Nichts geschah. Nach einer Weile hörte ich:

– Was ist? Ist Ihnen schlecht?

Ich schüttelte den Kopf. An meinen Beinen rieb sich die Katze, ich fühlte ihr warmes Fell. Durch das Gewirr aus Klängen und Worten von der Terrasse her drang deutlich die Stimme von Johannes, der ausrief: Da war ich geliefert!, worauf die anderen lachten.

– Ich möchte jetzt aufhören, sagte ich.

Sie sah mich voller Bedauern an, auch ein wenig besorgt und traurig. Ich spürte den Wunsch, ihre Miene aufzuhellen, wieder in einen ungetrübten Spiegel zu blicken, aber nichts fiel mir ein, der Wunsch verschwand.

– Eine schlimme Sache, sagte sie.

– Ja, sagte ich. Ich hätte mir für meinen Aufenthalt auf dieser Erde schon einen besseren Verlauf gewünscht. Trotzdem danke für Ihre geduldiges Zuhören. Ohne Sie hätte ich die Geschichte nie erzählt.

– Aber, sagte sie. Es war auch für mich – nein, ein

Vergnügen nicht, ein Erlebnis, das uns beide näher gebracht hat, auch wenn ich das Gehörte erst noch verarbeiten muß.

– Gehen wir zu den anderen?

Sie war gleich einverstanden. Sie griff mir beim Aufstehen unter die Arme, ging dann dicht neben mir und steuerte auf der Terrasse einen Lehnstuhl an, in den ich mich fallen ließ. Sie setzte sich zu ihrem Mann und dem Schnauzbärtigen. Man empfing uns mit den üblichen Sprüchen und allerlei Bemerkungen über die Geheimnisse der Frauen, den köstlichen Obstsalat sollten wir probieren und sagen, welche Musik uns genehm sei. Ich bin betrunken, sagte ich. Sie sagte: Chansons von Georges Brassens. Die habe er leider nicht auf Lager, sagte Johannes. Dann eben Phil Collins, sagte sie. Mich ließ man in Ruhe. Ich sah zu, wie Motten und Nachtfalter um die Lampions schwirrten. Ich vermißte die Katze. Die Gäste waren, bis auf Herrn Winnesberg und das junge Paar, das sich nach dem Abendessen verabschiedet hatte, alle noch da. Sie sahen durchwärmt aus, etwas abgekämpft, wie Kinder nach einer Kissenschlacht, und hatte glänzende Augen. Sie sprachen jetzt leiser, niemand tanzte mehr.

Johannes brachte mir einen Espresso. Er setzte sich auf die Armlehne des Stuhls, fragte: Was hast du? Ich bin betrunken, sagte ich wieder, aber dein Fest ist schön. Er streichelte meinen Nacken, ging dann weiter herum, Espresso ausschenken, und kam irgendwann mit einem Pullover, sagte: Ich sehe doch, daß du frierst, und als er es gesagt hatte, merkte ich es auch. Den anderen war immer noch warm. Ich sah nackte Arme, aufgerollte Hemdsärmel, nur Corinna hatte ihre Jacke an. Im Licht erkannte ich die Farbe: ein dunkles, beinah schwarzes Grün, das den Stoff des Kleides weiß erscheinen ließ. Die Ohrgehänge aus Korallen gerieten ins Pendeln und Schwingen, wenn sie den Kopf bewegte. Das war mir, während ich erzählte, entgangen. In meiner Erinnerung blieb ein ausdrucksvolles Gesicht mit unauffälligen Ohren, als habe Corinna, bevor sie mir zuhörte, ihren Schmuck abgenommen. Jetzt hörten Peter Kling und der Schnauzbärtige ihr zu, wie sie mit lebhaften Gebärden etwas schilderte, über das sie und die beiden Männer schallend lachten. So heiter und befreit, zurückgekehrt in die ihr vertraute Welt, saß sie da am anderen Ende der Terrasse. Das Bedrückende dieses Abends würde sie bald verdrängt und vergessen haben, so daß meine Geschichte bei ihr gut aufgehoben war, dachte ich und ließ mich von diesem Gedanken beruhigen wie einst vom Abendlied, vom Gutenachtkuß.

Ich spürte, daß jemand mich ansah. Ich hörte eine Männerstimme von weitem. Von unten kam sie, wie aus einem Schacht, dann eine zweite Stimme, auch von unten, aber näher und klang nicht so eingeschlossen. Aus einer anderen Richtung hörte ich Schritte, Hämmern von hohen Absätzen auf Kopfsteinpflaster, einen Gang, den ich wiedererkannte mit geschlossenen Augen und den Hof dazu. Der Blick, den ich spürte, kam von oben. Ich öffnete die Augen. An meinem Bett stand Norma.

– Na endlich, sagte sie, ich wollte dich gerade wekken.

Sie beugte sich über mich. Ich zog sie zu mir, hielt sie umarmt und versuchte, etwas zu sagen. Sie streichelte meinen Kopf, mein Gesicht, verdeckte die Helligkeit von draußen mit ihrer Mähne, sagte immer wieder: Ist ja gut, ich bin doch da. Als hörte sie dem Gewimmer an, was geschehen war. Als hätte ich ihr gesagt: Und ich dachte, du hast dich von mir getrennt, ausgerechnet jetzt. Ich ließ mich streicheln und starrte in den Haarwald und weinte, bis ich nicht mehr konnte.

Dann saß Norma in der Küche am offenen Fenster, hinter sich den Himmel, Dächer und Schornsteine und die Spitzen der Pappeln, die Johannes die Drei Gleichen genannt hatte. Sie saß auf dem alten Küchenhocker der Schwestern König, die Beine ausgestreckt und leicht gespreizt, als sollten sie die Schräge der Schemelbeine nachahmen, hatte den Kopf gesenkt und wiegte den Oberkörper. Wenn sie sich vorbeugte, glitten ihre Hände die Schenkel herab zu den Knien, rutschten ihr die

Träger der Bluse von den Schultern. Ich lehnte am Kühlschrank. Ich blies in die Schale mit grünem Tee, den ich ihr zuliebe trinken sollte. Norma wiegte sich und wartete, daß ich zu reden anfing.

Noch war ihr Warten ohne Ungeduld, war die Stille zwischen uns leicht und schloß uns nicht ab von den Geräuschen aus dem Hof, den Schritten und Stimmen. Neumann hörte ich und Frau Klarkowski, nicht viel lauter als die Musik aus offenen Fenstern, doch laut genug, um Trautchen Müller anzulocken, die jetzt hinabschrillte in den Zank, der Freundin kräftig beistand, bis die Männer aus der Gartenecke im Verein »Ruhe« brüllten und über die niedergebrüllten Stimmen hinweg das Rauschen des Straßenlärms zu hören war, für einen Augenblick nur das, und in dem ganzen Konzert kein Fegen, Schleifen, Scheppern, Klirren, nichts vom Hausmeister, der längst Feierabend hatte.

– Johannes stand plötzlich hinter mir, sagte ich zu Norma.

Karlheinz Kühne, kennst du ihn? fragte er, aber eine echte Frage war es nicht, denn er wußte schon und wollte nun von mir wissen, welche Geschichte ich Corinna erzählt hatte. Und keine Ausflüchte! Er stand da, als müsse er mir den Weg zur Tür versperren. Ich war noch bei der Arbeit. Ich hatte gehört, daß er nach Hause gekommen war, spät wie immer, und mich gewundert, wo er blieb, denn sonst ließ er sich sofort blicken, doch ich dachte mir nichts dabei und übersetzte weiter. Es ging um Saint-Just und seine Freunde. Ich war bei einem Satz angelangt, der fragte, ob Saint-Just so naiv war zu glauben, daß ein guter Sohn unbedingt auch ein guter Staatsbürger sei. Der Satz beschäftigte mich noch, als Johannes ins Zimmer trat und mich zwang, die Arbeit abzubrechen, gestern Abend gegen neun.

Karlheinz Kühne, sagte er wieder, also, ich höre.

– Meine Gedanken kamen langsam, wie Bewegungen in Zeitlupe, erst der Gedanke, daß Corinna mich verraten hatte, dann, warum Johannes das Verhör mit der Frage nach einer Nebenfigur eröffnete. Ein Verhör war es in der Tat. Die Fragen stelle ich, sagte Johannes, als ich wissen wollte, was Corinna ihm denn erzählt habe. Immerhin erfuhr ich, daß Peter Kling ihn beim Mittagessen ins Vertrauen gezogen hatte. Ich konnte über diesen Ausdruck nicht lange nachdenken, denn Johannes packte mich bei den Schultern.

Die Wahrheit, schrie er, und wenn du sie mir nicht sagen willst, prügele ich sie aus dir heraus!

– Das glaubte ich ihm aufs Wort. Bis zu diesem Augenblick hatte ich mir nie, kein einziges Mal, vorgestellt, daß Johannes mich schlagen würde.

Norma wiegte sich nicht mehr. Sie saß vorgebeugt, mit verrutschten Trägern, und sagte, ohne hochzublikken, das nehme sie mir nicht ab. Dann richtete sie sich auf, strich die Haare zurück.

– Nun mal der Reihe nach, sagte sie. Wer ist Corinna?

– Die Frau von Peter Kling.

– Und Peter Kling?

– Der Freund von Johannes.

– Und wer ist Karlheinz Kühne?

– Mein Bruder in der Geschichte, die ich Corinna anvertraut habe, die sie ihrem Mann weitererzählt hat, der sie seinem Freund Johannes erzählt hat, um ihn ins Vertrauen zu ziehen.

- Was für eine Geschichte?
- Ich habe Corinna Kling belogen nach Strich und Faden. Eine erbärmliche Geschichte, zwing du mich nicht, sie zu wiederholen, ich halte das nicht aus.
- Beruhige dich, sagte Norma. Bin ich Johannes? Nun setz dich doch. Vielleicht kannst du wenigstens sagen, warum du dir dieses Zeug ausgedacht hast. Ich will gar nicht wissen, was.

Ich erzählte von den Wochen bei Johannes, von der Rückfahrt, vom Gartenfest, alles durcheinander, mit einer Ausdauer, die niemand so geduldig ertragen hätte wie Norma. Ich breitete Erinnerungen aus im Bogen um die leere Mitte, den Beweggrund, nach dem sie gefragt hatte. Vielleicht gelingt es dir herauszufinden, was mich getrieben hat, die Geschichte zu erfinden, die ich dir nicht erzählen werde, nicht heute, dachte ich und beschrieb, wie ich unter dem Nußbaum auf Corinna wartete und sie mit dem Satz empfing: Es ist an der Zeit, daß Sie die Wahrheit über mich erfahren.
- Warum gerade so?
- Keine Ahnung, ich schwöre es dir. Weder spürte ich das Verlangen, über mich zu sprechen, noch Lust zu lügen. Der Satz kam wie von außen. Er forderte mich auf, etwas zu erzählen, das zu diesem Auftakt paßte. Ich habe versucht, es Johannes zu erklären. Die Form war gegeben, sagte ich, der Inhalt ergab sich dann, Schritt für Schritt.

Was soll das denn heißen: »Ergab sich«? sagte Johannes. Du bist auch noch zu feige, die Verantwortung zu übernehmen für das, was du angerichtet hast, du allein.

Ich war aber nicht allein.

Er schüttelte mich wieder: Du willst mir doch nicht

weismachen, daß dir ein fremdes Wesen diese Geschichte eingegeben hat?

Mehrere, sagte ich, und etliche bekannte, ich selbst natürlich auch, und Corinna mit ihren Fragen, ihrem Verständnis.

Das geht zu weit, schrie er. Du hast Corinna, die dir offen und freundlich entgegengekommen ist, die dir nichts getan hat, auf die gemeinste Art hereingelegt. Und jetzt soll sie mitschuldig sein an deinen Lügen! Sie hat mich inspiriert, in aller Unschuld, wenn du so willst, sagte ich, immer noch ruhig.

Inspiration nennst du das? Und wie nennst du mißbrauchtes Vertrauen, erpreßtes Stillschweigen, deine infame Heuchelei? Immer noch wüßte ich nichts, hätte Corinna das Gehörte einfach weggesteckt. Es ließ ihr aber keine Ruhe. Weißt du warum? Weil sie dir helfen wollte. Ausgerechnet dir helfen! Nur deshalb hat sie mit Peter gesprochen, hat er sich heute Mittag mit mir getroffen.

Ich sagte: Ich merke schon, die Hilfsaktion ist in vollem Gange.

– Das konntest du dir sparen, sagte Norma.

– Es machte Johannes nur noch wütender. Ich wußte, er war im Recht, aber da er mich angriff, habe ich mich verteidigt. Er sollte mich wenigstens verstehen.

Selbst wenn ich es wollte, sagte er, was hast du an Erklärungen zu bieten?

– Ich bot, was immer mir einfiel: Daß ich es schon lange satt hatte, als Abladeplatz für Mitleid und Belehrungen zu dienen, daß es mir zum Hals heraushing, eine Vertreterin des Typischen zu sein oder eine Randerscheinung, daß mir dieser Musterkoffer gestohlen bleiben konnte, den ich, je nachdem, gegen einen neuen eintauschen oder um alles in der Welt behalten soll.

Also habe ich ausgepackt, sagte ich, und bin meine Identität losgeworden, im doppelten Sinne, verstehst du?

Kein Wort, sagte Johannes. Weil ich dich jedoch nicht für geistesgestört halte, begreife ich dein Gerede sehr wohl, nämlich als Versuch, eine klare Tatsache zu verschleiern: deine Hinterhältigkeit. Dieses Brimborium von Vertraulichkeit und Geständnis, dieses Melodrama, in dem du eine so miese Rolle spielst – wie sollte Corinna den Schwindel durchschauen?

Ach, du meinst also, ich wäre zum Beispiel als Widerstandskämpferin unglaubhaft gewesen, aber Hörigkeit und Verrat konnte man mir ohne weiteres abnehmen?

– Ich war gekränkt. Ich redete mich in Rage. Ich behauptete, genau das hätte ich vermutet: Hinter der freundlichen Fassade nichts als Argwohn, ach was, die Überzeugung von der kollektiven Verdorbenheit der Dagebliebenen. Und die Vermutung habe sich ja deprimierend deutlich bestätigt. Denn nie und nimmer wäre meine reale Geschichte auf solche Glaubensbereitschaft gestoßen wie der Zusammenschnitt von erwartungsgemäßen Gruselbildern!

Anstatt mich dem Verdacht auszusetzen, sagte ich, daß ich unterschlage und beschönige, wenn ich erzähle, wie dies und das gewesen ist, habe ich von vornherein gelogen. Und mir wurde geglaubt! Ich wette, alle deine Gäste hätten reagiert wie Corinna, allesamt wissen sie immer schon Bescheid, diese aufgeblasenen Originale, für die der Osten bevölkert ist von Stereotypen!

– Johannes sagte nichts. Ich spürte, daß meine Erklärungen an ihm abprallten. Ich hätte sagen müssen: Ich weiß wirklich nicht, warum ich erzählt habe, was ich erzählt habe. Doch ich schrie ihn an: Was nützen all meine Worte, wenn du sie nicht annimmst, wenn du nur hören willst, daß ich sage: Ja, ich bin fies und gemein, anders läßt sich mein Verhalten nicht erklären. Gibs doch zu. Das willst du von mir hören!

Wenn es die Wahrheit ist, ja, sagte er, aber nützen würde das auch nichts mehr, der Schaden ist irreparabel.

– Er sprach leise und langsam.

Ich wäge die Worte, sagte er. Ich habe dir genau zugehört und begriffen, warum du mir nichts erklären kannst. Jetzt endlich habe ich es begriffen. Du tust, als müßtest du dich für deine Lügen rechtfertigen. Sie sind unwichtig, bloße Verpackung. Im Kern steckt die Wahrheit, die ich nie erfahren sollte. Denn was du Corinna erzählt hast, ist deine Geschichte. Du warst IM –

– Weiter kam er nicht. Ich stand dicht vor ihm und schlug ihm links und rechts ins Gesicht. Er wehrte mich nicht ab. Wahrscheinlich spannte er die Gesichtsmuskeln. Ich schlug wie gegen eine Wand, meine Handflächen brannten. Ich trat zurück und erwartete den Gegenschlag. Johannes ging an mir vorbei zur Tür. Dort drehte er sich um.

Du kannst von Glück sagen, daß du eine Frau bist, sagte er, und: Denkst du, ich würde dich noch anfassen?

– Er schloß sich ein in seinem Zimmer. Als es hell wurde, habe ich ein Taxi gerufen und bin geflohen, das weißt du schon.

Norma nickte. Sie sah angestrengt zu Boden, auf eine Stelle, an der das Linoleum kleine Brandflecke hatte. Ihr Schweigen war mir unerträglich.

Ich spülte die Teeschale aus. Ich ließ das Wasser lange über die Hände laufen, bis sie ganz kalt waren, kalt wie am Morgen, als ich meine Sachen zusammensuchte, mir den Befehl gab, genau zu überlegen, was ich mitgebracht und nun wieder mitzunehmen hatte, das Buch und die Diskette vor allem, den Ertrag von drei Wochen Arbeit, sagte ich mir vor, und deine persönliche Habe, nimm dich zusammen, sonst schaffst du es nie. Mit tauben Händen, die fallen ließen, was sie festhalten sollten. Die Füße verhedderten sich in Kleidungsstücken, schlenkerten in den Koffer, was an ihnen hing. Die Knie drückten auf den Deckel, der aufsprang, als ich den Koffer nach draußen tragen wollte. Ich bekniete ihn wieder, damit er zuging über dem weichen und harten Durcheinander, dem Buch obenauf, dessen Umschlag bedruckt war mit dem damenhaften Antlitz eines Revolutionärs vor zweihundert Jahren. Darauf zuerst fiele mein Blick gewiß, wenn ich den Koffer auspackte, den ich irgendwo abgestellt hatte in dieser übersichtlichen Wohnung. Ich drehte den Wasserhahn zu und stand mit tropfenden Händen vor Norma.

– Sag doch was, bat ich. Glaubst du etwa auch...?

Sie hob den Kopf, als müßte sie ihn aus einem Gestrüpp herausziehen, und sagte sehr deutlich, mit rollendem r: Horror vacui.

Ich wartete ab. Fremdwörter gebrauchte sie ungern, und wenn sie sich dazu entschloß, gab sie ihnen mitunter eine Bedeutung, auf die man nicht gefaßt war. Jetzt stand sie auf und schob den Schemel unter das Fensterbrett.

– Na ja, sagte sie mit dem Rücken zu mir, das erträgt der Mensch eben nicht, eine Handlung ohne erkennnbaren Grund. Da muß er etwas an die leere Stelle setzen, ist doch verständlich – und sah hinunter in den Hof. Fortschritt, Fortschritt, rief sie, eine Frau in der Gartenecke. Die Hähnin, sieh dir das an!

Ich lehnte neben Norma aus dem Fenster. Am Tisch der Biertrinker saß Frau Klarkowski. Sie funkelte in der rötlichen Sonne, die bald hinter dem Dach des Seitenflügels verschwinden würde. Von Neumann keine Spur.

– Aus dem Feld geschlagen, bravo! sagte ich. Paß auf, Norma, gleich hören wir *Die Caprifischer*.

So war es. Den Refrain sangen sie unten mit, sangen auch Norma und ich, fest umschlungen, sang über allen Trautchen Müller, auf und ab in ihrem Wohnzimmer, als ließe sie sich singend dort von großen Wellen schaukeln: Bella, bella, bella Marie, vergiß mich nie!

– Und du mich auch nicht, du auch nicht, nein, nie! sagte ich zu Normas nackter Schulter an meiner Wange.

Norma hielt still, bis das Hofkonzert verklungen war.

– Darauf einen Berg Spaghetti mit Muscheln! Komm, wir ziehen los.

Sie schob mich behutsam zurück.

– In der Praxis ist das Mittagessen wieder mal ausgefallen. Und dich sollte man stärken nach diesem Fiasko, sagte sie. Übrigens hat gestern Abend Sandra gefragt, wo du bleibst. Sie fand, du bist überfällig. Das hörte sich an wie früher, wenn jemand von der Westreise nicht zurückkam. Nur hätte es Sandra damals gar nicht anders erwartet. Wahrscheinlich ist Marianne morgen wieder hier, habe ich gesagt. Warum das wahrscheinlich sein sollte – keine Ahnung. Na klar, rief

Sandra, le quatorze juillet! Die spinnt, dachte ich, doch
siehe da.

Norma ging vor den Spiegel im Flur und schminkte
sich. Ich sah ihr zu.

– Nun steh nicht herum, sondern nimm dir ein
Beispiel, sagte sie. Und beeil dich, mir hängt der Magen
in den Kniekehlen.

Es roch muffig in der Badekammer. Ich zwängte mich
am Klo vorbei, stieg in das Duschbecken und öffnete
das kleine Fenster.

Am Fenster zu duschen, mit Blick auf Dächer und
Türme, an der hölzernen Wandverkleidung zu lehnen,
sich mit warmem Wasser zu berieseln und in den
Himmel zu sehen, das war für mich ein Fest gewesen
nach dem Umzug aus der dunklen Wohnung hier
herauf, ein richtiges Glück, diese Badekammer. Ein
Duschklo, sagte Johannes, besser als nichts und kein
Grund zur Beschwerde, aber er bringe es nicht fertig,
sich über jeden Mist zu freuen. Ich freute mich weiter
und behielt dieses Gefühl in Erinnerung, als ich schon
selber den Wasserdruck jämmerlich fand, lästig die
Vorsicht beim Abtrocknen, wollte man nirgends anstoßen, und die Ausgestaltung des Raumes irgendwie
anzüglich, exkrementfarben die Braun- und Gelbtöne.

Ich sah den Dunst über der Stadt, Fenster, die in der
Abendsonne glühten, das hingebreitete Grau und Rot
der Dächer, den blassen Himmel und die starren Baum-
spitzen, alles wie erschöpft von diesem Tag. Ich drehte
das kalte Waser auf und zog mich unter der Dusche
aus, ließ die durchweichten Sachen liegen, setzte mich
naß aufs Klo, duschte weiter, warm, dann wieder kalt,
sah hinaus und überlegte, was ich anziehen wollte.

– Es gibt Leute, die können nicht von zwölf bis Mittag denken. Womit willst du dich abtrocknen? Norma kam herein, ein Handtuch überm Arm, und fragte nach meinen Wünschen.

– Frische Wäsche, sagte ich, und das hellblaue Kleid mit den weißen Sternchen.

Sie hatte es schließlich doch bekommen und die Krone aufgesetzt, die sie für sich gebastelt hatte aus Pappe und Staniolpapier, und ihr Bild im Spiegel angestaunt wie eine fremde, eine richtige Prinzessin, an der nur die braunen Schnürstiefel Norma gehörten, alles andere der Frau von König Drosselbart in der Schlußszene des Märchenspiels, des Hauptstückes unter den Aufführungen im Kindererholungsheim. Daß für ihre Rolle zuerst eine Erika ausgewählt wurde, sie aber in »Aschenputtel« den Baum spielen sollte, der sich rütteln und schütteln ließ, wortlos Gold und Silber abwarf, waren Widrigkeiten, die sie ohne Widerspruch hinnahm, denn sie wußte, ihr Wünschen würde sie zur Prinzessin machen, weil es anhaltend und stark genug war, Tante Regina die Augen zu öffnen, so daß sie zu Norma ging, ihr die Rolle gab und das hellblaue Kleid mit den Sternchen.

– Rosa, sagte Norma, mein Kleid war rosa mit einer weißen Schärpe. Und den König Drosselbart habe ich auf offener Bühne geohrfeigt, weil er im Text stecken blieb.

– Und dann?

– Nichts weiter. Das Publikum lachte, wir spielten das Stück zuende, es gab großen Beifall.

– Glück gehabt, sagte ich, wickelte mir das Handtuch um und versprach Norma, in zehn Minuten fertig zu sein.

Auf klappernden Absätzen stiegen wir dann die Treppen hinunter durch Dämmerlicht und Stille. Sicher hörte Neumann uns kommen, postierte sich am Guckloch seiner Tür, sah die beiden Frauen, geschniegelt und gestriegelt, vorbeiziehen Hand in Hand und kriegte Lust auf ein Briefchen, das ich morgen im Kasten finden würde. Sicher hatte Frau Schwarz ihre Wohnung abgeschlossen wie immer, die Kette vorgelegt und war dabei, ins Bett zu gehen. Ich müßte mich um sie kümmern, wen hatte sie noch, seit Margarete Bauer tot war. Morgen, alles konnte warten bis morgen. Jetzt ging ich mit Norma aus, in ein Lokal, das sie noch nicht kannte.

– Es wird dir gefallen, sagte ich, als wir aus der Toreinfahrt auf die Straße traten. Ich war dort mit Max am siebzehnten Juni. Erzähl ich dir unterwegs. Und wenn wir Glück haben, können wir draußen sitzen.

– Verlaß dich drauf, sagte Norma.

Norma aß schneller als ich, stach zu und drehte geschickter, ohne daß die Gabel die Unterstützung eines Löffels brauchte, der Spaghettireifen um die Zinken sich unterwegs auflöste. Den hellgrünen Berg auf ihrem Teller trug sie zügig ab, sog lose Enden ein mit kurzem Schlürfen und scheuchte linkshändig die Wespe fort, die uns Gesellschaft leistete, Muscheln vielleicht verschmäht hätte, doch Pesto genovese mochte und jetzt herumlief zwischen Käsekrümeln und Rotwein, für sie auf den Tisch geträufelt, damit sie den Gläsern fern blieb, denn noch einmal vorm Ertrinken retten würden wir sie nicht.

Die Stadt dröhnte, aufgelebt im Abflauen der Hitze, die hier noch zwischen den Häusern stand wie eingemauert, von Asphalt und Pflastersteinen hochstrahlte, brandige Gerüche entfachte im Gemisch der Ausdünstungen aus Toreinfahrten, geöffneten Fenstern, unterirdischen Gängen und Rohren. Staub und Abgase, Hundescheiße in zwei Metern Entfernung, Zuschauer über unseren Köpfen, Fußgänger dicht an an uns vorbei Ein Häufchen Reinheit, die aus siedendem Wasser geschöpften Spaghetti, blaß, bevor die Basilikumsoße sie einfärbte. Norma saß eingehüllt in den duftenden Dampf, der vom Teller aufstieg.

– Was willst du, sagte sie, das ist kein Picknick im Grünen, und blieb dabei, daß wir Glück hatten. Zum Beispiel, weil diese Nähmaschine geköpft, in einen Tisch für zwei Personen verwandelt war und nicht mehr, wenn man auf ihr gußeisernes Pedal trat, losstichelte, unweigerlich nach hinten, nie hatte Norma begriffen, warum sie das taten, aufgereiht im Handarbeitsraum und allesamt gegen sie verschworen, genauso diese, wäre sie dabeigewesen, von gleicher Bosheit wie die anderen, inzwischen aber unschädlich gemacht und frei geworden just in dem Augenblick, als wir ankamen. Gegen den Qualm im Inneren des Lokals war unser Eßplatz auf der Straße ein Luftkurort, auch sah die Runde am Stammtisch nach brütender Hilflosigkeit aus, fand Norma, der Rausschmeißer hinterm Tresen stinkend vor schlechter Laune.

– Freu dich, sagte sie, daß wir hier draußen sitzen, zwischen friedfertigem Volk.

Das palaverte und trank und aß die Teller nicht leer. Niemand kam und bat um die Reste. Niemand riß im Vorbeigehen Nahrung von den Tischen. Die Blicke von oben waren nicht hungrig. Ein Hund bekam eine Schale Wasser, Spatzen und Tauben tranken mit, die Wespe watete in der Weinpfütze auf unserem Tisch. Norma lehnte sich zurück, satt für zwei Tage, sagte sie, und daß mein Gestocher nicht mitanzusehen sei. Dann drehten alle die Köpfe zum Fahrdamm, weil ein sandfarbener Jaguar vorbeikam, dann ging das Palaver weiter.

Nun wurde doch gegrillt. Wir konnten es nicht sehen, das Gerät stand um die Ecke, aber die Schwaden zogen heran, mit ihnen das Bild von rohem Fleisch auf dem Rost, wie es sich zusammenzog und verfärbte, in die Glut gedreht wurde so lange, bis braune Stücke dalagen, einige sicher mit schwarzen Striemen. Die Laune des Wirtes würde sich bessern, dachten wir, weil sich jemand gefunden hatte, der das Fleisch briet. Verrauchender Ärger, sagte Norma zu den Schwaden. Wenn Max doch noch erschien, hockten die Fleischesser schon besänftigt um das Kohlebecken, rösteten Kartoffeln in der heißen Asche und beredeten, wie andere Stämme an nächtlichen Feuern da und dort auf dieser Erde, die Ereignisse des Tages, künftige Unternehmungen oder Nachrichten aus der Ferne. Dann würde Ande sich nicht mehr weigern, Max, diesem Assi, diesem Penner, der ihm in alle Ewigkeit gestohlen bleiben konnte, ein Bier zu zapfen, und Max ließe sich nieder mit reinem Gewissen, denn daß er sich heute zum Grilldienst verpflichtet hatte, wäre ihm gänzlich neu, total entfallen, wie auch immer, kein Problem. Die eigentlichen Dinge, würde Max erklären, sind doch ganz andere und geschehen nicht hier.

Norma summte vor sich hin, die Melodie klang mir nach einem Wanderlied, und sah umher mit forschenden Blicken. Wie Diana im Wald, hatte ich einmal gesagt, Sie verstand es falsch, dachte an die Prinzessin, fragte: Wieso im Wald? und war von meiner Antwort enttäuscht. Daß ich sie mit einer Jägerin verglich! Nein, sie ging nicht auf Beute, auch nicht mit Blicken, sie hielt ganz einfach die Augen offen im Dickicht der Stadt. Und dieser Ort gefiel ihr, nur schade, daß die beiden Kämpfer nicht auftauchten, der Polkatänzer und sein massiver Gefährte, auf die sie neugierig wurde, als ich ihr unterwegs von meiner ersten Einkehr hier erzählte, selbst noch gespannt und guter Dinge, erlöst durch Normas Weigerung, sich heute mit meiner Schuld und meinem Unglück weiter zu befassen.

Ich sah es ihr an, sie hatte beschlossen, die trübselige Gestalt an ihrem Tisch zurückzulassen, sich auf Entdeckung zu begeben mit einer anderen, die ich sein könnte, wäre ich nur bereit zu folgen. Aus den Augenwinkeln beobachtete sie, wo ich blieb. Sie hörte auf zu summen, sagte: Genug getrunken! und schnipste mit Daumen und Zeigefinger die Wespe vom Tisch.

- Aber warum, wen stört sie denn?
- Sie ist eine Gefahr für Arbeitshände, erklärte Norma. Und ohne die von Erdmute Reinhard, die unser Geschirr abräumen wird, kann dieser Laden dicht machen.

Ich begriff, daß ich jetzt fragen sollte.
- Woher kennst du sie?
- Also, darauf habe ich gewartet, sagte Norma. Wir sitzen seit einer Stunde hier, mindestens elfmal ist sie an unserem Tisch vorbeigeeilt, hat dicht neben dir gestanden, Worte mit uns gewechselt, und du fragst, woher ich sie kenne! Sie hat Probleme mit dem Sechser oder Siebener unten links, wo ihre Zunge hinfühlt, das ist dir natürlich entgangen, vielleicht sogar Schmerzen den ganzen Tag schon, aber deshalb zu fehlen fällt ihr nicht ein. Sie ist pünktlich zur Stelle, weil sie es versprochen hat, und nicht aus Angst um den Job, sie hilft ja bloß aus, scheint hier so üblich zu sein und würde nie funktionieren, wenn der mufflige Wirt nur Leute an der Hand hätte wie deinen Max -
- Es ist nicht mein Max, sagte ich.
- wenn es die Frauen nicht gäbe, diese Biologiestudentin, die mit Zahnschmerzen herumläuft, als wäre es nichts, die schweren Tabletts trägt, alle Tische im Blick behält und eine Augenweide ist, das mußt du zugeben. Ihr Freund, sagte Norma, der dort neben dem Langhaarigen, seelenruhig läßt er sich bedienen, verzieht keine Miene, wenn sie ihm im Vorbeigehen etwas zuflüstert, sein Ohr küßt, was kümmert ihn sein Ohr und was schon die Frau, die ihm das Bier hinstellt. Er muß ja streiten.
- Vorhin hast du gesagt: Friedfertiges Volk.

- Die ganze Runde, ein Rudel Menschheitsverbesserer, sieh sie dir an. Dagegen sind die am Stammtisch müde Kleingärtner, glauben selber nicht an die Gerechtigkeit, die hier von unten wachsen soll. Von denen braucht man nichts zu hoffen oder zu befürchten. Aber die Gesellen von deinem Max! Ab nach Tibet, würde ich sagen, damit sie Demut lernen.

- So, und deine Erdmute säße da ohne ihren Freund, sagte ich.

Normas Augen blitzten: Ich kam ihr nach! Ich spürte, während ich hinübersah zu den jungen Männern, daß sie mich beobachtete und zu erkennen suchte, was ich den fremden Gesichtern ablas.

- Nichts, sagte ich. Sie sind zu weit weg. Sie tragen ihre Jugend wie eine Maske.

Das ließ Norma nicht gelten. Ich sollte mir Mühe geben und nicht mit Sprüchen kommen.

- Der Langhaarige, sagte ich, erinnert mich an jemand.

- Na bitte. Und an wen?

Norma sah mich an, wie sie manchmal Sandra ansah: Nun beweg dich schon, auch meine Geduld hat Grenzen. Sandra, die gestern Abend begründet hatte, warum ich heute zurückkommen würde: Klar, der 14. Juli! So hörte sie in der Schule doch mitunter zu. Und was sie hörte, verhallte vielleicht nicht im Niemandsland der Langeweile, dessen Schriftbild der Zeigestock von Lehrer Meinert auf der Wandtafel angetippt hatte, vor dreiunddreißig Jahren, in der Stille einer dösenden Klasse.

- Auf Sandras Geschichtsunterricht!

Ich ließ mein Wasserglas an Normas Weinglas klingen und heftete den Blick wieder fest auf den Langhaarigen.

– Diese Ähnlichkeit, sagte ich. Ein regelmäßiges Gesicht, klare Züge von starkem und melancholischem Ausdruck, ein durchdringender Blick und glattgekämmtes langes schwarzes Haar.

– Das sehe ich selbst, sagte Norma.

– Ohne die starre Härte seiner blauen Augen, den dichten Wuchs der Brauen sähe sein Gesicht aus wie das einer Frau. Die zarte Haut erscheint zu schön, sie läßt Zweifel an seiner Gesundheit aufkommen. Das Befremdlichste aber sind die automatenhaften Bewegungen. Hängen sie mit einer körperlichen Eigenart, mit seinem unmäßigen Stolz oder mit einstudierter Würde zusammen? Gleichviel, sie schüchtern eher ein, als daß sie lächerlich erscheinen.

– Der ist mir nicht geheuer, sagte Norma. Wo kommt er her, und was führt er im Schilde?

– Er ist überzeugt davon, in die Reihe der großen Seelen mit Auftrag zu gehören. Er gibt sich bis zur Selbstaufopferung seiner Aufgabe hin, erbarmungslos und ohne Skrupel räumt er jedes Hindernis aus dem Weg. Inmitten alltäglicher Realität lebt er in der Vorstellung einer künftigen Gesellschaft, daher das Janusköpfige, das alle, die ihn näher kennen, so frappiert. Jäh kann dieser großherzige, empfindsame junge Mann düster und grausam werden, sein Herz vor dem erschütternden Schrei der Natur verschließen.

– Wehe, wenn so einer an die Macht kommt, sagte Norma.

– Er wäre vielleicht ein kleiner Anwalt in der Provinz geworden oder ein mäßig erfolgreicher Literat in der

Hauptstadt, hätte nicht im Jahre neunundachtzig eine Revolution stattgefunden. Da ist er gerade zweiundzwanzig, nach einigen Eskapaden, einem halben Jahr Zwangsverwahrung auch, in seinen Heimatort zurückgekehrt, der in der Region den traurigen Rekord in Armut hält, zurück an die Seite des Volkes.

– Doch nicht zu uns etwa?

– Zu den Gemüsebauern, kleinen Landeigentümern, den Hanfbrechern, Leinewebern, Spinnerinnen, Weißnäherinnen, den Gast- und Schankwirten. In der Gegend sind sie fast alle mit der Verarbeitung von Hanf beschäftigt, dessen Rösten im Sommer tödliche Epidemien auslöst. Aus dieser Bevölkerung ragen einige relativ wohlhabende Familien heraus, die von Pensionen, Renten, Handel oder öffentlichen Ämtern leben.

– Und zu wem gehört nun er, außer in die Reihe der großen Seelen?

– Nicht zur bäuerlichen Welt, aber er wird von ihr gewissermaßen adoptiert. Als Sproß einer Bürgersfamilie, die zum Adel drängte, kämpft er um Reformen zugunsten der Kleinbauern. Die Revolution, hofft er, wird weitergehen, unblutig und zum Wohle aller, namentlich der Armen. War das Regime, unter dem wir so lange gelitten haben, hinterhältig und grausam, wie mild erscheint uns nun, schreibt er im Namen der Gemeindevertretung, der Übergang zu einem anderen, edel und rein.

– Auch einer von den Träumern, sagte Norma.

– Ein Politaktivist auf dem Lande, zu jung noch, um wählbar zu sein, aber schon vielversprechend. Einer seiner Mitstreiter, ein Landwirt und Fleischer, gratuliert ihm nach der ersten politischen Kundgebung unter seiner Regie. Junger Mann, sagt er, ich habe Ihren Vater, Ihren Großvater und Urgroßvater gekannt. Sie sind ihrer würdig. Fahren Sie fort, wie Sie begonnen haben, und wir werden Sie in der Nationalversammlung erleben. Bis dahin vergehen fast drei Jahre mühevoller Kleinarbeit. Ich werde sagen, gelobt später ein Freund, mit welchem Eifer du die Unterdrückten und Unglücklichen verteidigt hast, als du in den härtesten Jahreszeiten beschwerliche Gewaltmärsche auf dich nahmst, um deine sorgende Hilfe, deine Redegabe, dein Vermögen und deine Lebenskraft zu spenden. Dann geschieht es, daß im August zweiundneunzig das Volk in Paris die Tuilerien stürmt, der König und seine Familie festgenommen werden, die Machtkrise, die seit ihrem Fluchtversuch ins Ausland schwelte, ein Ende findet. Der junge Mann erfährt, daß ein einziger Tag revolutionärer Gewalt dem Lande das beschert, was jahrelange Anstrengungen seinem Dorf nicht bringen konnten. Im neugewählten Parlament ist er der Jüngste und unterscheidet sich von seinen Kollegen auch durch seine Erfahrungen, denn wer von all denen, die die Revolution »von oben« machten oder machen wollten, hatte sie so wie er »von unten« mitgemacht?

– Da hat er als Abgeordneter bestimmt nichts zu sagen. Ein Hinterbänkler auf Seiten der Opposition, oder?

– In den obersten Reihen, auf dem sogenannten Berg, wo die sechzig »Montagnards« sitzen, unter ihnen Danton und Robespierre, der linke Flügel des Parlaments. Im Zentrum die fünfhundert Mann starke »Ebene« und nunmehr rechts einhundertachtzig Gemäßigte, die meisten von ihnen aus dem französischen Westen, der

Gegend um Bordeaux, nach diesem Departement dann »Girondisten« genannt. Alle im Nationalkonvent sind für das Ende der Monarchie. In der moralischen Ordnung der Dinge sind die Könige das, was in der Ordnung der Natur die Monstren sind, erklärt Grégoire, der verfassungstreue Bischof von Blois. Einstimmig beschließen sie, am 21. September vor zweihundert Jahren, die Republik. Das Königtum ist abgeschafft, was aber soll mit dem König geschehen?

– Das weiß man ja, sagte Norma. Sie machen kurzen Prozeß mit ihm.

– Denkst du. Der Königsprozeß ist das große Ereignis am Ende des Jahres. Unmittelbar nach dem Gemetzel vom 10. August hätten sich nur wenige Stimmen zur Verteidigung Ludwigs XVI. erhoben. Die Zeit aber hat die Erinnerung an vergossenes Blut gemildert, wie die Girondisten sehr wohl erkennen. Keiner von ihnen ist royalistisch gesonnen, doch weil sie voraussehen, daß sein Tod den bewaffneten Konflikt mit Europa ausweiten wird, versuchen sie, mehr oder minder verstohlen, den König zu retten.

– Typisch Westler, sagte Norma.

– Sie denken wie Danton: Wenn man ihn richtet, ist er tot, und sie fürchten die Folgen einer solchen Entscheidung. Sie setzen auf Zeitgewinn. Unter ihrem Einfluß beauftragt der Nationalkonvent seinen Gesetzesausschuß, die geeignete Verfahrensweise herauszufinden. Das dauert mehr als drei Wochen. Dann kommt die Angelegenheit vors Parlament. In dieser Debatte betritt der jüngste Abgeordnete, den meisten völlig unbekannt, die Rednertribüne: Ich mache mich anheischig, Bürger, zu beweisen, daß der König gerichtet werden kann, sagt er. Wäre Ludwig unantastbar, hätte man ihn nicht stürzen können, und sie alle säßen jetzt nicht hier. In Wahrheit ist der König ein Rebell, hat er doch fortgesetzt die Verfassung verletzt, deren Garant er sein sollte. Wie könnte er nach Gesetzen gerichtet werden, die er vernichtet hat?

– Logisch, sagte Norma.

– Überrascht hören ihm die Abgeordneten zu. Er bekommt Beifall von links und rechts. Die Jakobinerzeitung veröffentlicht einen lobenden Bericht: Ein Wort. Ein einziges Wort über die Könige wird den Völkern, die noch welche haben, als Mahnung dienen: Man kann nicht herrschen, ohne schuldig zu werden. Du warst es, Saint-Just, der auf so einfache Weise diese große und ewige Wahrheit ausgesprochen hat. Wenig später fordert auch Robespierre die Hinrichtung des Königs ohne Urteilsspruch. Diese extreme Position findet keine Anhänger. Das Parlament beschließt, selbst über den König zu Gericht zu sitzen. Der Prozeß beginnt am 11. Dezember. Zwei Wochen später erscheint Ludwig XVI. zum ersten Mal vor dem Nationalkonvent. Sein Anwalt hält eine bewegende Verteidigungsrede, und Ludwig beeindruckt von Anfang an durch Demut und Würde. Aus seiner tiefen Gläubigkeit hat er Kräfte geschöpft, die dem bis dahin recht farblosen Charakter nun Größe verleihen. Den Beschimpfungen begegnet er mit Ruhe, den Provokationen mit Geduld.

– Das spricht für ihn, sagte Norma.

– Ein Drittel der Abgeordneten sind Juristen. Der Königsanwalt hatte sie unsicher gemacht, indem er ausrief: Ich suche Richter unter euch und finde nichts als Ankläger. Der »Berg« spürt die Gefahr. Wieder greift Saint-Just ein. Er wendet sich an diejenigen, denen es nicht behagt, gleichzeitig Richter und Partei zu sein. Sie dürfen nicht ihre Strenge dem Volk, ihr Mitgefühl dem König vorbehalten.

– Richtig, sagte Norma. Nicht die Opfer angreifen und die Täter schonen!

– Es ist kein weiter Weg von der Gnade gegenüber dem Tyrannen zur Gnade gegen die Tyrannei, erklärt Saint-Just und fordert schließlich, jeder Einzelne solle vortreten und sagen, ob Ludwig seiner Schuld überführt ist oder nicht. Die Auseinandersetzung dauert zwei Monate. Am 21. Januar 1793 wird Ludwig XVI. hingerichtet.

– Geköpft, sagte Norma und stieß gegen das Fußgestell der Nähmaschine, daß der Tisch schwankte. Aber was ist aus dem Redner vom »Berg« geworden?

– Er hat weiter Reden gehalten, trat als Ankläger im Prozeß gegen zweiunddreißig Girondisten auf, wurde Mitglied des »Ausschusses für öffentliche Wohlfahrt«, war dessen Beauftragter in den Armeen im Elsaß und an der Nordfront, hat mit Schnelljustiz und Belohnungen durchgegriffen, mit Sondererlassen, so an die Stadtverwaltung von Straßburg: In der Armee gibt es zehntausend barfüßige Soldaten, noch heute müssen alle Straßburger Aristokraten ihre Schuhe abgeben!, hat überall Feinde der Revolution gewittert, linke und rechte Abweichler ans Messer geliefert, seine Kollegen ermahnt, nicht allein die Verräter, auch die Gleichgültigen zu strafen. Er wurde zum Präsidenten des Nationalkonvents gewählt, übte Polizeifunktionen aus und unterschrieb Haftbefehle, die Todesurteilen gleichkamen.

Er wollte die politische durch eine soziale Revolution vollenden, an die Besitzlosen Land verteilen, eine Gesellschaft errichten, in der es keine Unterdrücker und keine Unterdrückten mehr gäbe: Das Glück, erklärte er, ist ein neuer Gedanke in Europa. Er wollte Staatsbürger heranbilden, die einander Freunde, Gastgeber und Brüder wären, und glaubte wie sein Freund Maximilien Robespierre an die vorläufige Notwendigkeit des Terrors im Dienste der Tugend. Der Revolutionär ist den Bösen gegenüber unerbittlich, aber er ist sensibel, sagte er, und weiß, daß man, um die Revolution zu festigen, ebenso gut werden muß, wie man früher böse gewesen ist. Er war mitverantwortlich für die 2663 Hinrichtungen seit dem Sterbetag des Königs und wurde eineinhalb Jahre nach dessen Tod selber verhaftet, für vogelfrei erklärt, zusammen mit Robespierre und zwanzig anderen Verurteilten in einem Schauzug zur Guillotine gekarrt, da war er knapp siebenundzwanzig.

– Und an den, sagte Norma, soll hier irgend jemand erinnern?

Sie musterte die Runde der jungen Männer, schüttelte den Kopf. Recht hatte sie, ich sah es selbst. Keinem, auch dem Langhaarigen nicht, konnte ich eine wahre Geschichte anhängen, die nicht seine war. Aber niemals wieder würde ich eine erfinden. Morgen das Buch aufschlagen und weiter übersetzen dort, wo Johannes mich gestern Abend unterbrochen hatte, im Kapitel über Saint-Just und seine Freunde.

– Sehr viel mehr als die Liebe mit ihren Hindernissen hat die Freundschaft sein kurzes Leben erhellt, sagte ich. Er stellte sich sogar vor, aus ihr einen Pfeiler der neuen Gesellschaft zu machen. Freundschaftsbeziehungen sollten durch eine feierliche Erklärung, ihr Bruch durch ein öffentliches Protokoll besiegelt werden. Bei Vertragsabschlüssen, in Schiedsfällen und Streitigkeiten mit Dritten sollten die Freunde füreinander bürgen, in ihrer Beziehung auch gewisse Vorrechte genießen: durch ihr Wort gebunden, führen sie keine Prozesse gegeneinander und kämpfen, im Fall eines Krieges, Seite an Seite, der Tod kann sie nicht trennen, sie werden im selben Grabe eingeschlossen. Ideen aus der Antike, im 18. Jahrhundert längst außer Kurs, doch ihm gerade recht für sein Gesellschaftsprojekt. Die Freundschaft sollte, indem sie nach Besitz und Geistesvermögen ungleiche Männer verband, die sozialen Unterschiede überwinden, ein Mittel der Integration und Eintracht werden.

– Unter Männern, sagte Norma. Warum erzählst du mir das?

– Damit du es weißt. Und weil ich mir nichts ausdenken will.

Sie nickte, als hätte sie mich verstanden. Dabei war sie mit den Gedanken woanders, ich kannte diesen abwesenden Blick. Ich hatte mir Mühe gegeben und sie gelangweilt. Es war meine Idee gewesen, hierher zu gehen. Ein widerwärtiger Eßplatz auf der Straße, alles improvisiert und schäbig. Wir saßen auf wackligen Stühlen auf zugepflastertem Sand, himmelweit entfernt von dem leuchtenden Punkt, der durch blasses Blau dahinglitt und Satellit hieß, nicht Sputnik, das sollte Norma inzwischen gelernt haben. Die Serviererin sah verschwitzt aus und roch auch so. Was schon an ihr paßte zu dem Namen, den Norma ihr gegeben hatte. Erde, Mut und Reinheit – nichts lag diesem Ort ferner, aber Norma wollte es nicht wahrhaben, sie fühlte sich wohl, wie die anderen anscheinend auch, blanke Augen, flinke Münder, Lachen im Chor. Oben, aus den Fensterhöhlen die herabäugenden Köpfe, Gesichter zum Erschrecken, meinesgleichen. Wenn sie nicht mitansehen mußte, wie ich im Essen stocherte, verbissen Wasser trank, ihr zuliebe einen entlegenen Lebenslauf nacherzählte, wenn sie für eine Weile vergessen konnte, mit wem sie am Tisch saß, ging es Norma gut, dachte ich. Sie schaute den vorbeifahrenden Autos zu, den einzig Glänzenden in dieser Schlucht, und legte den Kopf zurück, um zu beobachten, was am Himmel flimmerte, dahinglitt.

– Daß du deine Wassermengen nicht loswerden mußt! Bis gleich, sagte sie, stand auf und verschwand im Lokal. Ich hätte mitgehen können, aber lieber ertrug ich den Druck der Blase, als meinen Platz zu verlassen. Mir folgte kein Blick, solange ich blieb, wo ich war.

Durch fortwährendes Dasein unauffällig werden. Stillhalten, übergehen ins Inventar dieser Straßenkneipe, einer unter vielen, ähnlich zusammengewürfelten im Schatten hoher bröckeliger Häuser, die aussehen, als stützten sie sich gegenseitig, als seien sie in gemeinsamem Verfall miteinander verwachsen, so daß sie alle auf einen Schlag zusammenbrechen würden, herausgebrochen wären aus dem Konglomerat der Straßen und Viertel in einer Stadt ohne Zentrum, doch mit Teilen, die ihr näher stehen als dieser hier, so eingeschlossen in seine schroffe Hinfälligkeit, den zähen Zusammenhang abgewirtschafteter Zellen. Stillhalten, vergessen, wo ich noch gestern war und nicht mehr hinkommen werde. Das Gras wächst nach, bald ist es hoch genug, die Katze zu verdecken, die geht und bleibt, wie es ihr gefällt, sich streicheln läßt von dem Mann, der abends auf der Terrasse sitzt, seinen Erinnerungen nachhängt oder ihnen zu entkommen sucht, wer weiß es außer ihm. Stillhalten, auf Norma warten, die wahrscheinlich an der Theke steht und redet und es nicht eilig hat, zu mir zurückzukehren. Auf Normas Stuhl gab ich acht, damit ihn niemand davontrug. Es herrschte inzwischen ziemlicher Andrang, als hätte der Sonnenuntergang ein Signal gegeben. Wer keinen Sitzplatz fand, lehnte an der Hauswand oder hockte zwischen den Stühlen der anderen, so am Tisch der jungen Männer, wo die Besetzung ständig wechselte, der Langhaarige nicht mehr saß, vielleicht nach drinnen umgezogen war oder um die Straßenecke zum Grill, der dicht umlagert sein mußte. Kaum jemand über Dreißig, alle einander ähnlich in Kleidung, Gebärden, Redeweise. Daß ich nicht zu ihnen gehörte, war ohne Bedeutung, ihr Interesse galt allein dem leeren Stuhl mir gegenüber. Auf den meisten Tischen brannten schon Kerzen in den Windlichtern. Was mich hier angewidert hatte, verschwand in der Dunkelheit. Nachts war dies ein angenehmer Ort, und Fremde wurden nicht verjagt.

– Noch einen Wunsch? fragte im Vorbeigehen die sogenannte Erdmute.

Ich bestellte Wein für Norma und für mich.

– Das mußte ich erst klären, sagte Norma, kaum, daß sie wieder saß. Sie brachte eine Wolke Kneipendunst mit und unseren Wein.

– Dieser Langhaarige, sagte sie, behauptet nämlich, du habest es auf ihn abgesehen. Er stand am Tresen, und als ich von der Toilette zurückkam, hielt er mich an.

Ich sollte dir ausrichten, er sei nicht scharf auf alte Weiber. Ich dachte, der tickt nicht richtig. Wie die mich mit Blicken verschlungen hat, früher konnte man annehmen, jemand von Horch & Guck, sagte er, aber das entfällt heutzutage, also Anmache. Lasse er sich nicht bieten. Für wen du ihn denn hieltest? Na, besser konnte es nicht kommen, sagte Norma, ich habe ihn aufgeklärt. Sie sind doch der junge Mann, habe ich gesagt, der den König auf dem Gewissen hat und weitere 2663 Geköpfte. Sie sind überzeugt davon, in die Reihe der großen Seelen zu gehören, denen ein Auftrag zuteil geworden ist. Sie wären vielleicht ein Winkeladvokat geworden, hätte nicht die Revolution stattgefunden und Sie an die Macht gebracht. Nicht Sie allein, versteht sich, so wie auch die Toten nicht allein auf Ihr Konto gehen und man Ihnen gute Taten, vor allem gute Absichten, nicht absprechen kann. Aber Sie haben den Fehler aller radikalen Revolutionäre. Das Reich der Tugend wollen Sie herbeizwingen mit Terror. Von der Liebe verstehen Sie wenig, dafür sind Freunde Ihnen umso wichtiger. Leider denken Sie bei Freundschaftsbeziehungen nur an Männer, vielleicht zeitbedingt. Wie alt sind Sie denn? Er war so verdattert, sagte Norma, daß er mich keinmal unterbrach und mir gehorsam antwortete: Fünfundzwanzig. Gut, dann haben Sie noch knapp zwei Jahre zu leben. Freundschaft! sagte ich und ging weiter. An der Tür traf ich auf Erdmute. Sie hat tatsächlich Zahnschmerzen, schluckt die ganze Zeit Tabletten. Ich habe ihr verordnet, morgen in Barbaras Sprechstunde zu kommen. Und sie bat mich, den Wein mitzunehmen, den du bestellt hast.

Norma schenkte ein, hob ihr Glas.
- Auf Saint-Just, sagte sie. Einverstanden?
Mit allem jetzt. Ich lobte Norma und den Wein, die
Milde der Nacht, auch die Wiederkehr eines abge-
schafften Grußwortes. Sie mochte es nie, sagte Norma,
als sie noch Mitglied im Jugendverband war, mit
»Freundschaft!« angeherrscht zu werden und zurückzu-
brüllen im Verein, aber vorhin habe es sich ganz gut
geeignet, als Kampfruf.
- Wie ehedem, sagte ich.
Wir schwiegen in Eintracht. Es wurde zusehends
dunkel. Wind kam auf, die Kerzen flackerten in den
Glaszylindern. Die Hausfront gegenüber verflachte zu
einer großen schwärzlichen Kulisse mit transparenten
Stellen, aus denen gelbe und fernsehfarbene Lichter
drangen, Leuchtzeichen hinter vorgeschobenen Wänden, die den Straßenplatz abtrennten von der Stadt,
einer entrückten, allmählich abkühlenden Steinland-
schaft, durch die Polizeiwagen fuhren mit Sirenenge-
schrei, den einzigen aus diesem Jenseits jetzt heran-
schlagenden Lauten, wie Hiebe gegen das Stimmenge-
flecht über den Tischen und ringsum abgewehrt mit
trainierter Harthörigkeit, dachte ich, schreckhaft nach
Wochen abendlicher Stille. Leise und langsam kamen
die Passanten vorüber, in geringer Entfernung schon
Schattenrisse, Schemen, dann von der Nacht gelöscht.
Aus dem Lichtkreis ins Dunkle sah man nicht weit.
Normas Blick, auf einen fernen Horizont gerichtet, ging
ins Leere, fixierte einen Punkt im Unsichtbaren. Ihre
Augen bewegten sich kaum, waren ohne Ausdruck, die
blanke Offenheit, als finge das Dasein erst an, als wäre
der vierzigste Geburtstag nächstens ihr erster, die Welt

noch Entdeckung vor dem Zerfall in gut und schlecht, in Zeiten, Leben und Tod, ein Anfang ohne Bewußtsein von Anfang noch Ende. Unseren Ort als Lichtreflex in den Pupillen, saß sie mir gegenüber und ließ mich zurück in dem engen Gesichtsfeld, das die Beleuchtung aus Undeutlichem und Finsternis herausschnitt. Vielleicht hatte sie schon immer Grenzen unterlaufen, in denen ich mich einrichtete, umgeben vom flügellahmen Schwarm meiner freien Gedanken. Vielleicht war sie weniger verletzbar und nicht aus Angst vor Schmerzen in Bewegungsabwehr so geübt wie ich. Sie besaß nicht meine Wendigkeit beim Wegdrehen des Kopfes, bei Ausflüchten auf der Stelle. Deine dialektischen Spitzfindigkeiten, hatte sie gesagt in unserem Streit vor einem Monat und mich dabei gehaßt, wie sie es in ähnlichen Momenten wieder tun würde und meine Freundin bliebe trotzdem.

Auf der Wiederholung meiner Lügengeschichte hatte sie nicht bestanden, sich dem nur zugewandt, was ich zu erzählen bereit war, und sich gehütet, Partei zu ergreifen gegen Johannes. Über die Trennung war sie erleichtert, mein Elend bedrückte sie. Beides sollte ich nicht zu spüren bekommen, als schaffte ich es allein, wieder Fuß zu fassen, den Neubeginn zu wagen oder wie immer Norma die Haltungen nennen würde, die sie mir stillschweigend nahelegte.

Ihr Blick kehrte zurück auf die Straße vor uns, wo plötzlich zwei Hunde kläffend an den Leinen zerrten, die ihre versonnen zuschauenden Herrchen straff hielten, ein wenig schwankend von den Ziehkräften der gestreckten, auf die Hinterbeine gestemmten Körper, die über einen kleinen Abstand nicht hinwegkamen, in dem es bestimmt nach Pech und Schwefel roch, sagte Norma. Ihr taten die Hunde leid, wie sie sich vor diesen Feldherren abmühten und den Kampf verloren alle beide, auf die Vorderpfoten zurückfielen, davongeschleift wurden in entgegengesetzte Richtungen.

Die Straße aufwärts, schon im Bereich der Schatten und Schemen, dann wieder Gebell, dazu eine beschwichtigende Männerstimme. Aus der Dunkelheit rasch näher kam ein Radfahrer in weißem Hemd, die Haare vom Rückenwind aufgerichtet, von den Lichtern der Kneipe angeleuchtet, daß sie das blasse Gesicht überwölbten wie ein Heiligenschein. Den wird ihm der Wirt nicht lassen, dachte ich. Es gab Beifall für Max, der an der Ecke mit quietschenden Bremsen hielt, elegant absprang und dastand, als überlege er, ob er wirklich hier ankommen wollte.

– So ein Tag, so wunderschön wie heute, sagte er, stellte den von drinnen mitgebrachten Stuhl an unseren Tisch und setzte sich.

Er sah abgekämpft aus. Die Bürokraten im Bezirksamt, nachmittags die Zwillinge, dann die Elterngruppe – nichts als Nervereien. Und nun noch das Gezeter von Ande, der keineswegs besänftigt war, ich hatte es mitgekriegt auf dem Weg zum Klo, vorbei an Max und seinen Anklägern, der Langhaarige dazwischen, ausgerechnet diese Chaoten, sagte Max, wollten ihn belehren über Zuverlässigkeit unter Freunden. Immerhin, ein großes Bier hatte er bekommen.

– Wer erzählt etwas Erfreuliches? Wie war es bei Johannes?

– Wir haben uns getrennt.

Max setzte sein Glas ab. – Wenn das heute so

weitergeht, murmelte er und starrte abgewandt auf seine nackten Zehen.

– Geht es aber nicht! sagte Norma. Max, wir brauchen dich.

– Wozu? fragte er dumpf.

Norma schob die Gläser zurecht, teilte den restlichen Wein aus, fragte zwischendurch:

– Du hast doch irgendwann Jura studiert?

– Selbstverständlich, und anschließend wissenschaftlichen Kommunismus!

– Entschuldige, sagte Norma, aber Theologie vielleicht?

– Nicht, daß ich wüßte. Küster war ich mal, hilft dir das weiter?

– Und die französische Revolution ist dir ein Begriff?

– Schon möglich.

– Ein Liebhaber der Antike bist du sicher auch?

Ich mußte lachen. Darum ging es also.

– Von jetzt an schweige ich, verkündete Max. Wenn ihr mir nicht sagt, was hier gespielt wird.

Norma und ich reichten uns die Hände.

– Freundschaft, sagte ich, geht von freier Wahl aus. Einmal geknüpft, soll sie durch eine feierliche Erklärung offiziell besiegelt werden. Du bist unser Offizieller, Max.

– Ein Traumposten. Was habe ich zu tun?

– Besiegeln. Durch eine feierlich Erklärung, wiederholte Norma.

– Ist doch total unlogisch. Die Erklärung müßt ihr beide abgeben und bekommt dann von mir eine Urkunde beziehungsweise einen Segen oder so.

– Du kennst dich da nicht aus, sagte Norma. Wir wissen, wie es geht, nicht wahr?

278

Ich mußte zugeben, daß meine Quelle keine Angaben über die Zeremonie enthielt.

– Es ist eine Ermessensfrage, sagte ich. Wir können den Akt selbständig gestalten.

– Hauptsache kurz. Und ohne Hymne, bitte, sagte Max.

Norma protestierte. »Wahre Freundschaft«, mit allen Strophen, sollte es mindestens sein.

– Feier ist Feier. Und wenn ihr das Lied nicht kennt, singe ich es euch vor.

– Dann sind wir geschiedene Leute, sagte ich. Denkst du, ich war nie im Ferienlager? Mir gellt das jetzt noch in den Ohren, dieses hochgezogene Geheuel, der unsägliche Text dazu.

– Wetten, daß du keine fünf Zeilen mehr zusammmenbringst?

– Und wenn! Die Erinnerung reicht mir.

– Erinnerung? Vorurteil!

– Also, was ich ablehne, werde ich wohl selbst bestimmen dürfen!

– Ein klassischer Freundschaftsbund, sagte Max. Kann ich mein Amt nun niederlegen?

Einmütig erklärten wir die Gesangsordnung zur Nebensache.

– Das Kernstück ist, sagte Norma, du mußt uns über unsere Rechte und Pflichten belehren. Schließlich sollen wir als Freundinnen bei Vertragsabschlüssen und Streitigkeiten mit Dritten füreinander bürgen.

– Und die Beisetzung der Dahingegangenen organisieren, die Vormundschaft für die verwaisten Kinder übernehmen, sagte ich. Außerdem sind wir für unsere Straftaten wechselseitig verantwortlich.

- Das ist mir neu, rief Norma. Dem stimme ich nicht zu!
- Ein heikler Punkt, moralisch betrachtet, sagte Max, und rechtlich unhaltbar. Sofern ihr keine gemeinsamen Verbrechen begeht, nicht Mitwisserschaft, Anstiftung oder unterlassene Hinderung vorliegt.
- Sehe ich ein, so weit geht die Freundschaft nicht.. Kommen wir zu unseren Vorrechten!
- Was denn nun, fragte Max, Rechte oder Vorrechte?
- Jetzt, nachdem die Revolution stattgefunden hat, könntest du doch Jurist werden, schlug Norma vor.
- Zur Sache! Durch unser Wort gebunden, sagte ich, führen wir keine Prozesse gegeneinander. Wir kämpfen, im Fall eines Krieges, Seite an Seite. Der Tod kann uns nicht trennen, wir werden im selben Grab eingeschlossen.
- Wenn euch nichts Besseres vorschwebt!
- Max, du hast keinen Sinn für Geschichte. Wir bewahren die alten Formen, um sie mit neuem Leben zu erfüllen, sagte Norma. Wie würde das denn klingen: Das Alter kann uns nicht trennen, wir werden eingeschlossen im selben Zimmer eines reformierten Pflegeheims dieser Republik.
- Wir kämpfen uns Seite an Seite durch den Fragebogen, die Steuererklärung, den Rentenbescheid, sagte ich, und genießen das Recht, uns einen Arbeitsplatz zu teilen.
- Verstehe. Der Bund, den ich besiegeln soll, will seinen nüchternen Zweck hinter hehren Vorstellungen von dazumal verbergen.
- Wieso verbergen? Auf alte Weise ausdrücken. Es geht um eine Feier, sagte Norma.

– Und deshalb habt ihr auf mich gewartet?

– Die Gunst der Stunde genutzt, sagte ich. Denn wärest du in Sachsen, bei der Kommune unabkömmlich ...

– Die eigentlichen Dinge, antwortete Max, sind ganz andere und geschehen –

– hier im Augenblick, sagte Norma schnell. Walte deines Amtes, Max. Du könntest zum Beispiel eine Rede halten.

Zu welchem Thema, wollte er wissen, lehnte Normas Vorschläge, »Das Glück ist ein neuer Gedanke in Europa« und ähnliches der Reihe nach ab, er habe heute genug geredet, Feierabend, aber wir ließen nicht locker, eine kleine Ansprache uns zuliebe, wäre das zuviel verlangt von einem Freund spontaner Initiativen, von unserem Freund Max, der uns auch ohne Thema einige Sätze auf den gemeinsamen Weg mitgeben, endlich aufhören könnte, sich zu zieren, es sähe ja jede, daß er bereit sei, das Wort zu ergreifen. Tatsächlich ergriff Max das Bierglas, nahm einen kräftigen Schluck, dann rückte er eine imaginäre Krawatte zurecht, räusperte sich und sprach:

– Liebe Freundinnen. Wir leben in bewegten Zeiten. Soviel Anfang war noch nie, und alles im Eimer. Die Vergangenheit ostelbisch Trümmer und Morast, die Zukunft allgemein vielleicht nur kurz. Jeder Tag hat vierundzwanzig Stunden, die meisten verschlafen und vergeuden wir. Im Rest tun wir Dinge von ungewissem Nutzen, bestenfalls mit Lust, und werden über das, was wir nicht getan haben, reichlich unterrichtet. Wir nehmen mehr Meinungen zur Kenntnis, als wir besitzen können. Es steht uns frei zu wählen. Mancher ruft jetzt nach Befreiung von dieser Freiheit und sucht das Heil in

Banden. Viele spitzen die Ellbogen. Solidarität ist ein Fremdwort geblieben, guter Rat teuer. Jeder weiß, daß es so nicht weiter geht, jeder hofft, die Veränderung wird nicht ihn erwischen, denn heute ist es immer noch besser als morgen, außer für die, denen schon alles fehlt. Die Menge der notdürftig Versorgten wächst, ihre Entsorgung geschieht auf natürlichem Wege, wie bei den übrigen Artgenossen, vielleicht etwas eher. Kein Grund, sich zu beklagen. Bei wem auch? Die Obrigkeit und alle, die in diesem Land etwas zu tun oder zu sagen haben, geben ihr Bestes. Die Verderber von einst sitzen hinter Schloß und Riegel, sind abgetaucht, verstorben, in neuer Tauglichkeit mitten unter uns. Mit ihren Straftaten befaßt sich die Justiz, mit ihren Missetaten eine vielstimmige Öffentlichkeit. Und wir selbst, liebe Freundinnen, sind so unschuldig nicht, daß wir den ersten Stein werfen dürften. Von denen, die bereits umhersausen, werden wir freilich mitgetroffen. Halten wir dennoch den Besen fest, mit dem wir vor der eignen Tür zu kehren haben! Lassen wir uns nicht beirren, nach dem eigenen Platz in der großen Verstrickung zu fragen, nach der Mitschuld unseres Formats! Widerstehen wir der Wahl zwischen Vergessen und hundert Jahren Haß! Es ist anstrengend, zu den Ehemaligen zu gehören, wir alle, die wir hier sitzen, wissen es. Gewinnen, verlieren, einbringen, aufarbeiten – da weiß die Linke häufig nicht, was die Rechte tut und keine Hand, was beiden bleibt. Darf uns das entmutigen? Und sind wir auf dem richtigen Weg, wenn wir unsere Identität in geschlossener Fülle suchen, in Lückenlosigkeit? Ich warne vor dem Horror vacui. Denken wir daran, daß beim Go-Spiel ein Gebiet nur lebendig bleibt, wenn man dafür gesorgt hat, daß zumindest zwei freie Räume existieren, die Spezialisten nennen das offene Augen. So wie auch ihr, denke ich, denen Umbruch und Trennungen Löcher in das Leben gerissen haben, die Risse in eurem Lebenslauf nicht besetzen wollt mit den schwarz-weißen Steinchen stimmiger Geschichten. Euer Bund fügt Ungleiche zusammen, zwei Unvollständigkeiten, möchte ich sagen, und eben darin liegt seine Chance. Freundschaft ist nicht die schlechteste Art, mitzuwirken an der gesellschaftlichen Vereinigung, diesem Knäuel aus Hoffnungen, Mängeln und Mißverständnissen, von den Sachzwängen ganz zu schweigen. Fürchten wir nicht das Knäuel, sondern fürchten wir den Alexander oder wie auch immer, der sich anheischig macht, es mit einem Hieb zu durchschlagen. Blicken wir beherzt in die Zukunft, kurz oder lang, erheben wir die Blicke zum bestirnten Himmel über uns und die Gläser auf euren Freundschaftsbund. Er ist beschlossen und besiegelt –

– unter dem Namen Norma, sagte ich.

– Alsdann trinke ich auf das Wohl von Marianne Norma und Norma Norma. Möget ihr ein Beispiel geben in der Erfüllung eurer Pflichten gegeneinander und im maßvollen Gebrauch eurer Rechte. Damit erkläre ich den offiziellen Teil der Veranstaltung für beendet. Gibt es Einwände?

– Keinerlei, sagte ich, bewegt, wie Tante Ruth es gewesen war nach einer guten Predigt.

Auch Norma lobte die Rede.

– Nur ziemlich sang- und klanglos das Ganze, fand sie. Aber so sind die Zeiten, maßvoll im Gebrauch von Festlichkeit. Die letzte Runde Wein muß ich wohl für mich allein bestellen?

Mußte sie nicht. Und für Max noch ein Bier.

Auf dem Heimweg, kurz hinter der Kreuzung, an der Max uns Lebewohl sagte und davonradelte zu einer nächtlichen Zusammenkunft, entdeckten wir über einem Kellerfenster ein kleines Schild. »Kormoran – der letzte Zeuge« stand da schräg, in blauen Buchstaben auf weißer Emaille. Das Schild sah neu aus, die Schrift altmodisch, wie aus früher DDR-Zeit oder noch älter. Norma blieb stehen.

– Was für eine Botschaft, sagte sie, unentschieden zwischen Ausruf und Frage.

Ich zog sie weiter.

– Komm, wir können auch im Gehen raten. Es ist wahrscheinlich der Titel eines Romans, der hier geendet hat.

– Der hier enden wird.

– Ein Roman, auf den schon alle warten. Er handelt von den Abenteuern eines Arbeiterbauern in vierzig ungelebten Jahren.

– Von der Verwandlung des Sonnengotts in einen Schwimmvogel bei Anbruch der Sintflut.

– Von dem IM, der über die letzte Sitzung des Politbüros berichtet hat.

– Nein, von der Bekehrung des christlichen Abendlandes zum Islam.

– Nicht die Spur! Von unserem Abtauchen in den Untergrund. Du wirst die Anführerin einer lokalen Utopistensekte, die in Kellern konspiriert und sich als Gesangsverein tarnt, Normachor, daher der Name Kormoran.

– Mit Roman sind wir auf dem Holzweg, entschied Norma. Es handelt sich um eine neue Art von Kleinan-

zeigen. Wer errät, was ihm da angeboten wird, bekommt es.

– Es ist die Keimzelle einer Zersetzungskampagne,
sagte ich. Bald werden ähnliche Schilder in der ganzen
Stadt auftauchen und Reklame machen für Dinge, die
es nicht gibt.

– Für erfundene Politiker und Sportler.

– Für Freiheit, Gleichheit, Brüderlichkeit. Es ist ein
Ruf aus der Vergangenheit.

– Eine Erinnerung aus der Zukunft.

– Ein nutzloser Hinweis also.

– Ein Rezept, ein Nachruf, eine Liebesbotschaft.

– Oder nichts von alledem. Nicht die Aufschrift, das
Schild ist die Nachricht. Es hat irgendeine geheime
Eigenschaft.

– Es kann sich plötzlich verfärben. Wie die Blume im
Märchen von den Goldkindern.

– Wenn eine von uns vorbeigeht und sieht, die Schrift
ist rot, weiß sie, daß die andere in Not ist, flugs eilt sie
dann zu Hilfe, und sei es um die halbe Welt.

– Genau. »Sooo soll es sein, so wird es sein«, sang
Norma nach Art des schnauzbärtigen Vorsängers.

Und sang es noch einmal vor ihrer Haustür, während
sie die Schlüssel suchte. Ich wartete, bis Norma und ihr
Gesang im Nachbarhaus verschwunden waren.

In der Toreinfahrt hockte eine von den schwarzwei-
ßen Hofkatzen, die sich nicht anfassen ließen. Sie floh,
als ich näherkam, unter die Container, umstellt von
Müllbeuteln und Flaschen. Es fiel mir jetzt erst auf, ein
Anblick wie in alten Zeiten. Vielleicht war Kühne krank.
Oder zurückgetreten aus gesundheitlichen Gründen, in
meiner Abwesenheit von irgendwem überführt. Kein

Schleifen morgen, die gewöhnlichen Geräusche, sonst nichts.

Ich blieb im Hof stehen, sah den huschenden, springenden Katzen zu und wünschte dabei, daß zuguterletzt Emilia käme, mir im Mondlicht die neuesten Figuren vorführen und mit ihrer unmöglichen Stimme verkünden würde, anscheinend sei mir doch noch zu helfen.

Klett-Cotta
© J. G. Cotta'sche Buchhandlung Nachfolger GmbH, gegr. 1659,
Stuttgart 1994
Alle Rechte vorbehalten
Fotomechanische Wiedergabe nur mit Genehmigung des Verlags
Printed in Germany
Schutzumschlag: Klett-Cotta-Design
Gesetzt aus der 11 Punkt Palatino
von Steffen Hahn GmbH, Kornwestheim
Auf säure- und holzfreiem Werkdruckpapier
gedruckt und gebunden von Gutmann, Talheim

Die Deutsche Bibliothek – CIP-Einheitsaufnahme
Burmeister, Brigitte:
unter dem Namen Norma / Brigitte Burmeister –
Stuttgart: Klett-Cotta, 1994
ISBN 3-608-93216-X